BALZAC

SHORT STORIES

CLARENDON FRENCH SERIES

General Editor: W. D. HOWARTH

BALZAC

SHORT STORIES

BALZAC
SHORT STORIES

SELECTED AND EDITED
WITH INTRODUCTION AND NOTES
BY
A. W. RAITT
M.A., D.Phil.
FELLOW OF EXETER COLLEGE
OXFORD

OXFORD UNIVERSITY PRESS

Oxford University Press, Walton Street, Oxford OX2 6DP

LONDON GLASGOW NEW YORK TORONTO
DELHI BOMBAY CALCUTTA MADRAS KARACHI
KUALA LUMPUR SINGAPORE HONG KONG TOKYO
NAIROBI DAR ES SALAAM CAPE TOWN SALISBURY
MELBOURNE AUCKLAND
and associate companies in
BEIRUT BERLIN IBADAN MEXICO CITY

CONTENTS

CONTENTS

INTRODUCTION

BALZAC AND THE SHORT STORY

THE image we have of Balzac nowadays is so much dominated by his gigantic achievement as a novelist that it is hard to realize that he was at one time regarded primarily as a short-story writer. And yet, by the end of 1832, he had written thirty short stories which were collected in the *Comédie humaine*, another dozen or so *Contes drolatiques*, and several brief tales in periodicals; his admirers called him 'le roi de la nouvelle', and when *Le Médecin de campagne* appeared in September 1833, one critic was moved to remark incredulously: 'M. de Balzac a tenté de faire autre chose que des contes.'[1] In the whole of the *Comédie humaine*, more than half of the ninety-odd works are, by their length, more short stories than novels. The fact is that Balzac, at the beginning of his career, was a specialist in short stories and never entirely lost his taste for the form.

It was no doubt the vast popularity of the short story in the early 1830's which induced him to take it up with such gusto. He was at that time still unsure of his true vocation as a writer, and, after his long experience as a purveyor of anonymous hack literature, was in process of experimenting with satire (in *La Physiologie du mariage*), with the historical novel, under the inspiration of Walter Scott and Fenimore Cooper (in *Les Chouans*), and with serious philosophical novels (*Louis Lambert* and *La Peau de chagrin*). It was only natural that the extraordinary success which the fantastic tales of the German writer E. T. A. Hoffmann and his French imitators enjoyed from 1829 onwards should have suggested to him the idea of trying his

[1] Quoted by Roger Pierrot in his edition of Balzac's *Correspondance* (Paris, Garnier, 1962), vol. ii, p. 382, n. 1.

hand at the same type of thing, the more so as his interests at the time lent themselves particularly well to expression in that form. For Balzac in the early 1830's was going through a period of intense excitement over metaphysics; he was fascinated by theories of the nature of thought, by unusual psychic phenomena, by occultism, by an irresistible desire to elaborate his own explanation of the universe. These ideas inform much of his literary output in those years—indeed, they leave an indelible imprint on all that he wrote subsequently—and constitute the substructure of his two major allegorical works, *La Peau de chagrin* (1831) and *Louis Lambert* (first version 1832). But preoccupations of this kind are perhaps more easily incorporated into short stories than into full-length novels, since symbolism often involves unlikely plots which are more acceptable if the reader does not have to suspend his disbelief for too long a time. Hence a large number of the tales written by Balzac between 1830 and 1832 belong to the *Études philosophiques*, where they are, as Professor Hunt puts it, 'satellites' of the major works,[1] fulfilling the dual function of satisfying the predilection for near-melodrama which their author had acquired during his apprenticeship as a manufacturer of 'penny dreadfuls' and of clarifying certain of his intellectual attitudes.

This means that it is essential to turn to the works of this period if one is to understand the assumptions which are presupposed by the later parts of the *Comédie humaine*. *Le Chef-d'œuvre inconnu*, for instance, contains a highly illuminating analysis of the interplay of realism and idealism in art; *Le Réquisitionnaire* seeks to demonstrate that distance is no obstacle to the transfer of thought and emotion; nearly all the tales are illustrations of Balzac's main thesis that thought is a consuming, destructive activity which will eventually use up all a man's life-force. The *Études philosophiques* are the spiritual heart of the

[1] H. J. Hunt, *Balzac's 'Comédie humaine'* (London, University of London Athlone Press, 1959), p. 39.

Comédie humaine, and it is from them that one can most easily appreciate the themes and theories which underlie the great realistic novels of the next two decades.

At the same time as Balzac was making a name for himself as one of the outstanding successors of Hoffmann in France, he had also been led to cultivate another very different type of short story. This was the realistic sketch of life and manners which one finds in the first series of *Scènes de la vie privée* (1830). The late 1820's had seen a fashion for such studies, so that again Balzac is taking advantage of an existing trend. In these works (such as *Le Message* and *La Grande Bretèche* in the present volume), Balzac is mainly concerned with the domestic dramas caused by ill assorted marriages or by infidelity, but a strong secondary source of interest lies in the exact description of contemporary society, its habits and the setting in which it moves. If the *Études philosophiques* provide a key to Balzac the thinker, the early *Scènes de la vie privée* show us the birth of his technique as an observer.

The two categories are not mutually exclusive. A terrifying tale like *Le Réquisitionnaire* may contain a preponderance of sober observation of everyday things, while there are moments of sudden melodrama in domestic tales like *Le Message*. It is when the dramatic and realistic elements coalesce in *Le Colonel Chabert* and *Le Curé de Tours* (1832) that Balzac really begins to find himself as a novelist, and they thereafter become inseparable. One or other may still predominate in the late novels— *Splendeurs et misères des courtisanes* is a tissue of lurid improbabilities, whereas *Béatrix*, for instance, reverts to intimate and relatively undramatic psychology—but in the majority of the works written from 1833 onwards, there is both a strongly realistic setting and a tense, thrilling plot.

These early short stories, being for the most part conceived and executed as independent works, show how deep was Balzac's insight into the exigencies of the form. *Le Message* is as bare in outline and as rigorous in its suppression of non-essentials as any of Mérimée's masterpieces, and in a story such as *Un Épisode sous la Terreur* the unexpected ending is prepared with all the professional expertise of Maupassant. Mystery and suspense are essential ingredients of almost all Balzac's tales, even those which do not aim at violent effects, and his favourite method of constructing a short story is to propose some enigma at the outset, develop it so as to increase the tension, and then suddenly reveal the solution. Why has the Grande Bretèche been left to moulder in such sinister desolation? Why does Madame de Dey abruptly close her *salon* at the height of the Terror (in *Le Réquisitionnaire*)? Why does the militant atheist Desplein secretly attend Mass at St-Sulpice? Who is the sombre stranger who asks the Abbé de Marolles to say Mass for the soul of the dead Louis XVI? What terrible crime has caused Cambremer to live as a hermit in *Un Drame au bord de la mer*? How does a Venetian prince come to be living in poverty in a Paris hostel for the blind? The technique is the same in each case: a lengthy description, a gradual intensification of the suspense, then a rapidly driven narrative to the denouement. It is a highly effective formula and a typically Balzacian one, in that it combines fast-moving drama and static observation.

Thus in a little over three years, between 1829 and 1832, Balzac had established for himself a wholly justified reputation as a short-story writer of the first rank, notable equally for his lifelike settings, his succinct delineation of character, his provocative suggestion of ideas, and his skilful narration. Then, as abruptly as it had begun, the stream of short stories dried up. Only four appeared between 1833 and 1835, and though the late 1830's saw a slight increase in his production, no more than a handful were published in the 1840's. There can be no doubt that this turning away from the genre was deliberate. By 1833 the vogue for the fantastic was very much on the wane; minor writers had abused it and the public had come to associate it with cheap horrors and facile sensationalism. Balzac, by now meditating larger designs, decided that the time had come to give up practising a form which was liable to bring him into disrepute and which was coming to be thought of as his only talent. Thus in 1833 we find this stern warning in an unfinished article on the short story: 'Mon cher, ne fais plus de contes. Le conte est fourbu, rendu, couronné, a le sabot fendu, les flancs rentrés comme ceux de ton cheval. Si tu veux le rendre original, prends le conte, casse-lui les reins comme on brise la carcasse d'un poulet découpé, puis laisse-le là, brisé. Sans cela tu n'es qu'un *contier*, un homme spécial.'[1] Similarly, the introduction to the 1834 edition of the *Études philosophiques*, written to Balzac's instructions by one Félix Davin, is an oddly defensive document, which gives one the impression that Balzac is inclined to apologize for having composed so many short works. Only the *Contes drolatiques*, gay and licentious Rabelaisian pastiches which Balzac had been producing with great verve for some time, escaped the general disapproval with which he now viewed the short story, and they continued unabated until even Balzac tired of the game a year or two later.

The eclipse of the short story in Balzac's works is hastened by his discovery that the novel is in fact a more appropriate vehicle for his genius. One can almost see the exact turning-point in his career when this happens, as *Eugénie Grandet*, which he had intended to be only a tale, ran away with itself and turned into a novel early in 1833. Soon after, he must have conceived the idea of using his works to portray the whole range of contemporary society, which again necessarily implies greater length. Even in the earlier tales, there are occasional signs that a broader canvas will soon be needed to accommodate the developing features of Balzac's style. Works like *La Maison du Chat-qui-pelote* or *Une Double Famille*, for example, have expositions so

[1] *La Comédie humaine* (Paris, Bibliothèque de la Pléiade, 1959), vol. xi, pp. 973–4.

detailed and so leisurely that they tend to crush the rather meagre plots which follow. More and more, Balzac's conception of character and behaviour as inseparable from milieu and up-bringing necessitates a lengthy explanation of the antecedents of the protagonists: the feelings of Madame de Dey in *Le Réquisitionnaire* are in his view comprehensible only in the light of her past experiences, and the character of Cambremer in *Un Drame au bord de la mer* cannot be portrayed apart from the desolate landscape in the midst of which he lives. The result is that, where Balzac does not deliberately aim at concision, his tales tend to become almost as much short novels as they are long stories. His realization that it is only by going still farther in this direction that he can give full expression to his conception of psychology and human relationships means that the quint-essential concentration of the short story ceases to hold so much attraction for him. From then on, Balzac is unmistakably a novelist, and such short stories as he writes are only by-products of the large-scale enterprises.

This is not to say that he renounced all interest in what he had written before 1833. The declared preference for the novel and the inspiration of linking all his fiction into the single vast panorama of the *Comédie humaine* certainly deflected him from his course as a short-story writer, but the short stories already composed, as well as those still to come, apart from a few light-ning sketches in the press of the time, were carefully revised in successive editions of his works so that they should cease to be isolated entities and should be integrated into the architecture of the whole edifice. Names of characters were altered in order to bring in characters from other books: thus Bianchon replaces an otherwise unknown M. de Vilaines as the narrator of *La Grande Bretèche* and the two nuns of *Un Épisode sous la Terreur* acquire the names of Beauséant and Langeais, familiar to all readers of *La Duchesse de Langeais* or *Le Père Goriot*. References to incidents prominent in major novels are added: the notorious

scandal of Roguin's bankruptcy, which has such widespread rami-
fications in the *Comédie humaine*, is briefly evoked in *La Grande
Bretèche*, and a dramatic episode of *L'Envers de l'histoire contemporaine* receives an unexpected mention in *Pierre Grassou*. Similarly,
the later novels take account of events in the short stories: *Le
Père Goriot* is in part an extension of *Gobseck* and *Le Lys dans
la vallée* makes use of the meek Abbé Birotteau who figures in
Le Curé de Tours. The majority of the tales are just as much part
of the world of the *Comédie humaine* as the novels—indeed, they
are an excellent introduction to it.

As for the short stories written after Balzac had decided that
his task was to compose an immense series of novels interpreting
the life of his times, they are for the most part rather different
from what had gone before. A few of those composed after 1832,
among them *Un Drame au bord de la mer*, recognizably belong
to the same type of tale as the earlier *Études philosophiques*. But
most of them are conceived specifically with the aim of filling in
some gap in the *Comédie humaine* which would not be covered
by the novels. The life and character of the great surgeon Desplein, who attends so many of the people in the *Comédie humaine*,
are summed up in *La Messe de l'athée*. *Gambara* and *Massimilla
Doni* are intended to ensure that music should have its rightful
place in the world which Balzac was creating. *La Maison Nucingen* recounts the complex piece of financial skulduggery to which
the famous banker Nucingen owes his fortune. *Pierre Grassou*
investigates the nature of the daubers who provide the paintings
which please the philistine majority. Even *Un Drame au bord
de la mer* is designed to throw further light on the personality of
Louis Lambert as well as to relate a gruesome anecdote. Of
course Balzac is too consummate a literary artist to neglect the
lessons of short-story telling which he had learnt in the 1830's,
and the later tales nearly all display the same effective handling
of plot, the same artfully produced surprises, and the same rapid
and economical movement as the earlier ones. The best of them

are at least as good, as short stories, as anything he had written before. But they are not now primarily intended to stand on their own, and consequently Balzac allows himself rather more licence in evoking a milieu or a personality which he feels will add something to the overall picture of the *Comédie humaine*.

Short stories thus form a vital part of the *Comédie humaine*—in three of its categories (the *Etudes philosophiques*, the *Scènes de la vie privée*, and the *Scènes de la vie parisienne*) the short stories outnumber the novels. Moreover, many of them occupy a privileged position in the economy of the whole by offering an explanation of the attitudes behind the novels. Many of the leading figures in the *Comédie humaine* would not be the same if we had not met them in the short stories; we should know nothing about Louis Lambert's momentary return to sanity, Desplein's atheism, the origins of Nucingen's wealth, or the oddities of Gobseck's home life. Nor should we have such a clear idea of what Balzac thought of music or painting. It is, of course, true that the great themes of the novels recur in the short stories— the pathological obsession with money in *Facino Cane*, the ingenious trickery of unsuspecting dupes in *Pierre Grassou*, the fascination with the idea of paternity in *Un Drame au bord de la mer* and *La Messe de l'athée*, the defence of the Church and the monarchy in *Un Épisode sous la Terreur*, the curiosity about extraordinary psychic phenomena in *Le Réquisitionnaire* are all to be found on a larger scale in the long works. But often the simplification of these themes which inevitably occurs in the confined framework of the tale is an aid to understanding the complexity of the novels. A reader who knows only Balzac's long works has missed an essential part of his genius.

One can also learn a lot about Balzac's technique as a writer by studying the short stories. As will be seen from the notes, almost all of them are amalgams of closely observed fact and often somewhat extravagant fantasy. The ingrown, gossipy society of a small provincial town in *Le Réquisitionnaire*, the

coarse alcoholic gaiety of a wedding party in a poor quarter of
Paris in *Facino Cane*, the struggles of a penniless student in a
Left Bank attic in *La Messe de l'athée*, the bleak landscape of the
salt-marshes near Le Croisic in *Un Drame au bord de la mer*—all
these are things of which Balzac had personal experience, which
he had noted in his copious and retentive memory and which he
reproduced at the right moment with compulsive vividness and
accuracy. But the events which take place in these scrupulously
copied settings often have much less prosaic sources—reminiscences of Mérimée in *Un Drame au bord de la mer*, of Marguerite de Navarre in *La Grande Bretèche*, and of Hoffmann in
Le Chef-d'œuvre inconnu, for example, or the workings of an
imagination naturally attracted by explosive and unlikely situations in tales like *Un Épisode sous la Terreur* or *Le Réquisitionnaire*. The combination of these two elements, often inextricably
woven together, produces a curious sensation of a world which
we recognize down to its smallest details and yet in which things
happen which we should ordinarily discount as incredible. We
are in the world of reality, but it is not as we are used to it. Even
when we think a person or object is an exact reproduction of
something with which we are familiar, we are often puzzled to
discover that the identification is only partly valid. This is
because Balzac often superimposes one set of facts on another
to produce a new situation. It is tempting to say that Balzac's
Desplein is the surgeon Dupuytren whose name was a house-
hold word in the 1830's. But some of the things Balzac tells us
about him apply to another medical celebrity, Fourcroy, and
others again to neither man. In the same way, Bianchon appears
to be Dr. Adolphe Marx—until their careers inexplicably diverge
and Bianchon recovers his autonomy. Again, the exactness with
which Balzac depicts a house in the rue Guesnault in Vendôme
in *La Grande Bretèche* would seem to justify the assumption that
the house of the story is simply the same one reproduced; then
one realizes that the name comes from a place near Tours and

the associations from speculations about an entirely different house near Versailles.

One thus comes to see that the *Comédie humaine* is not, and was never meant to be, a slavish transcript of reality, in the short stories any more than in the novels. Balzac's aim is to persuade readers that they are in the world to which they are accustomed— and then to show them that that world is not as they thought it was. The laws of nature and society as Balzac understood them are enunciated in the *Études philosophiques* and the way in which they operate in practice is exemplified in the remainder of the *Comédie humaine*: the demonstration would be valueless if the world of his fictions were unrecognizable, but no demonstration would take place at all unless the confused lines of the real world were untangled and interpreted. Hence the paradox of Balzac being termed simultaneously a Romantic and a Realist—his views on the meaning of life are irrational and idealistic, while his faculties of observation and description are applied to material reality.

The short stories provide no less complete an introduction to Balzac's style—or rather, his styles, since one of the characteristics of his technique as a stylist is the extent to which he varies his manner according to his mood and the subject-matter. There is a faintly ironic detachment in the opening pages of both *Le Réquisitionnaire* and *Le Message* which lends itself admirably to the objective depiction of scenes of everyday life. In *Un Drame au bord de la mer*, on the other hand, the language takes on a lyrical and emotive tone indicative of the narrator's mental tension. Humour verging on caricature dominates *Pierre Grassou*, whereas solemnity and stateliness are the keynotes of *Un Épisode sous la Terreur*. *La Grande Bretèche* plays off three styles one against another: the pompous legalistic phraseology of the lawyer, the familiar, homely accents of the hostess, and the lively but acutely observant narrative of Bianchon. The simple directness of popular speech, with its picturesque turns of phrase and

its mistakes of grammar, is imitated with remarkable fidelity
and effectiveness in *Un Drame au bord de la mer* and parts of
La Messe de l'athée, and in *Un Épisode sous la Terreur*, *Le
Réquisitionnaire*, and *Le Message* Balzac reveals himself as one
of the great masters of dramatic dialogue in narrative fiction.
From the artistic prose of certain word-pictures in *Le Chef-
d'œuvre inconnu* through the grave eloquence of *Un Épisode sous
la Terreur* to the rollicking high spirits of *Pierre Grassou*, Balzac
displays an unequalled command of the whole range of tone and
expression.

What of Balzac's position as a short-story writer compared
with other practitioners of the form in the nineteenth century?
Apart from Hoffmann, the two most popular short-story writers
in the France of 1830 were Charles Nodier and Prosper Mérimée.
Nodier, by then the elderly *éminence grise* of Romanticism,
exploited two veins in the short story: the sentimental and the
fantastic, both in an urbane and discursive style; whereas
Mérimée was in process of creating what one may call the
'modern' short story—laconic, direct, and compressed. Balzac
has similarities with each of them. He has Nodier's unshakable
belief in the existence of something behind and beyond physical
appearances, but at the same time, he has Mérimée's gift for the
firmly handled plot and the incisive effect. One may indeed suppose that he learnt from each of them, as well as from Hoffmann:
Le Réquisitionnaire has strong analogies with several of Nodier's
stories, notably *Jean-François les bas-bleus*, just as *Un Drame
au bord de la mer* has with Mérimée's *Mateo Falcone*. Where
Balzac is superior to either of them is in his combination of
Nodier's gifts of imagination with Mérimée's mastery of form;
he is as remote from the rambling emotionalism of the one as
from the cynical dexterity of the other.

Balzac stands comparison equally well with the later masters
of the short story, despite the fact that, by following Mérimée's
example, they so much improved the technique of the form after

Balzac had lost interest in it. Maupassant may have a greater insight into the mechanics of the well-made tale, but he lacks Balzac's intelligence and breadth of humanity. Daudet can be more ingratiating, but he has none of Balzac's fierce power. Villiers de l'Isle-Adam is stranger and intellectually even more stimulating, but the sense of strain detectable in some of his tales is absent from Balzac. The stories in the present selection have been chosen, not only because they are in themselves magnificent examples of the craft of narration, but also to show how successful Balzac was in composing short stories in the modern idiom. It is possible to dispute Paul Bourget's judgement that Balzac's short stories are 'égales en beauté à ses grands romans';[1] it is scarcely possible to doubt that Balzac is one of the best short-story writers of his century.

CHRONOLOGY OF THE SHORT STORIES IN THE *COMÉDIE HUMAINE*

1828 *Les Deux Rêves*   (*Études philosophiques*)
1829 *La Paix du ménage*   (*Vie privée*)
      La Maison du Chat-qui-pelote   " "
      El Verdugo   (*Études philosophiques*)
      Le Bal de Sceaux   (*Vie privée*)
1830 *La Vendetta*   " "
      Gobseck   " "
      Étude de femme   " "
      Une Double Famille   " "
      Adieu   (*Études philosophiques*)
      L'Élixir de longue vie   " "
      Sarrasine   (*Vie parisienne*)
      Une Passion dans le désert   (*Vie militaire*)
      Un Épisode sous la Terreur   (*Vie politique*)
1831 *Le Réquisitionnaire*   (*Études philosophiques*)
      L'Auberge rouge   " "
      Les Proscrits   " "
      Maître Cornélius   " "

[1] *Études et portraits* (Paris, Plon, 1906), vol. iii, p. 247.

This list is of necessity arbitrary, inasmuch as there can be no hard
and fast dividing-line between a long short story and a short novel.
To make it complete, one should add one or two other tales which
are incorporated into the composite works *La Muse du département*
and *Autre Étude de femme* (in which *La Grande Bretèche* is to be found),
the long sequence of *Contes drolatiques*, and about twenty tales printed
in the press of the time (mostly in the 1830's) and never collected by
Balzac.

SOME DATES IN BALZAC'S LIFE

1799 Born at Tours on 20 May.

1807 Went as a boarder to the Collège de Vendôme.

1813 Illness caused his return to Tours.

1816–19 At the same time studying law and articled to a lawyer in Paris.

1819–20 Living in a garret in Paris while trying to get started on a career as an author.

1820 Began producing hack novels under various pseudonyms.

1822 Madame de Berny became his mistress.

1825–8 Disastrous venture into printing and publishing, which resulted in bankruptcy and lifelong debts.

1829 Publication of *Le Dernier Chouan* (later retitled *Les Chouans*), the first novel to be signed with his own name.

1832 First letter from 'L'Étrangère', otherwise Madame Hanska, a Polish noblewoman.

1832–4 Balzac became a celebrity, a dandy, and a noted frequenter of *salons*.

1833 Meeting with Madame Hanska in Geneva. Publication of *Eugénie Grandet*.

1834 While writing *Le Père Goriot*, Balzac began to apply the system of reappearing characters and conceived the idea of linking all his novels into a single entity.

1835 Publication of *Le Père Goriot*.

1836 Death of Madame de Berny. Travelling in Italy.

1837 Second trip to Italy. *César Birotteau*.

1839 Balzac moved to a ruinously expensive country house, Les Jardies.

1841 *Ursule Mirouet*.

1842 Death of Madame Hanska's husband. The publication of Balzac's collected works under the title of the *Comédie humaine* was begun.

1843 Visit to St. Petersburg and agreement that he and Madame Hanska should marry when he was free of debt. *Illusions perdues*.

1846 *La Cousine Bette.*

1847–8 Balzac stayed for some months with Madame Hanska at Wierzchownia, her home in Poland.

1848–50 Balzac returned to Wierzchownia, but his health was deteriorating
rapidly.

1850 Married to Madame Hanska on 14 March; returned to Paris with her
on 20 May; died there on 18 August.

SELECT BIBLIOGRAPHY

IT is impossible to give here anything like a complete list of books on Balzac; the following works all have some special relevance to the study of his short stories.

The most accessible edition which contains the short stories is that in the Bibliothèque de la Pléiade, edited by Marcel Bouteron, but the monumental edition published by Conard and edited by Bouteron and Longnon may be consulted for its notes and for some tales which Balzac did not include in the *Comédie humaine*. There are also some useful notes by A. Prioult in the incomplete edition of the *Comédie humaine* published by Hazan. A large number of the tales were published separately by Skira (Geneva) in 1946 as the *Petite Collection Balzac*, under the editorship of Albert Béguin. It should also be mentioned that the limited edition of Balzac's works published by Le Club français du livre includes excellent introductions, by various authors, to each of the stories.

BOOKS

Vicomte C. Spoelberch de Lovenjoul, *Histoire des œuvres de H. de Balzac* (Paris, Calmann-Lévy, 1888). Indispensable bibliographical information.

Paul Bourget, 'Balzac nouvelliste', in *Études et portraits*, vol. iii (Paris, Plon, 1906). An extremely perceptive essay.

J. Haas, *H. de Balzacs 'Scènes de la vie privée' von 1830* (Halle, Niemeyer, 1912). A detailed but rather pedestrian study in German of one group of Balzac's short stories.

Fernand Baldensperger, *Orientations étrangères chez H. de Balzac* (Paris, Champion, 1927). The foreign influences affect some of the shorter works.

G. B. Raser, *Balzac's 'Le Message'* (Harvard University Press, Cambridge, Mass., 1940). A useful critical edition of a single tale.

Maurice Bardèche, *Balzac romancier* (Paris, Plon, 1943). An admirable study of Balzac's technique in the earlier works, including many of the short stories.

Albert Béguin, *Balzac visionnaire* (Geneva, Skira, 1946). Intended as an introductory volume to the *Petite Collection Balzac*, this is a brilliant if one-sided interpretation of Balzac.

Pierre-Georges Castex, *Le Conte fantastique en France* (Paris, Corti, 1951). Contains an excellent chapter on Balzac's fantastic tales under the title 'Balzac et ses visions'.

Philippe Bertault, *Introduction à Balzac* (Paris, Odilis, 1953). Some interesting reflections on *Un Drame au bord de la mer*.

Fernand Lotte, *Dictionnaire biographique des personnages fictifs de la Comédie humaine* (Paris, Corti, 1952). A mine of information on the characters of the tales and the way in which they fit into the structure of the *Comédie humaine*.

H. J. Hunt, *Balzac's 'Comédie humaine'* (London, University of London Athlone Press, 1959). A chronological account of the composition of the *Comédie humaine*, including the short stories.

Jacques Borel, *Personnages et destins balzaciens* (Paris, Corti, 1959). Not always accurate, but contains some illuminating observations on *La Messe de l'athée*, *La Grande Bretèche*, and *Un Drame au bord de la mer*.

Pierre-Georges Castex, *Nouvelles et contes de Balzac* (Paris, C.D.U., 1961). The text of a most helpful series of lectures at the Sorbonne.

Pierre Laubriet, *Un Catéchisme esthétique: Le Chef-d'œuvre inconnu de Balzac* (Paris, Didier, 1961). An exhaustive study of what is probably Balzac's greatest short story.

ARTICLES

Charles Portel, 'Un Décor balzacien inconnu: La Grande Bretèche', *Au Jardin de la France*, numéro spécial sur Balzac, 1949.

Jean Martin-Demézil, 'Balzac à Vendôme', in *Balzac et la Touraine*, Tours, 1949.

R. Milliat, 'Souvenirs balzaciens à propos de *La Grande Bretèche*', ibid. A possible but rather unlikely source for the story.

Pierre Martino, 'Une Rencontre', *Le Divan*, avril–juin 1950. On *Pierre Grassou* and Stendhal's *Feder ou le mari d'argent*.

Raymond Lebègue, 'De Marguerite de Navarre à Honoré de Balzac', *Comptes rendus des séances de l'Académie des Inscriptions et Belles-lettres*, juillet–octobre 1957. On a possible source of *La Grande Bretèche*.

A more detailed bibliography will be found at the end of H. J. Hunt's book on the *Comédie humaine*.

NOTE ON THE TEXT OF THE
PRESENT EDITION

THE text followed in this edition is that given by Bouteron and Longnon in the Conard edition of Balzac's works. There, as a prefatory note explains, 'le texte adopté sera toujours le dernier édité, revu ou préparé par Balzac. Il sera reproduit fidèlement, avec son orthographe, sa ponctuation, malgré les anomalies et les alinéas nouveaux ou supprimés' (vol. i, p. vii). I am obliged to Éditions Conard (Jacques Lambert, Libraire-Éditeur) for permission to print it. The only exception to this rule is *La Grande Bretèche*, which forms part of a longer work, *Autre Étude de femme*. The text given here forms the whole of Bianchon's narration as it is found in the Conard edition, save for the omission of one or two irrelevant interruptions by the listeners.

I should like to thank Professor Pierre-Georges Castex, of the Sorbonne, who was kind enough to allow me to draw on his great knowledge of Balzac for the solution of several problems in the notes.

UN ÉPISODE SOUS LA TERREUR

A Monsieur Guyonnet-Merville[1]

Ne faut-il pas, cher et ancien patron, expliquer aux gens curieux de
tout connaître, où j'ai pu apprendre assez de procédure pour
conduire les affaires de mon petit monde, et consacrer ici la
mémoire de l'homme aimable et spirituel qui disait à Scribe,[2] autre
clerc amateur: « Passez donc à l'étude, je vous assure qu'il y a de
l'ouvrage », en le rencontrant au bal; mais avez-vous besoin de ce
témoignage public pour être certain de l'affection de l'auteur?

LE 22 janvier 1793,[3] vers huit heures du soir, une vieille dame
descendait, à Paris, l'éminence rapide qui finit devant l'église
Saint-Laurent,[4] dans le faubourg Saint-Martin. Il avait tant neigé
pendant toute la journée, que les pas s'entendaient à peine. Les
rues étaient désertes. La crainte assez naturelle qu'inspirait le
silence s'augmentait de toute la terreur qui faisait alors gémir la
France;[5] aussi la vieille dame n'avait-elle encore rencontré personne; sa vue affaiblie depuis longtemps ne lui permettait pas
d'ailleurs d'apercevoir dans le lointain, à la lueur des lanternes,
quelques passants clair-semés[6] comme des ombres dans l'immense
voie de ce faubourg. Elle allait courageusement seule à travers
cette solitude, comme si son âge était un talisman qui dût la
préserver de tout malheur. Quand elle eut dépassé la rue des
Morts, elle crut distinguer le pas lourd et ferme d'un homme qui
marchait derrière elle. Elle s'imagina qu'elle n'entendait pas ce
bruit pour la première fois; elle s'effraya d'avoir été suivie, et
tenta d'aller plus vite encore afin d'atteindre à une boutique assez
bien éclairée, espérant pouvoir vérifier à la lumière les soupçons
dont elle était saisie. Aussitôt qu'elle se trouva dans le rayon de
lueur horizontale qui partait de cette boutique, elle retourna
brusquement la tête, et entrevit une forme humaine dans le
brouillard; cette indistincte vision lui suffit, elle chancela un

moment sous le poids de la terreur dont elle fut accablée, car elle ne douta plus alors qu'elle n'eût été escortée par l'inconnu depuis le premier pas qu'elle avait fait hors de chez elle, et le désir d'échapper à un espion lui prêta des forces. Incapable de raisonner, elle doubla le pas, comme si elle pouvait se soustraire à un homme nécessairement plus agile qu'elle. Après avoir couru pendant quelques minutes, elle parvint à la boutique d'un pâtissier, y entra et tomba, plutôt qu'elle ne s'assit, sur une chaise placée devant le comptoir. Au moment où elle fit crier le loquet de la porte, une jeune femme occupée à broder leva les yeux, reconnut, à travers les carreaux du vitrage, la mante de forme antique et de soie violette dans laquelle la vieille dame était enveloppée, et s'empressa d'ouvrir un tiroir comme pour y prendre une chose qu'elle devait lui remettre. Non-seulement[7] le geste et la physionomie de la jeune femme exprimèrent le désir de se débarrasser promptement de l'inconnue, comme si c'eût été une de ces personnes qu'on ne voit pas avec plaisir, mais encore elle laissa échapper une expression d'impatience en trouvant le tiroir vide; puis, sans regarder la dame, elle sortit précipitamment du comptoir, alla vers l'arrière-boutique, et appela son mari, qui parut tout à coup.

— Où donc as-tu mis...? lui demanda-t-elle d'un air de mystère en lui désignant la vieille dame par un coup d'œil sans achever la phrase.

Quoique le pâtissier ne pût voir que l'immense bonnet de soie noire environné de rubans violets qui servait de coiffure à l'inconnue, il disparut après avoir jeté à sa femme un regard qui semblait dire: — Crois-tu que je vais laisser cela dans ton comptoir?... Étonnée du silence et de l'immobilité de la vieille dame, la marchande revint auprès d'elle; et, en la voyant, elle se sentit saisie d'un mouvement de compassion ou peut-être aussi de curiosité. Quoique le teint de cette femme fût naturellement livide comme celui d'une personne vouée à des austérités secrètes,[8] il était facile de reconnaître qu'une émotion récente y répandait une pâleur extraordinaire. Sa coiffure était disposée de manière à cacher ses cheveux, sans doute blanchis par l'âge; car la propreté du collet de sa robe annonçait qu'elle ne portait pas de poudre. Ce manque d'ornement faisait contracter à sa figure une sorte de sévérité religieuse. Ses traits étaient graves et fiers. Autrefois les manières et les habitudes des gens de qualité étaient si différentes de celles des gens appartenant aux autres classes, qu'on devinait facilement une personne noble. Aussi la jeune femme était-elle persuadée que l'inconnue était une *ci-devant*,[9] et qu'elle avait appartenu à la cour.

— Madame?[10]... lui dit-elle involontairement et avec respect en oubliant que ce titre était proscrit.

La vieille dame ne répondit pas. Elle tenait ses yeux fixés sur le vitrage de la boutique, comme si un objet effrayant y eût été dessiné.

— Qu'as-tu, citoyenne? demanda le maître du logis qui reparut tout aussitôt.

Le citoyen pâtissier tira la dame de sa rêverie en lui tendant une petite boîte de carton couvert en papier bleu.

— Rien, rien, mes amis, répondit-elle d'une voix douce.

Elle leva les yeux sur le pâtissier comme pour lui jeter un regard de remercîment; mais en lui voyant un bonnet rouge[11] sur la tête, elle laissa échapper un cri.

— Ah!... vous m'avez trahie!...

La jeune femme et son mari répondirent par un geste d'horreur qui firent rougir l'inconnue, soit de les avoir soupçonnés, soit de plaisir.

— Excusez-moi, dit-elle alors avec une douceur enfantine. Puis, tirant un louis d'or de sa poche, elle le présenta au pâtissier:

— Voici le prix convenu, ajouta-t-elle.

Il y a une indigence[12] que les indigents savent deviner. Le pâtissier et sa femme se regardèrent et se montrèrent la vieille femme en se communiquant une même pensée. Ce louis d'or devait être le dernier. Les mains de la dame tremblaient en offrant cette pièce, qu'elle contemplait avec douleur et sans avarice; mais

elle semblait connaître toute l'étendue du sacrifice. Le jeûne et la
misère étaient gravés sur cette figure en traits aussi lisibles que
ceux de la peur et des habitudes ascétiques. Il y avait dans ses
vêtements des vestiges de magnificence. C'était de la soie usée,
une mante propre, quoique passée, des dentelles soigneusement
raccommodées; enfin les haillons de l'opulence! Les marchands,
placés entre la pitié et l'intérêt, commencèrent par soulager leur
conscience en paroles.

— Mais, citoyenne, tu parais bien faible.

— Madame aurait-elle besoin de prendre quelque chose? reprit
la femme en coupant la parole à son mari.

— Nous avons de bien bon bouillon, dit le pâtissier.

— Il fait si froid, madame aura peut-être été saisie en marchant;[13] mais vous pouvez vous reposer ici et vous chauffer un peu.

— Nous ne sommes pas aussi noirs que le diable, s'écria le
pâtissier.

Gagnée par l'accent de bienveillance qui animait les paroles des
charitables boutiquiers, la dame avoua qu'elle avait été suivie par
un homme, et qu'elle avait peur de revenir seule chez elle.

— Ce n'est que cela? reprit l'homme au bonnet rouge. Attends-
moi, citoyenne.

Il donna le louis à sa femme. Puis, mû par cette espèce de reconnaissance qui se glisse dans l'âme d'un marchand quant il reçoit
un prix exorbitant d'une marchandise de médiocre valeur,[14] il alla
mettre son uniforme de garde national,[15] prit son chapeau, passa
son briquet[16] et reparut sous les armes: mais sa femme avait eu le
temps de réfléchir. Comme dans bien d'autres cœurs, la réflexion
ferma la main ouverte de la bienfaisance. Inquiète et craignant
de voir son mari dans quelque mauvaise affaire, la femme le tira
par le pan de son habit pour l'arrêter; mais, obéissant à un sentiment de charité, le brave homme offrit sur-le-champ à la vieille
dame de l'escorter.

— Il paraît que l'homme dont a peur la citoyenne est encore
à rôder autour de la boutique, dit vivement la jeune femme.

— Je le crains, dit naïvement la dame.

— Si c'était un espion ? si c'était une conspiration ! N'y va pas, et reprends-lui la boîte...

Ces paroles, soufflées à l'oreille du pâtissier par sa femme, glacèrent le courage impromptu dont il était possédé.

— Eh ! je m'en vais lui dire deux mots, et vous en débarrasser sur-le-champ ? s'écria le pâtissier en ouvrant la porte et sortant avec précipitation.

La vieille dame, passive comme un enfant et presque hébétée, se rassit sur sa chaise. L'honnête marchand ne tarda pas à reparaître ; son visage, assez rouge de son naturel et enluminé d'ailleurs par le feu du four, était subitement devenu blême ; une si grande frayeur l'agitait que ses jambes tremblaient et que ses yeux ressemblaient à ceux d'un homme ivre.

— Veux-tu nous faire couper le cou, misérable aristocrate ?... s'écria-t-il avec fureur. Songe à nous montrer les talons, ne reparais jamais ici, et ne compte pas sur moi pour te fournir des éléments de conspiration !

En achevant ces mots, le pâtissier essaya de reprendre à la vieille dame la petite boîte qu'elle avait mise dans une de ses poches. A peine les mains hardies du pâtissier touchèrent-elles ses vêtements, que l'inconnue, préférant se livrer aux dangers de la route sans autre défenseur que Dieu, plutôt que de perdre ce qu'elle venait d'acheter, retrouva l'agilité de sa jeunesse ; elle s'élança vers la porte, l'ouvrit brusquement, et disparut aux yeux de la femme et du mari stupéfaits et tremblants. Aussitôt que l'inconnue se trouva dehors, elle se mit à marcher avec vitesse ; mais ses forces la trahirent bientôt, car elle entendit l'espion par lequel elle était impitoyablement suivie, faisant crier la neige qu'il pressait de son pas pesant ; elle fut obligée de s'arrêter, il s'arrêta ; elle n'osait ni lui parler ni le regarder, soit par suite de la peur dont elle était saisie, soit par manque d'intelligence. Elle continua son chemin en allant lentement, l'homme ralentit alors son pas de manière à rester à une distance qui lui permettait de veiller sur elle.

L'inconnu semblait être l'ombre même de cette vieille femme. Neuf heures sonnèrent quand le couple silencieux repassa devant l'église de Saint-Laurent. Il est dans la nature de toutes les âmes, même la plus infirme, qu'un sentiment de calme succède à une agitation violente, car, si les sentiments sont infinis, nos organes sont bornés.[17] Aussi l'inconnue, n'éprouvant aucun mal de son prétendu persécuteur, voulut-elle voir en lui un ami secret empressé de la protéger; elle réunit toutes les circonstances qui avaient accompagné les apparitions de l'étranger comme pour trouver des motifs plausibles à cette consolante opinion, et il lui plut alors de reconnaître en lui plutôt de bonnes que de mauvaises intentions. Oubliant l'effroi que cet homme venait d'inspirer au pâtissier, elle avança donc d'un pas ferme dans les régions supérieures du faubourg Saint-Martin. Après une demi-heure de marche, elle parvint à une maison située auprès de l'embranchement formé par la rue principale du faubourg et par celle qui mène à la barrière de Pantin. Ce lieu est encore aujourd'hui un des plus déserts de tout Paris. La bise, passant sur les buttes Saint-Chaumont et de Belleville, sifflait à travers les maisons, ou plutôt les chaumières, semées dans ce vallon presque inhabité où les clôtures sont en murailles faites avec de la terre et des os. Cet endroit désolé semblait être l'asile naturel de la misère et du désespoir. L'homme qui s'acharnait à la poursuite de la pauvre créature assez hardie pour traverser nuitamment ces rues silencieuses, parut frappé du spectacle qui s'offrait à ses regards. Il resta pensif, debout et dans une attitude d'hésitation, faiblement éclairé par un réverbère dont la lueur indécise perçait à peine le brouillard. La peur donna des yeux à la vieille femme, qui crut apercevoir quelque chose de sinistre dans les traits de l'inconnu; elle sentit ses terreurs se réveiller, et profita de l'espèce d'incertitude qui arrêtait cet homme pour se glisser dans l'ombre vers la porte de la maison solitaire; elle fit jouer un ressort, et disparut avec une rapidité fantasmagorique. Le passant, immobile, contemplait cette maison, qui présentait en quelque sorte le type des misérables habitations de ce faubourg. Cette chancelante bicoque[18] bâtie en moellons était revêtue d'une couche de plâtre jauni, si fortement lézardée, qu'on craignait de la voir tomber au moindre effort du vent. Le toit de tuiles brunes et couvert de mousse s'affaissait en plusieurs endroits de manière à faire croire qu'il allait céder sous le poids de la neige. Chaque étage avait trois fenêtres dont les châssis, pourris par l'humidité et disjoints par l'action du soleil, annonçaient que le froid devait pénétrer dans les chambres. Cette maison isolée ressemblait à une vieille tour que le temps oubliait de détruire. Une faible lumière éclairait les croisées qui coupaient irrégulièrement la mansarde par laquelle ce pauvre édifice était terminé, tandis que le reste de la maison se trouvait dans une obscurité complète. La vieille femme ne monta pas sans peine l'escalier rude et grossier, le long duquel on s'appuyait sur une corde en guise de rampe; elle frappa mystérieusement à la porte du logement qui se trouvait dans la mansarde, et s'assit avec précipitation sur une chaise que lui présenta un vieillard.

— Cachez-vous, cachez-vous! lui dit-elle. Quoique nous ne sortions que bien rarement, nos démarches sont connues, nos pas sont épiés.

— Qu'y a-t-il de nouveau? demanda une autre vieille femme assise auprès du feu.

— L'homme qui rôde autour de la maison depuis hier m'a suivie ce soir.

A ces mots, les trois habitants de ce taudis se regardèrent en laissant paraître sur leurs visages les signes d'une terreur profonde. Le vieillard fut le moins agité des trois, peut-être parce qu'il était le plus en danger. Sous le poids d'un grand malheur ou sous le joug de la persécution, un homme courageux commence, pour ainsi dire, par faire le sacrifice de lui-même, il ne considère ses jours que comme autant de victoires remportées sur le sort. Les regards des deux femmes attachés sur ce vieillard, laissaient facilement deviner qu'il était l'unique objet de leur vive sollicitude.

— Pourquoi désespérer de Dieu, mes sœurs, dit-il d'une voix

sourde mais onctueuse, nous chantions ses louanges au milieu des cris que poussaient les assassins et les mourants au couvent des Carmes.[19] S'il a voulu que je fusse sauvé de cette boucherie, c'est sans doute pour me réserver à une destinée que je dois accepter sans murmurer. Dieu protège les siens, il peut en disposer à son gré. C'est de vous, et non de moi qu'il faut s'occuper.

— Non, dit l'une des deux vieilles femmes, qu'est-ce que notre vie en comparaison de celle d'un prêtre?

— Une fois que je me suis vue hors de l'abbaye de Chelles,[20] je me suis considérée comme morte, s'écria celle des deux religieuses qui n'était pas sortie.

— Voici, reprit celle qui arrivait en tendant la petite boîte au prêtre, voici les hosties. Mais, s'écria-t-elle, j'entends monter les degrés.

A ces mots, tous trois ils se mirent à écouter. Le bruit cessa.

— Ne vous effrayez pas, dit le prêtre, si quelqu'un essaye de parvenir jusqu'à vous. Une personne sur la fidélité de laquelle nous pouvons compter a dû prendre toutes ses mesures pour passer la frontière, et viendra chercher les lettres que j'ai écrites au duc de Langeais et au marquis de Beauséant,[21] afin qu'ils puissent aviser aux moyens de vous arracher à cet affreux pays, à la mort ou à la misère qui vous y attendent.

— Vous ne nous suivrez donc pas? s'écrièrent doucement les deux religieuses en manifestant une sorte de désespoir.

— Ma place est là où il y a des victimes, dit le prêtre avec simplicité.

Elles se turent et regardèrent leur hôte avec une sainte admiration.

— Sœur Marthe, dit-il en s'adressant à la religieuse qui était allée chercher les hosties, cet envoyé devra répondre *Fiat voluntas*, au mot *Hosanna*.

— Il y a quelqu'un dans l'escalier! s'écria l'autre religieuse en ouvrant une cachette pratiquée sous le toit.

Cette fois, il fut facile d'entendre, au milieu du plus profond

silence, les pas d'un homme qui faisait retentir les marches couvertes de callosités produites par de la boue durcie. Le prêtre
se coula péniblement dans une espèce d'armoire, et la religieuse
jeta quelques hardes sur lui.

— Vous pouvez fermer, sœur Agathe, dit-il d'une voix étouffée.

A peine le prêtre était-il caché, que trois coups frappés sur la
porte firent tressaillir les deux saintes filles, qui se consultèrent des
yeux sans oser prononcer une seule parole. Elles paraissaient avoir
toutes deux une soixantaine d'années. Séparées du monde depuis
quarante ans, elles étaient comme des plantes habituées à l'air
d'une serre, et qui meurent si on les en sort. Accoutumées à la
vie du couvent, elles n'en pouvaient plus concevoir d'autre. Un
matin, leurs grilles ayant été brisées, elles avaient frémi de se
trouver libres. On peut aisément se figurer l'espèce d'imbécillité
factice[22] que les événements de la Révolution avaient produite
dans leurs âmes innocentes. Incapables d'accorder leurs idées
claustrales avec les difficultés de la vie, et ne comprenant même
pas leur situation, elles ressemblaient à des enfants dont on a pris
soin jusqu'alors, et qui, abandonnés par leur providence mater-
nelle, priaient au lieu de crier. Aussi, devant le danger qu'elles
prévoyaient en ce moment, demeurèrent-elles muettes et passives,
ne connaissant d'autre défense que la résignation chrétienne.
L'homme qui demandait à entrer interpréta ce silence à sa manière;
il ouvrit la porte et se montra tout à coup. Les deux religieuses
frémirent en reconnaissant le personnage qui, depuis quelque
temps, rôdait autour de leur maison et prenait des informations
sur leur compte; elles restèrent immobiles en le contemplant avec
une curiosité inquiète, à la manière des enfants sauvages, qui
examinent silencieusement les étrangers. Cet homme était de
haute taille et gros; mais rien dans sa démarche, dans son air ni
dans sa physionomie n'indiquait un méchant homme. Il imita
l'immobilité des religieuses, et promena lentement ses regards sur
la chambre où il se trouvait.

Deux nattes de paille, posées sur des planches, servaient de lit

aux deux religieuses. Une seule table était au milieu de la chambre,
et il y avait dessus un chandelier de cuivre, quelques assiettes,
trois couteaux et un pain rond. Le feu de la cheminée était
modeste. Quelques morceaux de bois, entassés dans un coin,
attestaient d'ailleurs la pauvreté des deux recluses. Les murs,
enduits d'une couche de peinture très-ancienne,[23] prouvaient le
mauvais état de la toiture, où des taches, semblables à des filets
bruns, indiquaient les infiltrations des eaux pluviales. Une relique,
sans doute sauvée du pillage de l'abbaye de Chelles, ornait le
manteau de la cheminée. Trois chaises, deux coffres et une mauvaise commode complétaient l'ameublement de cette pièce. Une
porte pratiquée auprès de la cheminée faisait conjecturer qu'il
existait une seconde chambre.

L'inventaire de cette cellule fut bientôt fait par le personnage
qui s'était introduit sous de si terribles auspices au sein de ce
ménage. Un sentiment de commisération se peignit sur sa figure,
et il jeta un regard de bienveillance sur les deux filles, au moins
aussi embarrassé qu'elles. L'étrange silence dans lequel ils de-
meurèrent tous trois dura peu, car l'inconnu finit par deviner la
faiblesse morale et l'inexpérience des deux pauvres créatures, et
il leur dit d'une voix qu'il essaya d'adoucir: — Je ne viens point
ici en ennemi, citoyennes... Il s'arrêta et se reprit pour dire: —
Mes sœurs, s'il vous arrivait quelque malheur, croyez que je n'y
aurais pas contribué. J'ai une grâce à réclamer de vous.

Elles gardèrent toujours le silence.

— Si je vous importunais, si... je vous gênais, parlez libre-
ment... je me retirerais; mais sachez que je vous suis tout dévoué;
que, s'il est quelque bon office que je puisse vous rendre, vous
pouvez m'employer sans crainte, et que moi seul, peut-être, suis
au-dessus de la loi, puisqu'il n'y a plus de roi...

Il y avait un tel accent de vérité dans ces paroles, que la sœur
Agathe, celle des deux religieuses qui appartenait à la maison de
Langeais, et dont les manières semblaient annoncer qu'elle avait
autrefois connu l'éclat des fêtes et respiré l'air de la cour,

s'empressa d'indiquer une des chaises comme pour prier leur hôte de s'asseoir. L'inconnu manifesta une sorte de joie mêlée de tristesse en comprenant ce geste, et attendit pour prendre place que les deux respectables filles fussent assises.

— Vous avez donné asile, reprit-il, à un vénérable prêtre non assermenté,[24] qui a miraculeusement échappé aux massacres des Carmes.

— Hosanna! ... dit la sœur Agathe en interrompant l'étranger et le regardant avec une inquiète curiosité.

— Il ne se nomme pas ainsi, je crois, répondit-il.

— Mais, monsieur, dit vivement la sœur Marthe, nous n'avons pas de prêtre ici, et...

— Il faudrait alors avoir plus de soin et de prévoyance, répliqua doucement l'étranger en avançant le bras vers la table et y prenant un bréviaire. Je ne pense pas que vous sachiez le latin, et...

Il ne continua pas, car l'émotion extraordinaire qui se peignit sur les figures des deux pauvres religieuses lui fit craindre d'avoir été trop loin, elles étaient tremblantes et leurs yeux s'emplirent de larmes.

— Rassurez-vous, leur dit-il d'une voix franche, je sais le nom de votre hôte et les vôtres, et depuis trois jours je suis instruit de votre détresse et de votre dévouement pour le vénérable abbé de...

— Chut! dit naïvement sœur Agathe en mettant un doigt sur ses lèvres.

— Vous voyez, mes sœurs, que, si j'avais conçu l'horrible dessein de vous trahir, j'aurais déjà pu l'accomplir plus d'une fois...

En entendant ces paroles, le prêtre se dégagea de sa prison et reparut au milieu de la chambre.

— Je ne saurais croire, monsieur, dit-il à l'inconnu, que vous soyez un de nos persécuteurs, et je me fie à vous. Que voulez-vous de moi?

La sainte confiance du prêtre, la noblesse répandue dans tous ses traits auraient désarmé des assassins. Le mystérieux

personnage qui était venu animer cette scène de misère et de résignation contempla pendant un moment le groupe formé par ces trois
êtres; puis il prit un ton de confidence, s'adressa au prêtre en ces
termes: — Mon père, je venais vous supplier de célébrer une
messe mortuaire pour le repos de l'âme... d'un... d'une personne
sacrée et dont le corps ne reposera jamais dans la terre sainte...

Le prêtre frissonna involontairement. Les deux religieuses, ne
comprenant pas encore de qui l'inconnu voulait parler, restèrent
le cou tendu, le visage tourné vers les deux interlocuteurs, et
dans une attitude de curiosité. L'ecclésiastique examina l'étranger:
une anxiété non équivoque était peinte sur sa figure et ses regards
exprimaient d'ardentes supplications.

— Eh bien! répondit le prêtre, ce soir, à minuit, revenez, et je
serai prêt à célébrer le seul service funèbre que nous puissions
offrir en expiation du crime dont vous parlez...

L'inconnu tressaillit, mais une satisfaction tout à la fois douce
et grave parut triompher d'une douleur secrète. Après avoir
respectueusement salué le prêtre et les deux saintes filles, il
disparut en témoignant une sorte de reconnaissance muette qui
fut comprise par ces trois âmes généreuses.[25] Environ deux heures
après cette scène, l'inconnu revint, frappa discrètement à la porte
du grenier, et fut introduit par mademoiselle de Beauséant,[26] qui
le conduisit dans la seconde chambre de ce modeste réduit, où
tout avait été préparé pour la cérémonie. Entre deux tuyaux de la
cheminée, les deux religieuses avaient apporté la vieille commode
dont les contours antiques étaient ensevelis sous un magnifique
devant d'autel en moire verte. Un grand crucifix d'ébène et
d'ivoire, attaché sur le mur jaune, en faisait ressortir la nudité et
attirait nécessairement les regards. Quatre petits cierges fluets,
que les sœurs avaient réussi à fixer sur cet autel improvisé en
les scellant dans de la cire à cacheter, jetaient une lueur pâle
et mal réfléchie par le mur. Cette faible lumière éclairait à peine
le reste de la chambre; mais, en ne donnant son éclat qu'aux choses
saintes, elle ressemblait à un rayon tombé du ciel sur cet autel

sans ornement. Le carreau était humide. Le toit, qui, des deux
côtés, s'abaissait rapidement, comme dans les greniers, avait
quelques lézardes par lesquelles passait un vent glacial. Rien
n'était moins pompeux, et cependant rien peut-être ne fut plus
solennel que cette cérémonie lugubre. Un profond silence, qui
aurait permis d'entendre le plus léger cri proféré sur la route
d'Allemagne, répandait une sorte de majesté sombre sur cette
scène nocturne. Enfin la grandeur de l'action contrastait si fortement avec la pauvreté des choses, qu'il en résultait un sentiment
d'effroi religieux. De chaque côté de l'autel, les deux vieilles
recluses, agenouillées sur la tuile du plancher sans s'inquiéter de
son humidité mortelle, priaient de concert avec le prêtre, qui,
revêtu de ses habits pontificaux, disposait un calice d'or orné de
pierres précieuses, vase sacré sauvé sans doute du pillage de
l'abbaye de Chelles. Auprès de ce ciboire, monument d'une
royale magnificence, l'eau et le vin destinés au saint sacrifice
étaient contenus dans deux verres à peine dignes du dernier
cabaret. Faute de missel, le prêtre avait déposé son bréviaire sur
un coin de l'autel. Une assiette commune était préparée pour le
lavement des mains innocentes et pures de sang. Tout était
immense,[27] mais petit; pauvre, mais noble; profane et saint tout
à la fois. L'inconnu vint pieusement s'agenouiller entre les deux
religieuses. Mais tout à coup, en apercevant un crêpe[28] au calice
et au crucifix, car, n'ayant rien pour annoncer la destination de
cette messe funèbre, le prêtre avait mis Dieu lui-même en deuil,
il fut assailli d'un souvenir si puissant, que des gouttes de sueur
se formèrent sur son large front. Les quatre silencieux acteurs de
cette scène se regardèrent alors mystérieusement; puis leurs âmes,
agissant à l'envi les unes sur les autres, se communiquèrent ainsi
leurs sentiments et se confondirent dans une commisération
religieuse: il semblait que leur pensée eût évoqué le martyr dont
les restes avaient été dévorés par de la chaux vive, et que son
ombre fût devant eux dans toute sa royale majesté. Ils célébraient
un *obit*[29] sans le corps du défunt. Sous ces tuiles et ces lattes

disjointes, quatre chrétiens allaient intercéder auprès de Dieu pour un roi de France et faire son convoi sans cercueil. C'était le plus pur de tous les dévouements, un acte étonnant de fidélité accompli sans arrière-pensée. Ce fut sans doute aux yeux de Dieu, comme le verre d'eau qui balance les plus grandes vertus. Toute la monarchie était là, dans les prières d'un prêtre et de deux pauvres filles, mais peut-être aussi la Révolution était-elle représentée par cet homme dont la figure trahissait trop de remords pour ne pas croire qu'il accomplissait les vœux d'un immense repentir.

Au lieu de prononcer les paroles latines : *Introibo ad altare Dei*,[30] etc., le prêtre, par une inspiration divine, regarda les trois assistants qui figuraient la France chrétienne et leur dit, pour effacer les misères de ce taudis : — Nous allons entrer dans le sanctuaire de Dieu !

A ces paroles jetées avec une onction pénétrante, une sainte frayeur saisit l'assistant et les deux religieuses. Sous les voûtes de Saint-Pierre de Rome, Dieu ne se serait pas montré plus majestueux qu'il le fut alors dans cet asile de l'indigence aux yeux de ces chrétiens : tant il est vrai qu'entre l'homme et lui tout intermédiaire semble inutile, et qu'il ne tire sa grandeur que de lui-même. La ferveur de l'inconnu était vraie. Aussi le sentiment qui unissait les prières de ces quatre serviteurs de Dieu et du roi fut-il unanime. Les paroles saintes retentissaient comme une musique céleste[31] au milieu du silence. Il y eut un moment où les pleurs gagnèrent l'inconnu, ce fut au *Pater noster*. Le prêtre y ajouta cette prière latine, qui fut sans doute comprise par l'étranger : *Et remitte scelus regicidis sicut Ludovicus eis remisit semetipse* (Et pardonnez aux régicides comme Louis XVI leur a pardonné lui-même).

Les deux religieuses virent deux grosses larmes traçant un chemin humide le long des joues mâles de l'inconnu et tombant sur le plancher. L'office des morts fut récité. Le *Domine salvum fac regem*,[32] chanté à voix basse, attendrit ces fidèles royalistes qui pensèrent que l'enfant-roi,[33] pour lequel ils suppliaient en ce

moment le Très-Haut, était captif entre les mains de ses ennemis.
L'inconnu frissonna en songeant qu'il pouvait encore se commettre un nouveau crime auquel il serait sans doute forcé de
participer. Quand le service funèbre fut terminé, le prêtre fit un
signe aux deux religieuses, qui se retirèrent. Aussitôt qu'il se
trouva seul avec l'inconnu, il alla vers lui d'un air doux et triste;
puis il lui dit d'une voix paternelle: — Mon fils, si vous avez
trempé vos mains dans le sang du roi martyr, confiez-vous à moi.
Il n'est pas de faute qui, aux yeux de Dieu, ne soit effacée par
un repentir aussi touchant et aussi sincère que le vôtre paraît
l'être.

Aux premiers mots prononcés par l'ecclésiastique, l'étranger
laissa échapper un mouvement de terreur involontaire; mais il
reprit une contenance calme, et regarda avec assurance le prêtre
étonné: — Mon père, lui dit-il d'une voix visiblement altérée, nul
n'est plus innocent que moi du sang versé…

— Je dois vous croire, dit le prêtre…

Il fit une pause pendant laquelle il examina derechef son péni-
tent; puis, persistant à le prendre pour un de ces peureux conventionnels[34] qui livrèrent une tête inviolable et sacrée afin de
conserver la leur, il reprit d'une voix grave: — Songez, mon fils,
qu'il ne suffit pas pour être absous de ce grand crime, de n'y avoir
pas coopéré. Ceux qui, pouvant défendre le roi, ont laissé leur
épée dans le fourreau, auront un compte bien lourd à rendre
devant le Roi des cieux… Oh! oui, ajouta le vieux prêtre en
agitant la tête de droite à gauche par un mouvement expressif,
oui, bien lourd!… car, en restant oisifs, ils sont devenus les complices involontaires de cet épouvantable forfait…

— Vous croyez, demanda l'inconnu stupéfait, qu'une participa-
tion indirecte sera punie… Le soldat qui a été commandé pour
former la haie est-il donc coupable?…

Le prêtre demeura indécis. Heureux de l'embarras dans lequel
il mettait ce puritain de la royauté en le plaçant entre le dogme de
l'obéissance passive qui doit, selon les partisans de la monarchie,

dominer les codes militaires, et le dogme tout aussi important qui consacre le respect dû à la personne des rois, l'étranger s'empressa de voir dans l'hésitation du prêtre une solution à des doutes par lesquels il paraissait tourmenté. Puis, pour ne pas laisser le vénérable janséniste[35] réfléchir plus longtemps, il lui dit:

— Je rougirais de vous offrir un salaire quelconque du service funéraire que vous venez de célébrer pour le repos de l'âme du roi et pour l'acquit de ma conscience. On ne peut payer une chose inestimable que par une offrande qui soit aussi hors de prix. Daignez donc accepter, monsieur, le don que je vous fais d'une sainte relique... Un jour viendra peut-être où vous en comprendrez la valeur.

En achevant ces mots, l'étranger présentait à l'ecclésiastique une petite boîte extrêmement légère; le prêtre la prit involontairement pour ainsi dire, car la solennité des paroles de cet homme, le ton qu'il y mit, le respect avec lequel il tendit cette boîte l'avaient plongé dans une profonde surprise. Ils rentrèrent alors dans la piece où les deux religieuses les attendaient.

— Vous êtes, leur dit l'inconnu, dans une maison dont le propriétaire, Mucius Scævola,[36] ce plâtrier qui habite le premier étage, est célèbre dans la section par son patriotisme; mais il est secrètement attaché aux Bourbons. Jadis il était piqueur de monseigneur le prince de Conti,[37] et il lui doit sa fortune. En ne sortant pas de chez lui, vous êtes plus en sûreté ici qu'en aucun lieu de la France. Restez-y. Des âmes pieuses veilleront à vos besoins, et vous pourrez attendre sans danger des temps moins mauvais. Dans un an, au 21 janvier... (en prononçant ces derniers mots, il ne put dissimuler un mouvement involontaire), si vous adoptez ce triste lieu pour asile, je reviendrai célébrer avec vous la messe expiatoire...

Il n'acheva pas. Il salua les muets habitants du grenier, jeta un dernier regard sur les symptômes qui déposaient de leur indigence, et il disparut.

Pour les deux innocentes religieuses, une semblable aventure avait tout l'intérêt d'un roman; aussi, dès que le vénérable abbé les instruisit du mystérieux présent si solennellement fait par cet homme, la boîte fut-elle placée par elles sur la table, et les trois figures inquiètes, faiblement éclairées par la chandelle, trahirent-elles une indescriptible curiosité. Mademoiselle de Langeais[38] ouvrit la boîte, y trouva un mouchoir de batiste très-fine, souillé de sueur; et en le dépliant, ils y reconnurent des taches.

— C'est du sang!... dit le prêtre.

— Il est marqué de la couronne royale! s'écria l'autre sœur.

Les deux sœurs laissèrent tomber la précieuse relique avec horreur. Pour ces deux âmes naïves, le mystère dont s'enveloppait l'étranger devint inexplicable; et, quant au prêtre, dès ce jour il ne tenta même pas de se l'expliquer.

Les trois prisonniers ne tardèrent pas à s'apercevoir, malgré la Terreur, qu'une main puissante était étendue sur eux. D'abord ils reçurent du bois et des provisions; puis, les deux religieuses devinèrent qu'une femme était associée à leur protecteur, quand on leur envoya du linge et des vêtements qui pouvaient leur permettre de sortir sans être remarquées par les modes aristocratiques des habits qu'elles avaient été forcées de conserver; enfin Mucius Scævola leur donna deux cartes civiques. Souvent des avis nécessaires à la sûreté du prêtre lui parvinrent par des voies détournées; et il reconnut une telle opportunité dans ces conseils, qu'ils ne pouvaient être donnés que par une personne initiée aux secrets de l'État. Malgré la famine qui pesa sur Paris, les proscrits trouvèrent à la porte de leur taudis des rations de *pain blanc* qui y étaient régulièrement apportées par des mains invisibles; néanmoins ils crurent reconnaître dans Mucius Scævola le mystérieux agent de cette bienfaisance toujours aussi ingénieuse qu'intelligente. Les nobles habitants du grenier ne pouvaient pas douter que leur protecteur ne fût le personnage qui était venu célébrer la messe expiatoire dans la nuit du 22 janvier 1793; aussi devint-il l'objet d'un culte tout particulier pour ces trois êtres qui n'espéraient qu'en lui et ne vivaient que par lui. Ils avaient ajouté pour lui des prières spéciales dans leurs prières; soir et matin, ces âmes pieuses formaient des vœux pour son bonheur, pour sa prospérité, pour son salut; elles suppliaient Dieu d'éloigner de lui toutes embûches, de le délivrer de ses ennemis et de lui accorder une vie longue et paisible. Leur reconnaissance étant, pour ainsi dire, renouvelée tous les jours, s'allia nécessairement à un sentiment de curiosité qui devint plus vif de jour en jour. Les circonstances qui avaient accompagné l'apparition de l'étranger étaient l'objet de leurs conversations, ils formaient mille conjectures sur lui, et c'était un bienfait d'un nouveau genre que la distraction dont il était le sujet pour eux. Ils se promettaient bien de ne pas laisser échapper l'étranger à leur amitié le soir où il reviendrait, selon sa promesse, célébrer le triste anniversaire de la mort de Louis XVI. Cette nuit, si impatiemment attendue, arriva enfin. A minuit, le bruit des pas pesants de l'inconnu retentit dans le vieil escalier de bois, la chambre avait été parée pour le recevoir, l'autel était dressé. Cette fois, les sœurs ouvrirent la porte d'avance, et toutes deux s'empressèrent d'éclairer l'escalier. Mademoiselle de Langeais descendit même quelques marches pour voir plus tôt son bienfaiteur.

— Venez, lui dit-elle d'une voix émue et affectueuse, venez... l'on vous attend.

L'homme leva la tête, jeta un regard sombre sur la religieuse, et ne répondit pas; elle sentit comme un vêtement de glace tombant sur elle, et garda le silence; à son aspect, la reconnaissance et la curiosité expirèrent dans tous les cœurs. Il était peut-être moins froid, moins taciturne, moins terrible qu'il le parut à ces âmes que l'exaltation de leurs sentiments disposait aux épanchements de l'amitié. Les trois pauvres prisonniers qui comprirent que cet homme voulait rester un étranger pour eux se résignèrent. Le prêtre crut remarquer sur les lèvres de l'inconnu un sourire promptement réprimé au moment où il s'aperçut des apprêts qui avaient été faits pour le recevoir; il entendit la messe et pria; mais il disparut, après avoir répondu par quelques mots de politesse négative à l'invitation que lui fit mademoiselle de Langeais de partager la petite collation préparée.[39]

Après le 9 thermidor,[40] les religieuses et l'abbé de Marolles purent aller dans Paris, sans y courir le moindre danger. La première sortie du vieux prêtre fut pour un magasin de parfumerie, à l'enseigne de la *Reine des fleurs*,[41] tenu par les citoyen et citoyenne Ragon, anciens parfumeurs de la cour, restés fidèles à la famille royale, et dont se servaient les Vendéens pour correspondre avec les princes et le comité royaliste de Paris. L'abbé mis comme le voulait cette époque, se trouvait sur le pas de la porte de cette boutique, située entre Saint-Roch et la rue des Frondeurs, quand une foule, qui remplissait la rue Saint-Honoré, l'empêcha de sortir.

— Qu'est-ce? dit-il à madame Ragon.

— Ce n'est rien, reprit-elle, c'est la charrette et le bourreau qui vont à la place Louis XV.[42] Ah! nous l'avons vu bien souvent l'année dernière; mais aujourd'hui, quatre jours après l'anniversaire du 21 janvier,[43] on peut regarder cet affreux cortège sans chagrin.

— Pourquoi? dit l'abbé; ce n'est pas chrétien ce que vous dites.

— Eh! c'est l'exécution des complices de Robespierre; ils se sont défendus tant qu'ils ont pu, mais ils vont à leur tour là où ils ont envoyé tant d'innocents.

La foule qui remplissait la rue Saint-Honoré passa comme un flot. Au-dessus des têtes, l'abbé de Marolles, cédant à un mouvement de curiosité, vit debout, sur la charrette, celui qui, trois jours auparavant, écoutait sa messe.

— Qui est-ce?... dit-il, celui qui...

— C'est le bourreau, répondit monsieur Ragon en nommant l'exécuteur des hautes œuvres par son nom monarchique.

— Mon ami! mon ami! cria madame Ragon, monsieur l'abbé se meurt.

Et la vieille dame prit un flacon de vinaigre pour faire revenir le prêtre évanoui.

— Il m'a sans doute donné, dit-il, le mouchoir avec lequel le roi s'est essuyé le front, en allant au martyre... Pauvre homme! le couteau d'acier a eu du cœur quand toute la France en manquait!...

Les parfumeurs crurent que le pauvre prêtre avait le délire.

Paris, janvier 1831.[44]

LE RÉQUISITIONNAIRE

Tantôt ils lui voyaient, par un phénomène de vision ou de locomotion, abolir l'espace dans ses deux modes de Temps et de
Distance, dont l'un est intellectuel et l'autre physique.

Hist. intell. de LOUIS LAMBERT[1]

PAR un soir du mois de novembre 1793,[2] les principaux personnages de Carentan[3] se trouvaient dans le salon de Madame de
Dey, chez laquelle *l'assemblée* se tenait tous les jours. Quelques
circonstances qui n'eussent point attiré l'attention d'une grande
ville, mais qui devaient fortement en préoccuper une petite,
prêtaient à ce rendez-vous habituel un intérêt inaccoutumé. La
surveille, madame de Dey avait fermé sa porte à sa société, qu'elle
s'était encore dispensée de recevoir la veille, en prétextant une
indisposition. En temps ordinaire, ces deux événements eussent
fait à Carentan le même effet que produit à Paris un *relâche* à tous
les théâtres. Ces jours-là, l'existence est en quelque sorte incomplète. Mais, en 1793, la conduite de madame de Dey pouvait
avoir les plus funestes résultats. La moindre démarche hasardée
devenait alors presque toujours pour les nobles une question de
vie ou de mort. Pour bien comprendre[4] la curiosité vive et les
étroites finesses qui animèrent pendant cette soirée les physionomies normandes de tous ces personnages, mais surtout pour
partager les perplexités secrètes de madame de Dey, il est nécessaire d'expliquer le rôle qu'elle jouait à Carentan. La position
critique dans laquelle elle se trouvait en ce moment ayant été sans
doute celle de bien des gens pendant la Révolution, les sympathies
de plus d'un lecteur achèveront de colorer ce récit.

Madame de Dey, veuve d'un lieutenant-général, chevalier des
ordres,[5] avait quitté la cour au commencement de l'émigration.
Possédant des biens considérables aux environs de Carentan, elle
s'y était réfugiée, en espérant que l'influence de la terreur s'y

ferait peu sentir. Ce calcul, fondé sur une connaissance exacte du pays, était juste. La Révolution exerça peu de ravages en Basse-Normandie. Quoique madame de Dey ne vît jadis que les familles nobles du pays quand elle y venait visiter ses propriétés, elle avait, par politique, ouvert sa maison aux principaux bourgeois de la ville et aux nouvelles autorités, en s'efforçant de les rendre fiers de sa conquête, sans réveiller chez eux ni haine ni jalousie. Gracieuse et bonne, douée de cette inexprimable douceur qui sait plaire sans recourir à l'abaissement ou à la prière, elle avait réussi à se concilier l'estime générale par un tact exquis dont les sages avertissements lui permettaient de se tenir sur la ligne délicate où elle pouvait satisfaire aux exigences de cette société mêlée, sans humilier le rétif amour-propre des parvenus, ni choquer celui de ses anciens amis.

Âgée d'environ trente-huit ans, elle conservait encore, non cette beauté fraîche et nourrie qui distingue les filles de la Basse-Normandie, mais une beauté grêle et pour ainsi dire aristocratique. Ses traits étaient fins et délicats; sa taille était souple et déliée. Quand elle parlait, son pâle visage paraissait s'éclairer et prendre de la vie. Ses grands yeux noirs étaient pleins d'affabilité, mais leur expression calme et religieuse[6] semblait annoncer que le principe de son existence n'était plus en elle. Mariée à la fleur de l'âge avec un militaire vieux et jaloux, la fausseté de sa position au milieu d'une cour galante contribua beaucoup sans doute à répandre un voile de grave mélancolie sur une figure où les charmes et la vivacité de l'amour avaient dû briller autrefois. Obligée de réprimer sans cesse les mouvements naïfs, les émotions de la femme alors qu'elle sent encore au lieu de réfléchir, la passion était restée vierge au fond de son cœur. Aussi, son principal attrait venait-il de cette intime jeunesse que, par moments, trahissait sa physionomie, et qui donnait à ses idées une innocente expression de désir. Son aspect commandait la retenue, mais il y avait toujours dans son maintien, dans sa voix, des élans vers un avenir inconnu, comme chez une jeune fille; bientôt l'homme le plus insensible se trouvait amoureux d'elle, et conservait néanmoins une sorte de crainte respectueuse, inspirée par ses manières polies qui imposaient. Son âme, nativement grande, mais fortifiée par des luttes cruelles, semblait placée trop loin du vulgaire, et les hommes se faisaient justice. A cette âme, il fallait nécessairement une haute passion. Aussi les affections de madame de Dey s'étaient-elles concentrées dans un seul sentiment, celui de la maternité. Le bonheur et les plaisirs dont avait été privée sa vie de femme, elle les retrouvait dans l'amour extrême qu'elle portait à son fils. Elle ne l'aimait pas seulement avec le pur et profond dévouement d'une mère, mais avec la coquetterie d'une maîtresse, avec la jalousie d'une épouse. Elle était malheureuse loin de lui, inquiète pendant ses absences, ne le voyait jamais assez, ne vivait que par lui et pour lui. Afin de faire comprendre aux hommes la force de ce sentiment, il suffira d'ajouter que ce fils était non-seulement l'unique enfant de madame de Dey, mais son dernier parent, le seul être auquel elle pût rattacher les craintes, les espérances et les joies de sa vie. Le feu comte de Dey fut le dernier rejeton de sa famille, comme elle se trouva seule héritière de la sienne. Les calculs et les intérêts humains s'étaient donc accordés avec les plus nobles besoins de l'âme pour exalter dans le cœur de la comtesse un sentiment déjà si fort chez les femmes. Elle n'avait élevé son fils qu'avec des peines infinies, qui le lui avaient rendu plus cher encore; vingt fois les médecins lui en présagèrent la perte; mais, confiante en ses pressentiments, en ses espérances, elle eut la joie inexprimable de lui voir heureusement traverser les périls de l'enfance, d'admirer les progrès de sa constitution, en dépit des arrêts de la Faculté.[7]

Grâce à des soins constants, ce fils avait grandi et s'était si gracieusement développé, qu'à vingt ans, il passait pour un des cavaliers les plus accomplis de Versailles. Enfin, par un bonheur[8] qui ne couronne pas les efforts de toutes les mères, elle était adorée de son fils; leurs âmes s'entendaient par de fraternelles sympathies. S'ils n'eussent pas été liés déjà par le vœu de la nature, ils auraient instinctivement éprouvé l'un pour l'autre cette amitié d'homme à homme, si rare à rencontrer dans la vie. Nommé sous-lieutenant de dragons à dix-huit ans, le jeune comte avait obéi au point d'honneur de l'époque en suivant les princes[9] dans leur émigration.

Ainsi madame de Dey, noble, riche, et mère d'un émigré, ne se dissimulait point les dangers de sa cruelle situation. Ne formant d'autre vœu que celui de conserver à son fils une grande fortune, elle avait renoncé au bonheur de l'accompagner; mais en lisant les lois rigoureuses en vertu desquelles la République confisquait chaque jour les biens des émigrés à Carentan, elle s'applaudissait de cet acte de courage. Ne gardait-elle pas les trésors de son fils au péril de ses jours? Puis, en apprenant les terribles exécutions ordonnées par la Convention, elle s'endormait heureuse de savoir sa seule richesse en sûreté, loin des dangers, loin des échafauds. Elle se complaisait à croire qu'elle avait pris le meilleur parti pour sauver à la fois toutes ses fortunes. Faisant à cette secrète pensée les concessions voulues par le malheur des temps, sans compromettre ni sa dignité de femme ni ses croyances aristocratiques, elle enveloppait ses douleurs dans un froid mystère. Elle avait compris les difficultés qui l'attendaient à Carentan. Venir y occuper la première place, n'était-ce pas y défier l'échafaud tous les jours? Mais, soutenue par un courage de mère, elle sut conquérir l'affection des pauvres en soulageant indifféremment toutes les misères, et se rendit nécessaire aux riches en veillant à leurs plaisirs. Elle recevait le procureur de la commune,[10] le maire, le président du district,[11] l'accusateur public,[12] et même les juges du tribunal révolutionnaire. Les quatre premiers de ces personnages, n'étant pas mariés, la courtisaient dans l'espoir de l'épouser, soit en l'effrayant par le mal qu'ils pouvaient lui faire, soit en lui offrant leur protection. L'accusateur public, ancien procureur à Caen,[13] jadis chargé des intérêts de la comtesse, tentait de lui inspirer de l'amour par une conduite pleine de dévouement et de générosité; finesse dangereuse! Il était le plus redoutable de tous

les prétendants. Lui seul connaissait à fond l'état de la fortune
considérable de son ancienne cliente. Sa passion devait s'accroître
de tous les désirs d'une avarice qui s'appuyait sur un pouvoir
immense, sur le droit de vie et et de mort dans le district. Cet
homme, encore jeune, mettait tant de noblesse dans ses procédés,
que madame de Dey n'avait pas encore pu le juger. Mais,
méprisant le danger qu'il y avait à lutter d'adresse avec des
Normands,[14] elle employait l'esprit inventif et la ruse que la nature
a départis aux femmes pour opposer ces rivalités les unes aux
autres. En gagnant du temps, elle espérait arriver saine et sauve
à la fin des troubles. A cette époque, les royalistes de l'intérieur se flattaient tous les jours de voir la Révolution terminée
le lendemain ; et cette conviction a été la perte de beaucoup
d'entre eux.

Malgré ces obstacles, la comtesse avait assez habilement maintenu son indépendance jusqu'au jour où, par une inexplicable
imprudence, elle s'était avisée de fermer sa porte. Elle inspirait
un intérêt si profond et si véritable, que les personnes venues ce
soir-là chez elle conçurent de vives inquiétudes en apprenant
qu'il lui devenait impossible de les recevoir ; puis, avec cette
franchise de curiosité empreinte dans les mœurs provinciales,
elles s'enquirent du malheur, du chagrin, de la maladie qui devait
affliger madame de Dey. A ces questions une vieille femme de
charge, nommée Brigitte, répondait que sa maîtresse s'était en-
fermée et ne voulait voir personne, pas même les gens de sa
maison. L'existence, en quelque sorte claustrale, que mènent les
habitants d'une petite ville crée en eux une habitude d'analyser
et d'expliquer les actions d'autrui si naturellement invincible
qu'après avoir plaint madame de Dey, sans savoir si elle était
réellement heureuse ou chagrine, chacun se mit à rechercher les
causes de sa soudaine retraite.

— Si elle était malade, dit le premier curieux, elle aurait envoyé
chez le médecin ; mais le docteur est resté pendant toute la journée
chez moi à jouer aux échecs. Il me disait en riant que, par le temps

qui court, il n'y a qu'une maladie... et qu'elle est malheureusement incurable.

Cette plaisanterie fut prudemment hasardée. Femmes, hommes, vieillards et jeunes filles se mirent alors à parcourir le vaste champ des conjectures. Chacun crut entrevoir un secret, et ce secret occupa toutes les imaginations. Le lendemain les soupçons s'envenimèrent. Comme la vie est à jour dans une petite ville, les femmes apprirent les premières que Brigitte avait fait au marché des provisions plus considérables qu'à l'ordinaire. Ce fait ne pouvait être contesté. L'on avait vu Brigitte de grand matin sur la place, et, chose extraordinaire, elle y avait acheté le seul lièvre qui s'y trouvât. Toute la ville savait que madame de Dey n'aimait pas le gibier. Le lièvre devint un point de départ pour des suppositions infinies. En faisant leur promenade périodique, les vieillards remarquèrent dans la maison de la comtesse, une sorte d'activité concentrée qui se révélait par les précautions même dont se servaient les gens pour la cacher. Le valet de chambre battait un tapis dans le jardin; la veille, personne n'y aurait pris garde; mais ce tapis devint une pièce à l'appui des romans que tout le monde bâtissait. Chacun avait le sien. Le second jour, en apprenant que madame de Dey se disait indisposée, les principaux personnages de Carentan se réunirent le soir chez le frère du maire, vieux négociant marié, homme probe, généralement estimé, et pour lequel la comtesse avait beaucoup d'égards. Là, tous les aspirants à la main de la riche veuve eurent à raconter une fable plus ou moins probable; et chacun d'eux pensait à faire tourner à son profit la circonstance secrète qui la forçait de se compromettre ainsi. L'accusateur public imaginait tout un drame pour amener nuitamment le fils de madame de Dey chez elle. Le maire croyait à un prêtre insermenté,[15] venu de la Vendée,[16] et qui lui aurait demandé un asile; mais l'achat du lièvre, un vendredi, l'embarrassait beaucoup. Le président du district tenait fortement pour un chef de Chouans ou de Vendéens[17] vivement poursuivi. D'autres voulaient un noble échappé des prisons de

Paris. Enfin tous soupçonnaient la comtesse d'être coupable d'une de ces générosités que les lois d'alors nommaient un crime, et qui pouvaient conduire à l'échafaud. L'accusateur public disait d'ailleurs à voix basse qu'il fallait se taire, et tâcher de sauver l'infortunée de l'abîme vers lequel elle marchait à grands pas.

— Si vous ébruitez cette affaire, ajouta-t-il, je serai obligé d'intervenir, de faire des perquisitions chez elle, et alors!... Il n'acheva pas, mais chacun comprit cette réticence.

Les amis sincères de la comtesse s'alarmèrent tellement pour elle que, dans la matinée du troisième jour, le procureur-syndic de la commune lui fit écrire par sa femme un mot pour l'engager à recevoir pendant la soirée comme à l'ordinaire. Plus hardi, le vieux négociant se présenta dans la matinée chez madame de Dey. Fort du service qu'il voulait lui rendre, il exigea d'être introduit auprès d'elle, et resta stupéfait en l'apercevant dans le jardin, occupée à couper les dernières fleurs de ses plates-bandes pour en garnir des vases.

— Elle a sans doute donné asile à son amant, se dit le vieillard pris de pitié pour cette charmante femme. La singulière expression du visage de la comtesse le confirma dans ses soupçons. Vivement ému de ce dévouement si naturel aux femmes, mais qui nous touche toujours, parce que tous les hommes sont flattés par les sacrifices qu'une d'elles fait à un homme, le négociant instruisit la comtesse des bruits qui couraient dans la ville et du danger où elle se trouvait. — Car, lui dit-il en terminant, si, parmi nos fonctionnaires, il en est quelques-uns assez disposés à vous pardonner un héroïsme qui aurait un prêtre pour objet, personne ne vous plaindra si l'on vient à découvrir que vous vous immolez à des intérêts de cœur.

A ces mots, madame de Dey regarda le vieillard avec un air d'égarement et de folie qui le fit frissonner, lui, vieillard.

— Venez, lui dit-elle en le prenant par la main pour le conduire dans sa chambre, où, après s'être assurée qu'ils étaient seuls, elle tira de son sein une lettre sale et chiffonnée: — Lisez, s'écria-t-elle en faisant un violent effort pour prononcer ce mot.

Elle tomba dans son fauteuil, comme anéantie. Pendant que le vieux négociant cherchait ses lunettes et les nettoyait, elle leva les yeux sur lui, le contempla pour la première fois avec curiosité; puis, d'une voix altérée: — Je me fie à vous, lui dit-elle doucement.

— Est-ce que je ne viens pas partager votre crime? répondit le bonhomme avec simplicité.

Elle tressaillit. Pour la première fois, dans cette petite ville, son âme sympathisait avec celle d'un autre. Le vieux négociant comprit tout à coup et l'abattement et la joie de la comtesse. Son fils avait fait partie de l'expédition de Granville,[18] il écrivait à sa mère du fond de sa prison, en lui donnant un triste et doux espoir. Ne doutant pas de ses moyens d'évasion, il lui indiquait trois jours pendant lesquels il devait se présenter chez elle, déguisé. La fatale lettre contenait de déchirants adieux au cas où il ne serait pas à Carentan dans la soirée du troisième jour, et il priait sa mère de remettre une assez forte somme à l'émissaire qui s'était chargé de lui apporter cette dépêche, à travers mille dangers. Le papier tremblait dans les mains du vieillard.

— Et voici le troisième jour, s'écria madame de Dey qui se leva rapidement, reprit la lettre, et marcha.

— Vous avez commis des imprudences, lui dit le négociant. Pourquoi faire prendre des provisions?

— Mais il peut arriver, mourant de faim, exténué de fatigue, et... Elle n'acheva pas.

— Je suis sûr de mon frère, reprit le vieillard, je vais aller le mettre dans vos intérêts.

Le négociant retrouva dans cette circonstance la finesse qu'il avait mise jadis dans les affaires, et lui dicta des conseils expreints de prudence et de sagacité. Après être convenus de tout ce qu'ils devaient dire et faire l'un ou l'autre, le vieillard alla, sous des prétextes habilement trouvés, dans les principales maisons de

Carentan, où il annonça que madame de Dey qu'il venait de voir, recevrait dans la soirée, malgré son indisposition. Luttant de finesse avec les intelligences normandes dans l'interrogatoire que chaque famille lui imposa sur la nature de la maladie de la comtesse, il réussit à donner le change à presque toutes les personnes qui s'occupaient de cette mystérieuse affaire. Sa première visite fit merveille. Il raconta devant une vieille dame goutteuse que madame de Dey avait manqué périr d'une attaque de goutte à l'estomac; le fameux Tronchin[19] lui ayant recommandé jadis, en pareille occurrence, de se mettre sur la poitrine la peau d'un lièvre écorché vif, et de rester au lit sans se permettre le moindre mouvement, la comtesse, en danger de mort, il y a deux jours, se trouvait, après avoir suivi ponctuellement la bizarre ordonnance de Tronchin, assez bien rétablie pour recevoir ceux qui viendraient la voir pendant la soirée. Ce conte eut un succès prodigieux, et le médecin de Carentan, royaliste *in petto*,[20] en augmenta l'effet par l'importance avec laquelle il discuta le spécifique. Néanmoins les soupçons avaient trop fortement pris racine dans l'esprit de quelques entêtés ou de quelques philosophes pour être entièrement dissipés; en sorte que, le soir, ceux qui étaient admis chez madame de Dey vinrent avec empressement et de bonne heure chez elle, les uns pour épier sa contenance, les autres par amitié, la plupart saisis par le merveilleux de sa guérison. Ils trouvèrent la comtesse assise au coin de la grande cheminée de son salon, à peu près aussi modeste que l'étaient ceux de Carentan; car, pour ne pas blesser les étroites pensées de ses hôtes, elle s'était refusée aux jouissances de luxe auxquelles elle était jadis habituée, elle n'avait donc rien changé chez elle. Le carreau de la salle de réception n'était même pas frotté. Elle laissait sur les murs de vieilles tapisseries sombres, conservait les meubles du pays, brûlait de la chandelle,[21] et suivait les modes de la ville, en épousant la vie provinciale sans reculer ni devant les petitesses les plus dures, ni devant les privations les plus désagréables. Mais sachant que ses hôtes lui pardonneraient les magnificences qui auraient leur bien-être pour but, elle ne négligeait rien quand il s'agissait de leur procurer des jouissances personnelles. Aussi leur donnait-elle d'excellents dîners. Elle allait jusqu'à feindre de l'avarice pour plaire à ces esprits calculateurs; et, après avoir eu l'art de se faire arracher certaines concessions de luxe, elle savait obéir avec grâce. Donc, vers sept heures du soir, la meilleure mauvaise compagnie[22] de Carentan se trouvait chez elle, et décrivait un grand cercle devant la cheminée. La maîtresse du logis, soutenue dans son malheur par les regards compatissants que lui jetait le vieux négociant, se soumit avec un courage inouï aux questions minutieuses, aux raisonnements frivoles et stupides de ses hôtes. Mais à chaque coup de marteau frappé sur sa porte, ou toutes les fois que des pas retentissaient dans la rue, elle cachait ses émotions en soulevant des questions intéressantes pour la fortune du pays. Elle éleva de bruyantes discussions sur la qualité des cidres,[23] et fut si bien secondée par son confident, que l'assemblée oublia presque de l'espionner en trouvant sa contenance naturelle et son aplomb imperturbable. L'accusateur public et l'un des juges du tribunal révolutionnaire restaient taciturnes, observaient avec attention les moindres mouvements de sa physionomie, écoutaient dans la maison, malgré le tumulte; et, à plusieurs reprises, ils lui firent des questions embarrassantes, auxquelles la comtesse répondit cependant avec une admirable présence d'esprit. Les mères ont tant de courage! Au moment où madame de Dey eut arrangé les parties, placé tout le monde à des tables de boston, de reversis ou de wisth,[24] elle resta encore à causer auprès de quelques jeunes personnes avec un extrême laissez-aller, en jouant son rôle en actrice consommée. Elle se fit demander un loto, prétendit savoir seule où il était, et disparut.

— J'étouffe, ma pauvre Brigitte, s'écria-t-elle en essuyant des larmes qui sortirent vivement de ses yeux brillants de fièvre, de douleur et d'impatience. — Il ne vient pas, reprit-elle, en regardant la chambre où elle était montée. Ici, je respire et je vis. Encore quelques moments, et il sera là, pourtant! car il vit encore, j'en suis certaine. Mon cœur me le dit. N'entendez-vous rien, Brigitte? Oh! je donnerais le reste de ma vie pour savoir s'il est en prison ou s'il marche à travers la campagne! Je voudrais ne pas penser.

Elle examina de nouveau si tout était en ordre dans l'appartement. Un bon feu brillait dans la cheminée; les volets étaient soigneusement fermés; les meubles reluisaient de propreté; la manière dont avait été fait le lit, prouvait que la comtesse s'était occupée avec Brigitte des moindres détails; et ses espérances se trahissaient dans les soins délicats qui paraissaient avoir été pris dans cette chambre où se respiraient[25] et la gracieuse douceur de l'amour et ses plus chastes caresses dans les parfums exhalés par les fleurs. Une mère seule pouvait avoir prévu les désirs d'un soldat et lui préparer de si complètes satisfactions. Un repas exquis, des vins choisis, la chaussure, le linge, enfin tout ce qui devait être nécessaire ou agréable à un voyageur fatigué, se trouvait rassemblé pour que rien ne lui manquât, pour que les délices du chez-soi lui révélassent l'amour d'une mère.

— Brigitte? dit la comtesse d'un son de voix déchirant en allant placer un siège devant la table, comme pour donner de la réalité à ses vœux, comme pour augmenter la force de ses illusions.

— Ah! madame, il viendra. Il n'est pas loin. — Je ne doute pas qu'il ne vive et qu'il ne soit en marche, reprit Brigitte. J'ai mis une clef dans la Bible, et je l'ai tenue sur mes doigts pendant que Cottin lisait l'Évangile de saint Jean... et, madame! la clef n'a pas tourné.

— Est-ce bien sûr? demanda la comtesse.

— Oh! madame, c'est connu. Je gagerais mon salut qu'il vit encore. Dieu ne peut pas se tromper.

— Malgré le danger qui l'attend ici, je voudrais bien cependant l'y voir.

— Pauvre monsieur Auguste, s'écria Brigitte, il est sans doute à pied, par les chemins.

— Et voilà huit heures qui sonnent au clocher, s'écria la comtesse avec terreur.

Elle eut peur d'être restée plus longtemps qu'elle ne le devait, dans cette chambre où elle croyait à la vie de son fils, en voyant tout ce qui lui en attestait la vie, elle descendit; mais avant d'entrer au salon, elle resta pendant un moment sous le péristyle de l'escalier, en écoutant si quelque bruit ne réveillait pas les silencieux échos de la ville. Elle sourit au mari de Brigitte, qui se tenait en sentinelle, et dont les yeux semblaient hébétés[26] à force de prêter attention aux murmures de la place et de la nuit. Elle voyait son fils en tout et partout. Elle rentra bientôt, en affectant un air gai, et se mit à jouer au loto avec des petites filles; mais, de temps en temps, elle se plaignit de souffrir, et revint occuper son fauteuil auprès de la cheminée.

Telle était la situation des choses et des esprits dans la maison de madame de Dey, pendant que, sur le chemin de Paris à Cherbourg, un jeune homme vêtu d'une carmagnole brune,[27] costume de rigueur à cette époque, se dirigeait vers Carentan. A l'origine des réquisitions,[28] il y avait peu ou point de discipline. Les exigences du moment ne permettaient guère à la République d'équiper sur-le-champ ses soldats, et il n'était pas rare de voir les chemins couverts de réquisitionnaires qui conservaient leurs habits bourgeois. Ces jeunes gens devançaient leurs bataillons aux lieux d'étape, ou restaient en arrière, car leur marche était soumise à leur manière de supporter les fatigues d'une longue route. Le voyageur dont il est ici question se trouvait assez en avant de la colonne de réquisitionnaires qui se rendait à Cherbourg, et que le maire de Carentan attendait d'heure en heure, afin de leur distribuer des billets de logement. Ce jeune homme marchait d'un pas alourdi, mais ferme encore, et son allure semblait annoncer qu'il s'était familiarisé depuis longtemps avec les rudesses de la vie militaire. Quoique la lune éclairât les herbages qui avoisinent Carentan, il avait remarqué de gros nuages blancs prêts à jeter de la neige sur la campagne; et la crainte d'être surpris par un ouragan animait sans doute sa démarche, alors plus vive que ne le comportait sa lassitude. Il avait sur le dos un sac presque vide, et tenait à la main une canne de buis, coupée dans les hautes et larges haies que cet arbuste forme autour de la plupart des héritages[29] en Basse-Normandie. Ce voyageur solitaire entra dans Carentan, dont les tours, bordées de lueurs fantastiques par la lune, lui apparaissaient depuis un moment. Son pas réveilla[30] les échos des rues silencieuses, où il ne rencontra personne ; il fut obligé de demander la maison du maire à un tisserand qui travaillait encore. Ce magistrat demeurait à une faible distance, et le réquisitionnaire se vit bientôt à l'abri sous le porche de la maison du maire, et s'y assit sur un banc de pierre, en attendant le billet de logement qu'il avait réclamé. Mais mandé par ce fonctionnaire, il comparut devant lui, et devint l'objet d'un scrupuleux examen. Le fantassin était un jeune homme de bonne mine qui paraissait appartenir à une famille distinguée. Son air trahissait la noblesse. L'intelligence due à une bonne éducation respirait sur sa figure.

— Comment te nommes-tu ? lui demanda le maire en lui jetant un regard plein de finesse.

— Julien Jussieu, répondit le réquisitionnaire.

— Et tu viens ? dit le magistrat en laissant échapper un sourire d'incrédulité.

— De Paris.

— Tes camarades doivent être loin, reprit le Normand d'un ton railleur.

— J'ai trois lieues d'avance sur le bataillon.

— Quelque sentiment t'attire sans doute à Carentan, citoyen réquisitionnaire ? dit le maire d'un air fin. C'est bien, ajouta-t-il en imposant silence par un geste de main au jeune homme prêt à parler, nous savons où t'envoyer. Tiens, ajouta-t-il en lui remettant son billet de logement, va, *citoyen Jussieu*!

Une teinte d'ironie se fit sentir dans l'accent avec lequel le magistrat prononça ces deux derniers mots, en tendant un billet sur lequel la demeure de madame de Dey était indiquée. Le jeune homme lut l'adresse avec un air de curiosité.

— Il sait bien qu'il n'a pas loin à aller. Et quand il sera dehors, il aura bientôt traversé la place! s'écria le maire en se parlant à lui-même, pendant que le jeune homme sortait. Il est joliment hardi! Que Dieu le conduise! Il a réponse à tout. Oui, mais si un autre que moi lui avait demandé à voir ses papiers, il était perdu!

En ce moment, les horloges de Carentan avaient sonné neuf heures et demie; les fallots[31] s'allumaient dans l'antichambre de madame de Dey; les domestiques aidaient leurs maîtresses et leurs maîtres à mettre leurs sabots, leurs houppelandes ou leurs mantelets; les joueurs avaient soldé leurs comptes, et allaient se retirer tous ensemble, suivant l'usage établi dans toutes les petites villes.

— Il paraît que l'accusateur veut rester, dit une dame en s'apercevant que ce personnage important leur manquait au moment où chacun se sépara sur la place pour regagner son logis, après avoir épuisé toutes les formules d'adieu.

Ce terrible magistrat était en effet seul avec la comtesse, qui attendait, en tremblant, qu'il lui plût de sortir.

— Citoyenne, dit-il enfin après un long silence qui eut quelque chose d'effrayant, je suis ici pour faire observer les lois de la République...

Madame de Dey frissonna.

— N'as-tu donc rien à me révéler? demanda-t-il.

— Rien, répondit-elle étonnée.

— Ah! madame,[32] s'écria l'accusateur en s'asseyant auprès d'elle et changeant de ton, en ce moment, faute d'un mot, vous ou moi, nous pouvons porter notre tête sur l'échafaud. J'ai trop bien observé votre caractère, votre âme, vos manières, pour partager l'erreur dans laquelle vous avez su mettre votre société ce soir. Vous attendez votre fils, je n'en saurais douter.

La comtesse laissa échapper un geste de dénégation; mais elle avait pâli, mais les muscles de son visage s'étaient contractés par la nécessité où elle se trouvait d'afficher une fermeté trompeuse, et l'œil implacable de l'accusateur public ne perdit aucun de ses mouvements.

— Eh! bien, recevez-le, reprit le magistrat révolutionnaire; mais qu'il ne reste pas plus tard que sept heures du matin sous votre toit. Demain, au jour, armé d'une dénonciation que je me ferai faire, je viendrai chez vous...

Elle le regarda d'un air stupide qui aurait fait pitié à un tigre.

— Je démontrerai, poursuivit-il d'une voix douce, la fausseté de la dénonciation par d'exactes perquisitions, et vous serez, par la nature de mon rapport, à l'abri de tous soupçons ultérieurs. Je parlerai de vos dons patriotiques, de votre civisme, et nous serons *tous* sauvés.

Madame de Dey craignait un piège, elle restait immobile, mais son visage était en feu[33] et sa langue glacée. Un coup de marteau retentit dans la maison.

— Ah! cria la mère épouvantée, en tombant à genoux. Le sauver, le sauver!

— Oui, sauvons-le! reprit l'accusateur public, en lui lançant un regard de passion, dût-il *nous* en coûter la vie.

— Je suis perdue, s'écria-t-elle pendant que l'accusateur la relevait avec politesse.

— Eh! madame, répondit-il par un beau mouvement oratoire, je ne veux vous devoir à rien... qu'à vous-même.

— Madame, le voi..., s'écria Brigitte qui croyait sa maîtresse seule.

A l'aspect de l'accusateur public, la vieille servante, de rouge et joyeuse qu'elle était, devint immobile et blême.

— Qui est-ce, Brigitte? demanda le magistrat d'un air doux et intelligent.

— Un réquisitionnaire que le maire nous envoie à loger, répondit la servante en montrant le billet.

— C'est vrai, dit l'accusateur après avoir lu le papier. Il nous arrive un bataillon ce soir!

Et il sortit.

La comtesse avait trop besoin de croire èn ce moment à la sincérité de son ancien procureur pour concevoir le moindre doute; elle monta rapidement l'escalier, ayant à peine la force de se soutenir; puis, elle ouvrit la porte de sa chambre, vit son fils, se précipita dans ses bras, mourante: — Oh! mon enfant, mon enfant! s'écria-t-elle en sanglotant et le couvrant de baisers empreints d'une sorte de frénésie.

— Madame, dit l'inconnu.

— Ah! ce n'est pas lui, cria-t-elle en reculant d'épouvante et restant debout devant le réquisitionnaire qu'elle contemplait d'un air hagard.

— O saint bon Dieu, quelle ressemblance! dit Brigitte.

Il y eut un moment de silence, et l'étranger lui-même tressaillit à l'aspect de madame de Dey.

— Ah! monsieur, dit-elle en s'appuyant sur le mari de Brigitte, et sentant alors dans toute son étendue une douleur dont la première atteinte avait failli la tuer; monsieur, je ne saurais vous voir plus longtemps, souffrez que mes gens me remplacent et s'occupent de vous.

Elle descendit chez elle, à demi portée par Brigitte et son vieux serviteur.

— Comment, madame! s'écria la femme de charge en asseyant sa maîtresse, cet homme va-t-il coucher dans le lit de monsieur Auguste, mettre les pantoufles de monsieur Auguste, manger le pâté que j'ai fait pour monsieur Auguste! quand on devrait me guillotiner, je...

— Brigitte! cria madame de Dey.

Brigitte resta muette.

— Tais-toi donc, bavarde, lui dit son mari à voix basse, veux-tu tuer madame?

En ce moment, le réquisitionnaire fit du bruit dans sa chambre en se mettant à table.

— Je ne resterai pas ici, s'écria madame de Dey, j'irai dans la serre, d'où j'entendrai mieux ce qui se passera au dehors pendant la nuit.

Elle flottait encore entre la crainte d'avoir perdu son fils et l'espérance de le voir reparaître. La nuit fut horriblement silencieuse.[34] Il y eut, pour la comtesse, un moment affreux, quand le bataillon des réquisitionnaires vint en ville et que chaque homme y chercha son logement. Ce fut des espérances trompées à chaque pas, à chaque bruit; puis bientôt la nature reprit un calme effrayant. Vers le matin, la comtesse fut obligée de rentrer chez elle. Brigitte, qui surveillait les mouvements de sa maîtresse, ne la voyant pas sortir, entra dans la chambre et y trouva la comtesse morte.

— Elle aura probablement entendu ce réquisitionnaire qui achève de s'habiller et qui marche dans la chambre de monsieur Auguste en chantant leur damnée *Marseillaise*,[35] comme s'il était dans une écurie, s'écria Brigitte. Ça l'aura tuée!

La mort de la comtesse fut causée par un sentiment plus grave, et sans doute par quelque vision terrible. A l'heure précise où madame de Dey mourait à Carentan, son fils était fusillé dans le Morbihan.[36] Nous pouvons joindre ce fait tragique à toutes les observations sur les sympathies qui méconnaissent les lois de l'espace; documents que rassemblent avec une savante curiosité quelques hommes de solitude, et qui serviront un jour à asseoir les bases d'une science nouvelle à laquelle il a manqué jusqu'à ce jour un homme de génie.[37]

Paris, février 1831.

LE CHEF-D'ŒUVRE INCONNU

I. GILLETTE

Vers la fin de l'année 1612, par une froide matinée de décembre, un jeune homme dont le vêtement était de très-mince apparence, se promenait devant la porte d'une maison située rue des Grands-Augustins, à Paris. Après avoir assez longtemps marché dans cette rue avec l'irrésolution d'un amant qui n'ose se présenter chez sa première maîtresse, quelque facile qu'elle soit, il finit par franchir le seuil de cette porte, et demanda si maître François Porbus[1] était en son logis. Sur la réponse affirmative que lui fit une vieille femme occupée à balayer une salle basse, le jeune homme monta lentement les degrés, et s'arrêta de marche en marche, comme quelque courtisan de fraîche date inquiet de l'accueil que le roi va lui faire. Quand il parvint en haut de la vis,[2] il demeura pendant un moment sur le palier, incertain s'il prendrait le heurtoir grotesque qui ornait la porte de l'atelier où travaillait sans doute le peintre de Henri IV délaissé pour Rubens par Marie de Médicis.[3] Le jeune homme éprouvait cette sensation profonde qui a dû faire vibrer le cœur des grands artistes quand, au fort de la jeunesse et de leur amour pour l'art, ils ont abordé un homme de génie ou quelque chef-d'œuvre. Il existe[4] dans tous les sentiments humains une fleur primitive, engendrée par un noble enthousiasme qui va toujours faiblissant jusqu'à ce que le bonheur ne soit plus qu'un souvenir et la gloire un mensonge. Parmi ces émotions fragiles rien ne ressemble à l'amour comme la jeune passion d'un artiste commençant le délicieux supplice de sa destinée de gloire et de malheur, passion pleine d'audace et de timidité, de croyances vagues et de découragements certains. A celui qui léger d'argent, qui adolescent de génie, n'a pas vivement palpité en se présentant devant un maître, il manquera toujours une corde dans le cœur, je ne sais quelle touche de pinceau, un sentiment dans l'œuvre, une certaine expression de poésie. Si quelques fanfarons bouffis d'eux-mêmes croient trop tôt à l'avenir, ils ne sont gens d'esprit que pour les sots. A ce compte, le jeune inconnu paraissait avoir un vrai mérite, si le talent doit se mesurer sur cette timidité première, sur cette pudeur indéfinissable que les gens promis à la gloire savent perdre dans l'exercice de leur art, comme les jolies femmes perdent la leur dans le manège de la coquetterie. L'habitude du triomphe amoindrit le doute, et la pudeur est un doute peut-être.

Accablé de misère et surpris en ce moment de son outrecuidance, le pauvre néophyte ne serait pas entré chez le peintre auquel nous devons l'admirable portrait de Henri IV,[5] sans un secours extraordinaire que lui envoya le hasard. Un vieillard vint à monter l'escalier. A la bizarrerie de son costume, à la magnificence de son rabat de dentelle, à la prépondérante sécurité de sa démarche, le jeune homme devina dans ce personnage ou le protecteur ou l'ami du peintre; il se recula sur le palier pour lui faire place, et l'examina curieusement, espérant trouver en lui la bonne nature d'un artiste ou le caractère serviable des gens qui aiment les arts; mais il aperçut quelque chose de diabolique[6] dans cette figure, et surtout ce *je ne sais quoi* qui affriande les artistes. Imaginez un front chauve, bombé, proéminent, retombant en saillie sur un petit nez écrasé, retroussé du bout comme celui de Rabelais ou de Socrate; une bouche rieuse et ridée, un menton court, fièrement relevé, garni d'une barbe grise taillée en pointe, des yeux vert de mer ternis en apparence par l'âge, mais qui par le contraste du blanc nacré dans lequel flottait la prunelle devaient parfois jeter des regards magnétiques[7] au fort de la colère ou de l'enthousiasme. Le visage était d'ailleurs singulièrement flétri par les fatigues de l'âge, et plus encore par ces pensées qui creusent[8] également l'âme et le corps. Les yeux n'avaient plus de cils, et à peine voyait-on quelques traces de sourcils au-dessus de leurs arcades saillantes. Mettez cette tête sur un corps fluet et débile, entourez-la d'une dentelle étincelante de blancheur et travaillée comme une truelle à poisson, jetez sur le pourpoint noir[9] du vieillard une lourde chaîne d'or, et vous aurez une image imparfaite de ce personnage auquel le jour faible de l'escalier prêtait encore une couleur fantastique. Vous eussiez dit d'une toile de Rembrandt marchant silencieusement et sans cadre dans la noire atmosphère que s'est appropriée ce grand peintre. Le vieillard jeta sur le jeune homme un regard empreint de sagacité, frappa trois coups à la porte, et dit à un homme valétudinaire, âgé de quarante ans environ, qui vint ouvrir: — Bonjour, maître.

Porbus s'inclina respectueusement, il laissa entrer le jeune homme en le croyant amené par le vieillard et s'inquiéta d'autant moins de lui que le néophyte demeura sous le charme que doivent éprouver les peintres-nés à l'aspect du premier atelier qu'ils voient et où se révèlent quelques-uns des procédés matériels de l'art. Un vitrage ouvert[10] dans la voûte éclairait l'atelier de maître Porbus. Concentré sur une toile accrochée au chevalet, et qui n'était encore touchée que de trois ou quatre traits blancs, le jour n'atteignait pas jusqu'aux noires profondeurs des angles de cette vaste pièce; mais quelques reflets égarés allumaient dans cette ombre rousse une paillette argentée au ventre d'une cuirasse de reître suspendue à la muraille, rayaient d'un brusque sillon de lumière la corniche sculptée et cirée d'un antique dressoir chargé de vaisselles curieuses, ou piquaient de points éclatants la trame grenue de quelques vieux rideaux de brocart d'or aux grands plis cassés, jetés là comme modèles. Des écorchés de plâtre, des fragments et des torses de déesses antiques, amoureusement polis par les baisers des siècles, jonchaient les tablettes et les consoles. D'innombrables ébauches, des études aux trois crayons,[11] à la sanguine ou à la plume, couvraient les murs jusqu'au plafond. Des boîtes à couleurs, des bouteilles d'huile et d'essence, des escabeaux renversés ne laissaient qu'un étroit chemin pour arriver sous l'auréole que projetait la haute verrière dont les rayons tombaient à plein sur la pâle figure de Porbus et sur le crâne d'ivoire de l'homme singulier. L'attention du jeune homme fut bientôt exclusivement acquise à un tableau qui, par ce temps de trouble et de révolutions, était déjà devenu célèbre, et que visitaient quelques-uns de ces entêtés auxquels on doit la conservation du feu sacré pendant les jours mauvais. Cette belle page représentait une *Marie égyptienne*[12] se disposant à payer le passage du bateau. Ce chef-d'œuvre, destiné à Marie de Médicis, fut vendu par elle aux jours de sa misère.[13]

— Ta sainte me plaît, dit le vieillard à Porbus, et je te la paierais dix écus d'or au delà du prix que donne la reine; mais aller sur ses brisées?... du diable!

— Vous la trouvez bien?

— Heu! heu! fit le vieillard, bien?... oui et non. Ta bonne femme n'est pas mal troussée, mais elle ne vit pas. Vous autres, vous croyez avoir tout fait lorsque vous avez dessiné correctement une figure et mis chaque chose à sa place d'après les lois de l'anatomie! Vous colorez ce linéament avec un ton de chair fait d'avance sur votre palette en ayant soin de tenir un côté plus sombre que l'autre, et parce que vous regardez de temps en temps une femme nue qui se tient debout sur une table, vous croyez avoir copié la nature, vous vous imaginez être des peintres et avoir dérobé le secret de Dieu!... Prrr! Il ne suffit pas pour être un grand poète de savoir à fond la syntaxe et de ne pas faire de fautes de langue! Regarde ta sainte, Porbus?[14] Au premier aspect, elle semble admirable; mais au second coup d'œil on s'aperçoit qu'elle est collée au fond de la toile et qu'on ne pourrait pas faire le tour de son corps. C'est une silhouette qui n'a qu'une seule face, c'est une apparence découpée, une image qui ne saurait se retourner, ni changer de position. Je ne sens pas d'air entre ce bras et le champ du tableau; l'espace et la profondeur manquent; cependant tout est bien en perspective, et la dégradation aérienne[15] est exactement observée; mais, malgré de si louables efforts, je ne saurais croire que ce beau corps soit animé par le tiède souffle de la vie. Il me semble que si je portais la main sur cette gorge d'une si ferme rondeur, je la trouverais froide comme du marbre! Non, mon ami, le sang ne court pas sous cette peau d'ivoire, l'existence ne gonfle pas de sa rosée de pourpre les veines et les fibrilles qui s'entrelacent en réseaux sous la transparence ambrée des tempes et de la poitrine. Cette place palpite, mais cette autre est immobile, la vie et la mort luttent dans chaque détail: ici c'est une femme, là une statue, plus loin un cadavre. Ta création est incomplète. Tu n'as pu souffler qu'une portion de ton âme à ton œuvre chérie. Le flambeau de Prométhée s'est éteint plus d'une fois dans tes mains, et beaucoup d'endroits de ton tableau n'ont pas été touchés par la flamme céleste.

— Mais pourquoi, mon cher maître? dit respecteusement Porbus au vieillard tandis que le jeune homme avait peine à réprimer une forte envie de le battre.

— Ah! voilà, dit le petit vieillard. Tu as flotté indécis entre les deux systèmes, entre le dessin et la couleur, entre le flegme minutieux, la raideur précise des vieux maîtres allemands et l'ardeur éblouissante, l'heureuse abondance des peintres italiens. Tu as voulu imiter à la fois Hans Holbein et Titien, Albrecht Dürer et Paul Véronèse. Certes c'était là une magnifique ambition! Mais qu'est-il arrivé? Tu n'as eu ni le charme sévère de la sécheresse, ni les décevantes magies du clair-obscur. Dans cet endroit, comme un bronze en fusion qui crève son trop faible moule, la riche et blonde couleur du Titien a fait éclater le maigre contour d'Albrecht Dürer où tu l'avais coulée. Ailleurs, le linéament a résisté et contenu les magnifiques débordements de la palette vénitienne. Ta figure n'est ni parfaitement dessinée, ni parfaitement peinte, et porte partout les traces de cette malheureuse indécision. Si tu ne te sentais pas assez fort pour fondre ensemble au feu de ton génie les deux manières rivales, il fallait opter franchement entre l'une ou l'autre, afin d'obtenir l'unité qui simule une des conditions de la vie. Tu n'es vrai que dans les milieux, tes contours sont faux, ne s'enveloppent pas et ne promettent rien par derrière. Il y a de la vérité ici, dit le vieillard en montrant la poitrine de la sainte. — Puis, ici, reprit-il en indiquant le point où sur le tableau finissait l'épaule. — Mais là, fit-il en revenant au milieu de la gorge, tout est faux. N'analysons rien, ce serait faire ton désespoir.

Le vieillard s'assit sur une escabelle, se tint la tête dans les mains et resta muet.

— Maître, lui dit Porbus, j'ai cependant bien étudié sur le nu cette gorge; mais, pour notre malheur, il est des effets vrais dans la nature qui ne sont plus probables sur la toile...

— La mission de l'art[16] n'est pas de copier la nature, mais de l'exprimer! Tu n'es pas un vil copiste, mais un poète! s'écria vivement le vieillard en interrompant Porbus par un geste despotique. Autrement un sculpteur serait quitte de tous ses travaux en moulant une femme! Hé! bien, essaie de mouler la main de ta maîtresse et de la poser devant toi, tu trouveras un horrible cadavre sans aucune ressemblance, et tu seras forcé d'aller trouver le ciseau de l'homme qui, sans te la copier exactement, t'en figurera le mouvement et la vie. Nous avons à saisir l'esprit, l'âme, la physionomie des choses et des êtres. Les effets! les effets! mais ils sont les accidents de la vie, et non la vie. Une main, puisque j'ai pris cet exemple, une main ne tient pas seulement au corps, elle exprime et continue une pensée qu'il faut saisir et rendre. Ni le peintre, ni le poète, ni le sculpteur ne doivent séparer l'effet de la cause qui sont invinciblement l'un dans l'autre! La véritable lutte est là! Beaucoup de peintres triomphent instinctivement sans connaître ce thème de l'art. Vous dessinez une femme, mais vous ne la voyez pas! Ce n'est pas ainsi que l'on parvient à forcer l'arcane de la nature. Votre main reproduit, sans que vous y pensiez, le modèle que vous avez copié chez votre maître. Vous ne descendez pas assez dans l'intimité de la forme, vous ne la poursuivez pas avec assez d'amour et de persévérance dans ses détours et dans ses fuites. La beauté est une chose sévère et difficile qui ne se laisse point atteindre ainsi, il faut attendre ses heures, l'épier, la presser et l'enlacer étroitement pour la forcer à

se rendre. La Forme est un Protée[17] bien plus insaisissable et plus
fertile en replis que le Protée de la fable, ce n'est qu'après de longs
combats qu'on peut la contraindre à se montrer sous son véritable
aspect; vous autres! vous vous contentez de la première apparence
qu'elle vous livre, ou tout au plus de la seconde, ou de la troisième;
ce n'est pas ainsi qu'agissent les victorieux lutteurs! Ces peintres
invaincus ne se laissent pas tromper à tous ces faux-fuyants, ils
persévèrent jusqu'à ce que la nature en soit réduite à se montrer
toute nue et dans son véritable esprit. Ainsi a procédé Raphaël,
dit le vieillard en ôtant son bonnet de velours noir pour exprimer
le respect que lui inspirait le roi de l'art, sa grande supériorité
vient du sens intime qui, chez lui, semble vouloir briser la Forme.
La Forme est, dans ses figures, ce qu'elle est chez nous, un truche-
ment pour se communiquer des idées, des sensations, une vaste
poésie. Toute figure est un monde, un portrait dont le modèle
est apparu dans une vision sublime, teint de lumière, désigné par
une voix intérieure, dépouillé par un doigt céleste qui a montré,
dans le passé de toute une vie, les sources de l'expression. Vous
faites à vos femmes de belles robes de chair, de belles draperies de
cheveux, mais où est le sang qui engendre le calme ou la passion
et qui cause des effets particuliers? Ta sainte est une femme brune,
mais ceci, mon pauvre Porbus, est d'une blonde! Vos figures sont
alors de pâles fantômes colorés que vous nous promenez devant
les yeux, et vous appelez cela de la peinture et de l'art. Parce que
vous avez fait quelque chose qui ressemble plus à une femme qu'à
une maison, vous pensez avoir touché le but, et tout fiers de n'être
plus obligés d'écrire à côté de vos figures, *currus venustus* ou
pulcher homo,[18] comme les premiers peintres, vous vous imaginez
être des artistes merveilleux! Ha! ha! vous n'y êtes pas encore,
mes braves compagnons, il vous faudra user bien des crayons,
couvrir bien des toiles avant d'arriver. Assurément, une femme
porte sa tête de cette manière, elle tient sa jupe ainsi, ses yeux
s'alanguissent et se fondent avec cet air de douceur résignée,
l'ombre palpitante des cils flotte ainsi sur les joues! C'est cela,

et ce n'est pas cela. Qu'y manque-t-il? un rien, mais ce rien est tout. Vous avez l'apparence de la vie, mais vous n'exprimez pas son trop-plein qui déborde, ce je ne sais quoi qui est l'âme peut-être et qui flotte nuageusement sur l'enveloppe; enfin cette fleur de vie que Titien et Raphaël ont surprise. En partant du point extrême où vous arrivez, on ferait peut-être d'excellente peinture; mais vous vous lassez trop vite. Le vulgaire admire, et le vrai connaisseur sourit. O Mabuse,[19] ô mon maître, ajouta ce singulier personnage, tu es un voleur, tu as emporté la vie avec toi! — A cela près, reprit-il, cette toile vaut mieux que les peintures de ce faquin de Rubens avec ses montagnes de viandes flamandes, saupoudrées de vermillon, ses ondées de chevelures rousses, et son tapage de couleurs. Au moins, avez-vous là couleur, sentiment et dessin, les trois parties essentielles de l'Art.

— Mais cette sainte est sublime, bon homme! s'écria d'une voix forte le jeune homme en sortant d'une rêverie profonde. Ces deux figures, celle de la sainte et celle du batelier, ont une finesse d'intention ignorée des peintres italiens, je n'en sais pas un seul qui eût inventé l'indécision du batelier.

— Ce petit drôle est-il à vous? demanda Porbus au vieillard.

— Hélas! maître, pardonnez à ma hardiesse, répondit le néophyte en rougissant. Je suis inconnu, barbouilleur d'instinct, et arrivé depuis peu dans cette ville, source de toute science.

— A l'œuvre! lui dit Porbus en lui présentant un crayon rouge et une feuille de papier.

L'inconnu copia lestement la Marie au trait.

— Oh! oh! s'écria le vieillard. Votre nom?

Le jeune homme écrivit au bas Nicolas Poussin.[20]

— Voilà qui n'est pas mal pour un commençant, dit le singulier personnage qui discourait si follement. Je vois que l'on peut parler peinture devant toi. Je ne te blâme pas d'avoir admiré la sainte de Porbus. C'est un chef-d'œuvre pour tout le monde, et les initiés aux plus profonds arcanes de l'art peuvent seuls découvrir en quoi elle pèche. Mais puisque tu es digne de la leçon, et capable de comprendre, je vais te faire voir combien peu de chose il faudrait pour compléter cette œuvre. Sois tout œil et tout attention, une pareille occasion de t'instruire ne se représentera peut-être jamais. Ta palette, Porbus?

Porbus alla chercher palette et pinceaux. Le petit vieillard retroussa ses manches avec un mouvement de brusquerie convulsive, passa son pouce dans la palette diaprée et chargée de tons que Porbus lui tendait; il lui arracha des mains plutôt qu'il ne les prit une poignée de brosses de toutes dimensions, et sa barbe taillée en pointe se remua soudain par des efforts menaçants qui exprimaient le prurit d'une amoureuse fantaisie. Tout en chargeant son pinceau de couleur, il grommelait entre ses dents:
— Voici des tons bons à jeter par la fenêtre avec celui qui les a composés, ils sont d'une crudité et d'une fausseté révoltantes, comment peindre avec cela? Puis il trempait avec une vivacité fébrile la pointe de la brosse dans les différents tas de couleurs dont il parcourait quelquefois la gamme entière plus rapidement qu'un organiste de cathédrale ne parcourt l'étendue de son clavier à *O Filii* de Pâques.[21]

Porbus et Poussin se tenaient immobiles chacun d'un côté de la toile, plongés dans la plus véhémente contemplation.

— Vois-tu, jeune homme, disait le vieillard sans se détourner, vois-tu comme au moyen de trois ou quatre touches et d'un petit glacis bleuâtre, on pouvait faire circuler l'air autour de la tête de cette pauvre sainte qui devait étouffer et se sentir prise dans cette atmosphère épaisse! Regarde comme cette draperie voltige à présent et comme on comprend que la brise la soulève! Auparavant elle avait l'air d'une toile empesée et soutenue par des épingles. Remarques-tu comme le luisant satiné que je viens de poser sur la poitrine rend bien la grasse souplesse d'une peau de jeune fille, et comme le ton mélangé de brun-rouge et d'ocre calciné réchauffe la grise froideur de cette grande ombre où le sang se figeait au lieu de courir. Jeune homme, jeune homme, ce que je te montre là, aucun maître ne pourrait te l'enseigner. Mabuse seul possédait le secret de donner de la vie aux figures. Mabuse n'a eu qu'un élève, qui est moi. Je n'en ai pas eu, et je suis vieux! Tu as assez d'intelligence pour deviner le reste, par ce que je te laisse entrevoir.

Tout en parlant, l'étrange vieillard touchait à toutes les parties du tableau: ici deux coups de pinceau, là un seul, mais toujours si à propos qu'on aurait dit une nouvelle peinture, mais une peinture trempée de lumière. Il travaillait avec une ardeur si passionnée que la sueur se perla sur son front dépouillé; il allait si rapidement par de petits mouvements si impatients, si saccadés, que pour le jeune Poussin il semblait qu'il y eût dans le corps de ce bizarre personnage un démon qui agissait par ses mains en les prenant fantastiquement contre le gré de l'homme. L'éclat surnaturel des yeux, les convulsions qui semblaient l'effet d'une résistance donnaient à cette idée un semblant de vérité qui devait agir sur une jeune imagination. Le vieillard allait disant: — Paf, paf, paf! voilà comment cela se beurre,[22] jeune homme! venez, mes petites touches, faites-moi roussir ce ton glacial! Allons donc! Pon! pon! pon! disait-il en réchauffant les parties où il avait signalé un défaut de vie, en faisant disparaître par quelques plaques de couleur les différences de tempérament, et rétablissant l'unité de ton que voulait une ardente Égyptienne.

— Vois-tu, petit, il n'y a que le dernier coup de pinceau qui compte. Porbus en a donné cent, moi, je n'en donne qu'un. Personne ne nous sait gré de ce qui est dessous. Sache bien cela!

Enfin ce démon s'arrêta, et se tournant vers Porbus et Poussin muets d'admiration, il leur dit: — Cela ne vaut pas encore ma Belle-Noiseuse, cependant on pourrait mettre son nom au bas d'une pareille œuvre. Oui, je la signerais, ajouta-t-il en se levant pour prendre un miroir dans lequel il la regarda. — Maintenant, allons déjeuner, dit-il. Venez tous deux à mon logis. J'ai du jambon fumé, du bon vin! Hé! hé! malgré le malheur des temps, nous causerons peinture! Nous sommes de force. Voici un petit bonhomme, ajouta-t-il en frappant sur l'épaule de Nicolas Poussin, qui a de la facilité.

Apercevant alors la piètre casaque du Normand, il tira de sa ceinture une bourse de peau, y fouilla, prit deux pièces d'or, et les lui montrant: — J'achète ton dessin, dit-il.

— Prends, dit Porbus à Poussin en le voyant tressaillir et rougir de honte, car ce jeune adepte avait la fierté du pauvre. Prends donc, il a dans son escarcelle la rançon de deux rois!

Tous trois, ils descendirent de l'atelier et cheminèrent en devisant sur les arts, jusqu'à une belle maison de bois, située près du pont Saint-Michel, et dont les ornements, le heurtoir, les encadrements de croisées, les arabesques émerveillèrent Poussin. Le peintre en espérance se trouva tout à coup dans une salle basse, devant un bon feu, près d'une table chargée de mets appétissants, et par un bonheur inouï, dans la compagnie de deux grands artistes pleins de bonhomie.

— Jeune homme, lui dit Porbus en le voyant ébahi devant un tableau, ne regardez pas trop cette toile, vous tomberiez dans le désespoir.

C'était l'*Adam* que fit Mabuse[23] pour sortir de prison où ses créanciers le retinrent si longtemps. Cette figure offrait, en effet, une telle puissance de réalité, que Nicolas Poussin commença dès ce moment à comprendre le véritable sens des confuses paroles dites par le vieillard. Celui-ci regardait le tableau d'un air satisfait, mais sans enthousiasme, et semblait dire: «J'ai fait mieux!»

— Il y a de la vie, dit-il, mon pauvre maître s'y est surpassé; mais il manquait encore un peu de vérité dans le fond de la toile. L'homme est bien vivant, il se lève et va venir à nous. Mais l'air, le ciel, le vent que nous respirons, voyons et sentons, n'y sont pas. Puis il n'y a encore là qu'un homme! Or le seul homme qui soit immédiatement sorti des mains de Dieu, devait avoir quelque chose de divin qui manque. Mabuse le disait lui-même avec dépit quand il n'était pas ivre.

Poussin regardait alternativement le vieillard et Porbus avec

une inquiète curiosité. Il s'approcha de celui-ci comme pour lui
demander le nom de leur hôte; mais le peintre se mit un doigt
sur les lèvres d'un air de mystère, et le jeune homme, vivement
intéressé, garda le silence, espérant que tôt ou tard quelque mot
lui permettrait de deviner le nom de son hôte, dont la richesse et
les talents étaient suffisamment attestés par le respect que Porbus
lui témoignait, et par les merveilles entassées dans cette salle.

Poussin, voyant sur la sombre boiserie de chêne un magnifique
portrait de femme, s'écria: — Quel beau Giorgion![24]

— Non! répondit le vieillard, vous voyez un de mes premiers
barbouillages!

— Tudieu! je suis donc chez le dieu de la peinture, dit naïvement le Poussin.

Le vieillard sourit comme un homme familiarisé depuis longtemps avec cet éloge.

— Maître Frenhofer! dit Porbus, ne sauriez-vous faire venir
un peu de votre bon vin du Rhin pour moi?

— Deux pipes, répondit le vieillard. Une pour m'acquitter du
plaisir que j'ai eu ce matin en voyant ta jolie pécheresse, et l'autre
comme un présent d'amitié.

— Ah! si je n'étais pas toujours souffrant, reprit Porbus, et si
vous vouliez me laisser voir votre Belle-Noiseuse, je pourrais
faire quelque peinture haute, large et profonde, où les figures
seraient de grandeur naturelle.

— Montrer mon œuvre,[25] s'écria le vieillard tout ému. Non,
non, je dois la perfectionner encore. Hier, vers le soir, dit-il, j'ai
cru avoir fini. Ses yeux me semblaient humides, sa chair était
agitée. Les tresses de ses cheveux remuaient. Elle respirait!
Quoique j'aie trouvé le moyen de réaliser sur une toile plate le
relief et la rondeur de la nature, ce matin, au jour, j'ai reconnu
mon erreur. Ah! pour arriver à ce résultat glorieux, j'ai étudié à
fond les grands maîtres du coloris, j'ai analysé et soulevé couche
par couche les tableaux de Titien, ce roi de la lumière; j'ai, comme
ce peintre souverain, ébauché ma figure dans un ton clair avec une

pâte souple et nourrie, car l'ombre n'est qu'un accident, retiens cela, petit; puis je suis revenu sur mon œuvre, et au moyen de demi-teintes et de glacis dont je diminuais de plus en plus la transparence, j'ai rendu les ombres les plus vigoureuses et jusqu'aux noirs les plus fouillés; car les ombres des peintres ordinaires sont d'une autre nature que leurs tons éclairés; c'est du bois, de l'airain, c'est tout ce que vous voudrez, excepté de la chair dans l'ombre. On sent que si leur figure changeait de position, les places ombrées ne se nettoieraient pas et ne deviendraient pas lumineuses. J'ai évité ce défaut où beaucoup d'entre les plus illustres sont tombés, et chez moi la blancheur se révèle sous l'opacité de l'ombre la plus soutenue! Comme une foule d'ignorants qui s'imaginent dessiner correctement parce qu'ils font un trait soigneusement ébarbé, je n'ai pas marqué sèchement les bords extérieurs de ma figure et fait ressortir jusqu'au moindre détail anatomique, car le corps humain ne finit pas par des lignes. En cela les sculpteurs peuvent plus approcher de la vérité que nous autres. La nature comporte une suite de rondeurs qui s'enveloppent les unes dans les autres. Rigoureusement parlant, le dessin n'existe pas! Ne riez pas, jeune homme! Quelque singulier que vous paraisse ce mot, vous en comprendrez quelque jour les raisons. La ligne est le moyen par lequel l'homme se rend compte de l'effet de la lumière sur les objets; mais il n'y a pas de lignes dans la nature où tout est plein: c'est en modelant qu'on dessine, c'est-à-dire qu'on détache les choses du milieu où elles sont, la distribution du jour donne seule l'apparence au corps! Aussi, n'ai-je pas arrêté les linéaments, j'ai répandu sur les contours un nuage de demi-teintes blondes et chaudes qui fait que l'on ne saurait précisément poser le doigt sur la place où les contours se rencontrent avec les fonds. De près, ce travail semble cotonneux et paraît manquer de précision, mais à deux pas, tout se raffermit, s'arrête et se détache; le corps tourne, les formes deviennent saillantes, l'on sent l'air circuler tout autour. Cependant je ne suis pas encore content, j'ai des doutes. Peut-être faudrait-il ne pas dessiner un seul trait, et vaudrait-il mieux attaquer une figure par le milieu en s'attachant d'abord aux saillies les plus éclairées pour passer ensuite aux portions les plus sombres. N'est-ce pas ainsi que procède le soleil, ce divin peintre de l'univers. Oh! nature! nature! qui jamais t'a surprise dans tes fuites! Tenez, le trop de science, de même que l'ignorance, arrive à une négation. Je doute de mon œuvre!

Le vieillard fit une pause, puis il reprit: — Voilà dix ans, jeune homme, que je travaille; mais que sont dix petites années quand il s'agit de lutter avec la nature? Nous ignorons le temps qu'employa le seigneur Pygmalion[26] pour faire la seule statue qui ait marché!

Le vieillard tomba dans une rêverie profonde, et resta les yeux fixes en jouant machinalement avec son couteau.

— Le voilà en conversation avec son *esprit*, dit Porbus à voix basse.

À ce mot, Nicolas Poussin se sentit sous la puissance d'une inexplicable curiosité d'artiste. Ce vieillard aux yeux blancs, attentif et stupide, devenu pour lui plus qu'un homme, lui apparut comme un génie fantasque qui vivait dans une sphère inconnue. Il réveillait mille idées confuses en l'âme. Le phéno-mène moral de cette espèce de fascination ne peut pas plus se définir qu'on ne peut traduire l'émotion excitée par un chant qui rappelle la patrie au cœur de l'exilé. Le mépris que ce vieil homme affectait d'exprimer pour les plus belles tentatives de l'art, sa richesse, ses manières, les déférences de Porbus pour lui, cette œuvre tenue si longtemps secrète, œuvre de patience, œuvre de génie sans doute, s'il fallait en croire la tête de Vierge que le jeune Poussin avait si franchement admirée, et qui belle encore, même près de l'Adam de Mabuse, attestait le faire impérial d'un des princes de l'art; tout en ce vieillard allait au delà des bornes de la nature humaine. Ce que la riche imagination de Nicolas Poussin put saisir de clair et de perceptible en voyant cet être surnaturel, était une complète image de la nature artiste, de cette

nature folle à laquelle tant de pouvoirs sont confiés, et qui trop
souvent en abuse, emmenant la froide raison, les bourgeois et
même quelques amateurs, à travers mille routes pierreuses, où,
pour eux, il n'y a rien ; tandis que folâtre en ces fantaisies, cette
fille aux ailes blanches y découvre des épopées, des châteaux, des
œuvres d'art. Nature moqueuse et bonne, féconde et pauvre !
Ainsi, pour l'enthousiaste Poussin, ce vieillard était devenu, par
une transfiguration subite, l'Art lui-même, l'art avec ses secrets,
ses fougues et ses rêveries.

— Oui, mon cher Porbus, reprit Frenhofer, il m'a manqué
jusqu'à présent de rencontrer une femme irréprochable, un corps
dont les contours soient d'une beauté parfaite, et dont la carna-
tion... Mais où est-elle vivante, dit-il en s'interrompant, cette
introuvable Vénus des anciens, si souvent cherchée, et de qui
nous rencontrons à peine quelques beautés éparses ? Oh ! pour
voir un moment, une seule fois, la nature divine, complète, l'idéal
enfin, je donnerais toute ma fortune, mais j'irais te chercher dans
tes limbes, beauté céleste ! Comme Orphée,[27] je descendrais dans
l'enfer de l'art pour en ramener la vie.

— Nous pouvons partir d'ici, dit Porbus à Poussin, il ne nous
entend plus, ne nous voit plus !

— Allons à son atelier, répondit le jeune homme émerveillé.

— Oh ! le vieux reître a su en défendre l'entrée. Ses trésors
sont trop bien gardés pour que nous puissions y arriver. Je n'ai
pas attendu votre avis et votre fantaisie pour tenter l'assaut
du mystère.

— Il y a donc un mystère ?

— Oui, répondit Porbus. Le vieux Frenhofer est le seul élève
que Mabuse ait voulu faire. Devenu son ami, son sauveur, son
père, Frenhofer a sacrifié la plus grande partie de ses trésors à
satisfaire les passions de Mabuse ; en échange, Mabuse lui a légué
le secret du relief, le pouvoir de donner aux figures cette vie
extraordinaire, cette fleur de nature, notre désespoir éternel, mais
dont il possédait si bien *le faire*, qu'un jour, ayant vendu et bu[28]

le damas à fleurs avec lequel il devait s'habiller à l'entrée de
Charles-Quint, il accompagna son maître avec un vêtement de
papier peint en damas. L'éclat particulier de l'étoffe portée par
Mabuse surprit l'empereur, qui, voulant en faire compliment au
protecteur du vieil ivrogne, découvrit la supercherie. Frenhofer
est un homme passionné pour notre art, qui voit plus haut et
plus loin que les autres peintres. Il a profondément médité sur
les couleurs, sur la vérité absolue de la ligne; mais, à force de
recherches, il est arrivé à douter de l'objet même de ses recherches.
Dans ses moments de désespoir, il prétend que le dessin n'existe
pas et qu'on ne peut rendre avec des traits que des figures
géométriques; ce qui est au delà du vrai, puisque avec le trait et
le noir, qui n'est pas une couleur, on peut faire une figure; ce qui
prouve que notre art est, comme la nature, composé d'une
infinité d'éléments: le dessin donne un squelette, la couleur est la
vie, mais la vie sans le squelette est une chose plus incomplète
que le squelette sans la vie. Enfin, il y a quelque chose de plus
vrai que tout ceci, c'est que la pratique et l'observation sont tout
chez un peintre, et que si le raisonnement et la poésie se querellent
avec les brosses, on arrive au doute comme le bonhomme, qui
est aussi fou que peintre. Peintre sublime, il a eu le malheur de
naître riche, ce qui lui a permis de divaguer, ne l'imitez pas!
Travaillez! les peintres ne doivent méditer que les brosses à la
main.

— Nous y pénétrerons, s'écria le Poussin n'écoutant plus
Porbus et ne doutant plus de rien.

Porbus sourit à l'enthousiasme du jeune inconnu, et le quitta
en l'invitant à venir le voir.

Nicolas Poussin revint à pas lents vers la rue de la Harpe, et
dépassa sans s'en apercevoir la modeste hôtellerie où il était logé.
Montant avec une inquiète promptitude son misérable escalier, il
parvint à une chambre haute, située sous une toiture en colom-
bage, naïve et légère couverture des maisons du vieux Paris.
Près de l'unique et sombre fenêtre de cette chambre, il vit une

jeune fille qui, au bruit de la porte, se dressa soudain par un mouvement d'amour; elle avait reconnu le peintre à la manière dont il avait attaqué le loquet.

— Qu'as-tu? lui dit-elle.

— J'ai, j'ai, s'écria-t-il en étouffant de plaisir, que je me suis senti peintre! J'avais douté de moi jusqu'à présent, mais ce matin j'ai cru en moi-même! Je puis être un grand homme! Va, Gillette,[29] nous serons riches, heureux! Il y a de l'or dans ces pinceaux.

Mais il se tut soudain. Sa figure grave et vigoureuse perdit son expression de joie quand il compara l'immensité de ses espérances à la médiocrité de ses ressources. Les murs étaient couverts de simples papiers chargés d'esquisses au crayon. Il ne possédait pas quatre toiles propres. Les couleurs avaient alors un haut prix, et le pauvre gentilhomme voyait sa palette à peu près nue. Au sein de cette misère, il possédait et ressentait d'incroyables richesses de cœur, et la surabondance d'un génie dévorant. Amené à Paris par un gentilhomme de ses amis, ou peut-être par son propre talent, il y avait rencontré soudain une maîtresse, une de ces âmes nobles et généreuses qui viennent souffrir près d'un grand homme, en épousent les misères et s'efforcent de comprendre leurs caprices; forte pour la misère et l'amour, comme d'autres sont intrépides à porter le luxe, à faire parader leur insensibilité. Le sourire errant sur les lèvres de Gillette dorait ce grenier et rivalisait avec l'éclat du ciel. Le soleil ne brillait pas toujours, tandis qu'elle était toujours là, recueillie dans sa passion, attachée à son bonheur, à sa souffrance, consolant le génie qui débordait dans l'amour avant de s'emparer de l'art.

— Écoute, Gillette, viens.

L'obéissante et joyeuse fille sauta sur les genoux du peintre. Elle était toute grâce, toute beauté, jolie comme un printemps, parée de toutes les richesses féminines et les éclairant par le feu d'une belle âme.

— O Dieu! s'écria-t-il, je n'oserai jamais lui dire...

— Un secret? reprit-elle, je veux le savoir.

Le Poussin resta rêveur.

— Parle donc.

— Gillette! pauvre cœur aimé!

— Oh! tu veux quelque chose de moi?

— Oui.

— Si tu désires que je pose encore devant toi comme l'autre jour, reprit-elle d'un petit air boudeur, je n'y consentirai plus jamais, car, dans ces moments-là, tes yeux ne me disent plus rien. Tu ne penses plus à moi, et cependant tu me regardes.

— Aimerais-tu mieux me voir copiant une autre femme?

— Peut-être, dit elle, si elle était bien laide.

— Eh! bien, reprit Poussin d'un ton sérieux, si pour ma gloire à venir, si pour me faire grand peintre, il fallait aller poser chez un autre?

— Tu veux m'éprouver, dit-elle. Tu sais bien que je n'irais pas.

Le Poussin pencha sa tête sur sa poitrine comme un homme qui succombe à une joie ou à une douleur trop forte pour son âme.

— Écoute, dit-elle en tirant Poussin par la manche de son pourpoint usé, je t'ai dit, Nick, que je donnerais ma vie pour toi: mais je ne t'ai jamais promis, moi vivante, de renoncer à mon amour.

— Y renoncer? s'écria Poussin.

— Si je me montrais ainsi à un autre, tu ne m'aimerais plus. Et, moi-même je me trouverais indigne de toi. Obéir à tes caprices, n'est-ce pas chose naturelle et simple? Malgré moi, je suis heureuse, et même fière de faire ta chère volonté. Mais pour un autre! fi donc.

— Pardonne, ma Gillette, dit le peintre en se jetant à ses genoux. J'aime mieux être aimé que glorieux. Pour moi, tu es plus belle que la fortune et les honneurs. Va, jette mes pinceaux, brûle ces esquisses. Je me suis trompé. Ma vocation, c'est de t'aimer. Je ne suis pas peintre, je suis amoureux. Périssent et l'art et tous ses secrets!

Elle l'admirait, heureuse, charmée! Elle régnait, elle sentait instinctivement que les arts étaient oubliés pour elle, et jetés à ses pieds comme un grain d'encens.

— Ce n'est pourtant qu'un vieillard, reprit Poussin. Il ne pourra voir que la femme en toi. Tu es si parfaite!

— Il faut bien aimer, s'écria-t-elle prête à sacrifier ses scrupules d'amour pour récompenser son amant de tous les sacrifices qu'il lui faisait. Mais, reprit-elle, ce serait me perdre. Ah! me perdre pour toi. Oui, cela est bien beau! mais tu m'oublieras. Oh! quelle mauvaise pensée as-tu donc eue là!

— Je l'ai eue et je t'aime, dit-il avec une sorte de contrition; mais je suis donc un infâme.

— Consultons le père Hardouin? dit-elle.

— Oh, non! que ce soit un secret entre nous deux.

— Eh! bien, j'irai; mais ne sois pas là, dit-elle. Reste à la porte, armé de ta dague; si je crie, entre et tue le peintre.

Ne voyant plus que son art, le Poussin pressa Gillette dans ses bras.

— Il ne m'aime plus! pensa Gillette quand elle se trouva seule.

Elle se repentait déjà de sa résolution. Mais elle fut bientôt en proie à une épouvante plus cruelle que son repentir, elle s'efforça de chasser une pensée affreuse qui s'élevait dans son cœur. Elle croyait aimer déjà moins le peintre en le soupçonnant moins estimable qu'auparavant.

II. CATHERINE LESCAULT

Trois mois après la rencontre du Poussin et de Porbus, celui-ci vint voir maître Frenhofer. Le vieillard était alors en proie à l'un de ces découragements profonds et spontanés dont la cause est, s'il faut en croire les mathématiciens de la médecine,[30] dans une digestion mauvaise, dans le vent, la chaleur ou quelque empâtement des hypochondres; et, suivant les spiritualistes, dans l'imperfection de notre nature morale. Le bonhomme s'était purement et simplement fatigué à parachever son mystérieux tableau.

Il était languissamment assis dans une vaste chaire de chêne sculpté, garnie de cuir noir; et, sans quitter son attitude mélancolique, il lança sur Porbus le regard d'un homme qui s'était établi dans son ennui.

— Eh! bien, maître, lui dit Porbus, l'outremer que vous êtes allé chercher à Bruges était-il mauvais, est-ce que vous n'avez pas su broyer notre nouveau blanc, votre huile est-elle méchante, ou les pinceaux rétifs?

— Hélas! s'écria le vieillard, j'ai cru pendant un moment que mon œuvre était accomplie; mais je me suis, certes, trompé dans quelques détails, et je ne serai tranquille qu'après avoir éclairci mes doutes. Je me décide à voyager et vais aller en Turquie, en Grèce, en Asie pour y chercher un modèle et comparer mon tableau à diverses natures. Peut-être ai-je là-haut, reprit-il en laissant échapper un sourire de contentement, la nature elle-même. Parfois, j'ai quasi peur qu'un souffle ne me réveille cette femme et qu'elle ne disparaisse.

Puis il se leva tout à coup, comme pour partir.

— Oh! oh! répondit Porbus, j'arrive à temps pour vous éviter la dépense et les fatigues du voyage.

— Comment, demanda Frenhofer étonné.

— Le jeune Poussin est aimé par une femme dont l'incomparable beauté se trouve sans imperfection aucune. Mais, mon cher maître, s'il consent à vous la prêter, au moins faudra-t-il nous laisser voir votre toile.

Le vieillard resta debout, immobile, dans un état de stupidité parfaite.

Comment! s'écria-t-il enfin douloureusement, montrer ma créature, mon épouse? déchirer le voile sous lequel j'ai chastement couvert mon bonheur? Mais ce serait une horrible prostitution! Voilà dix ans que je vis avec cette femme, elle est à moi, à moi seul, elle m'aime. Ne m'a-t-elle pas souri à chaque coup de pinceau que je lui ai donné? elle a une âme, l'âme dont je l'ai douée. Elle rougirait si d'autres yeux que les miens s'arrêtaient

sur elle. La faire voir! mais quel est le mari, l'amant assez vil pour
conduire sa femme au déshonneur? Quand tu fais un tableau pour
la cour, tu n'y mets pas toute ton âme, tu ne vends aux courtisans
que des mannequins coloriés. Ma peinture n'est pas une peinture,
c'est un sentiment, une passion! Née dans mon atelier, elle doit
y rester vierge, et n'en peut sortir que vêtue. La poésie et les
femmes ne se livrent nues qu'à leurs amants! Possédons-nous le
modèle de Raphaël, l'Angélique de l'Arioste,³¹ la Béatrix du
Dante? Non! nous n'en voyons que les Formes. Eh! bien,
l'œuvre que je tiens là-haut sous mes verrous est une exception
dans notre art. Ce n'est pas une toile, c'est une femme! une femme
avec laquelle je pleure, je ris, je cause et pense. Veux-tu que tout
à coup je quitte un bonheur de dix années comme on jette un
manteau? Que tout à coup je cesse d'être père, amant et Dieu?
Cette femme n'est pas une créature, c'est une création. Vienne ton
jeune homme, je lui donnerai mes trésors, je lui donnerai des
tableaux du Corrège, de Michel-Ange, du Titien, je baiserai la
marque de ses pas dans la poussière; mais en faire mon rival?
honte à moi! Ha! ha! je suis plus amant encore que je ne suis
peintre. Oui, j'aurai la force de brûler ma Belle-Noiseuse à mon
dernier soupir; mais lui faire supporter le regard d'un homme,
d'un jeune homme, d'un peintre? non, non! Je tuerais le lendemain celui qui l'aurait souillée d'un regard! Je te tuerais à l'instant,
toi, mon ami, si tu ne la saluais pas à genoux! Veux-tu maintenant
que je soumette mon idole aux froids regards et aux stupides
critiques des imbéciles? Ah! l'amour est un mystère, il n'a de vie
qu'au fond des cœurs, et tout est perdu quand un homme dit
même à son ami: — Voilà celle que j'aime!

Le vieillard semblait être redevenu jeune; ses yeux avaient de
l'éclat et de la vie: ses joues pâles étaient nuancées d'un rouge vif,
et ses mains tremblaient. Porbus, étonné de la violence passionnée
avec laquelle ces paroles furent dites, ne savait que répondre à un
sentiment aussi neuf que profond. Frenhofer était-il raisonnable
ou fou? Se trouvait-il subjugué par une fantaisie d'artiste, ou les

idées qu'il avait exprimées procédaient-elles de ce fanatisme inexprimable produit en nous par le long enfantement d'une grande
œuvre? Pouvait-on jamais espérer de transiger avec cette passion
bizarre?

En proie à toutes ces pensées, Porbus dit au vieillard:

— Mais n'est-ce pas femme pour femme? Poussin ne livre-t-il
pas sa maîtresse à vos regards?

— Quelle maîtresse? répondit Frenhofer. Elle le trahira tôt
ou tard. La mienne me sera toujours fidèle!

— Eh! bien, reprit Porbus, n'en parlons plus. Mais avant que
vous ne trouviez, même en Asie, une femme aussi belle, aussi
parfaite que celle dont je parle, vous mourrez peut-être sans avoir
achevé votre tableau.

— Oh! il est fini, dit Frenhofer. Qui le verrait, croirait apercevoir une femme couchée sur un lit de velours, sous des courtines.
Près d'elle un trépied d'or exhale des parfums. Tu serais tenté de
prendre le gland des cordons qui retiennent les rideaux, et il te
semblerait voir le sein de *Catherine Lescault*, une belle courtisane
appelée *la Belle-Noiseuse*, rendre le mouvement de sa respiration.
Cependant je voudrais bien être certain...

— Va donc en Asie, répondit Porbus en apercevant une sorte
d'hésitation dans le regard de Frenhofer.

Et Porbus fit quelques pas vers la porte de la salle.

En ce moment, Gillette et Nicolas Poussin étaient arrivés près
du logis de Frenhofer. Quand la jeune fille fut sur le point d'y
entrer, elle quitta le bras du peintre, et se recula comme si elle
eût été saisie par quelque soudain pressentiment.

— Mais que viens-je donc faire ici? demanda-t-elle à son amant
d'un son de voix profond et en le regardant d'un œil fixe.

— Gillette, je t'ai laissée maîtresse et veux t'obéir en tout. Tu
es ma conscience et ma gloire. Reviens au logis, je serai plus
heureux, peut-être, que si tu...

— Suis-je à moi quand tu me parles ainsi? Oh! non, je ne suis
plus qu'une enfant. — Allons, ajouta-t-elle en paraissant faire un

violent effort, si notre amour périt, et si je mets dans mon cœur un long regret, ta célébrité ne sera-t-elle pas le prix de mon obéissance à tes désirs? Entrons, ce sera vivre encore que d'être toujours comme un souvenir dans ta palette.

En ouvrant la porte de la maison, les deux amants se rencontrèrent avec Porbus qui, surpris par la beauté de Gillette dont les yeux étaient alors pleins de larmes, la saisit toute tremblante, et l'amenant devant le vieillard: — Tenez, dit-il, ne vaut-elle pas tous les chefs-d'œuvre du monde?

Frenhofer tressaillit. Gillette était là, dans l'attitude naïve et simple d'une jeune Géorgienne innocente et peureuse, ravie et présentée par des brigands à quelque marchand d'esclaves. Une pudique rougeur colorait son visage, elle baissait les yeux, ses mains étaient pendantes à ses côtés, ses forces semblaient l'abandonner, et des larmes protestaient contre la violence faite à sa pudeur. En ce moment, Poussin, au désespoir d'avoir sorti ce beau trésor de ce grenier, se maudit lui-même. Il devint plus amant qu'artiste, et mille scrupules lui torturèrent le cœur quand il vit l'œil rajeuni du vieillard, qui, par une habitude de peintre, déshabilla, pour ainsi dire, cette jeune fille en en devinant les formes les plus secrètes. Il revint alors à la féroce jalousie du véritable amour.

— Gillette, partons! s'écria-t-il.

A cet accent, à ce cri, sa maîtresse joyeuse leva les yeux sur lui, le vit, et courut dans ses bras.

— Ah! tu m'aimes donc, répondit-elle en fondant en larmes.

Après avoir eu l'énergie de taire sa souffrance, elle manquait de force pour cacher son bonheur.

— Oh! laissez-la-moi pendant un moment, dit le vieux peintre, et vous la comparerez à ma Catherine. Oui, j'y consens.

Il y avait encore de l'amour dans le cri de Frenhofer. Il semblait avoir de la coquetterie pour son semblant de femme, et jouir par avance du triomphe que la beauté de sa vierge allait remporter sur celle d'une vraie jeune fille.

— Ne le laissez pas se dédire, s'écria Porbus en frappant sur l'épaule du Poussin. Les fruits de l'amour passent vite, ceux de l'art sont immortels.

— Pour lui, répondit Gillette en regardant attentivement le Poussin et Porbus, ne suis-je donc pas plus qu'une femme ? Elle leva la tête avec fierté ; mais quand, après avoir jeté un coup d'œil étincelant à Frenhofer, elle vit son amant occupé à contempler de nouveau le portrait qu'il avait pris naguère pour un Giorgion: — Ah! dit-elle, montons! Il ne m'a jamais regardée ainsi.

— Vieillard, reprit Poussin tiré de sa méditation par la voix de Gillette, vois cette épée, je la plongerai dans ton cœur au premier mot de plainte que prononcera cette jeune fille, je mettrai le feu à ta maison, et personne n'en sortira. Comprends-tu ?

Nicolas Poussin était sombre, et sa parole fut terrible. Cette attitude et surtout le geste du jeune peintre consolèrent Gillette qui lui pardonna presque de la sacrifier à la peinture et à son glorieux avenir. Porbus et Poussin restèrent à la porte de l'atelier, se regardant l'un l'autre en silence. Si, d'abord, le peintre de la *Marie égyptienne* se permit quelques exclamations: — Ah! elle se déshabille, il lui dit de se mettre au jour! Il la compare!, bientôt il se tut à l'aspect du Poussin dont le visage était profondément triste ; et quoique les vieux peintres n'aient plus de ces scrupules si petits en présence de l'art, il les admira tant ils étaient naïfs et jolis. Le jeune homme avait la main sur la garde de sa dague et l'oreille presque collée à la porte. Tous deux, dans l'ombre et debout, ressemblaient ainsi à deux conspirateurs attendant l'heure de frapper un tyran.

— Entrez, entrez, leur dit le vieillard rayonnant de bonheur. Mon œuvre est parfaite, et maintenant je puis la montrer avec orgueil. Jamais peintre, pinceaux, couleurs, toile et lumière ne feront une rivale à Catherine Lescault, la belle courtisane.

En proie à une vive curiosité, Porbus et Poussin coururent au milieu d'un vaste atelier couvert de poussière, où tout était en

désordre, où ils virent çà et là des tableaux accrochés aux murs.
Ils s'arrêtèrent tout d'abord devant une figure de femme de grandeur naturelle, demi-nue, et pour laquelle ils furent saisis
d'admiration.

— Oh! ne vous occupez pas de cela, dit Frenhofer, c'est une
toile que j'ai barbouillée pour étudier une pose, ce tableau ne
vaut rien. Voilà mes erreurs, reprit-il en leur montrant de ravissantes compositions suspendues aux murs, autour d'eux.

A ces mots, Porbus et Poussin, stupéfaits de ce dédain pour de
telles œuvres, cherchèrent le portrait annoncé, sans réussir à
l'apercevoir.

— Eh! bien, le voilà! leur dit le vieillard dont les cheveux
étaient en désordre, dont le visage était enflammé par une exaltation surnaturelle, dont les yeux pétillaient, et qui haletait comme
un jeune homme ivre d'amour. — Ah! ah! s'écria-t-il, vous ne
vous attendiez pas à tant de perfection! Vous êtes devant une
femme et vous cherchez un tableau. Il y a tant de profondeur sur
cette toile, l'air y est si vrai, que vous ne pouvez plus le distinguer
de l'air qui nous environne. Où est l'art? perdu, disparu! Voilà
les formes mêmes d'une jeune fille. N'ai-je pas bien saisi la couleur,
le vif de la ligne qui paraît terminer le corps? N'est-ce pas le même
phénomène que nous présentent les objets qui sont dans
l'atmosphère comme les poissons dans l'eau? Admirez comme
les contours se détachent du fond? Ne semble-t-il pas que vous
puissiez passer la main sur ce dos? Aussi, pendant sept années,
ai-je étudié les effets de l'accouplement du jour et des objets. Et
ces cheveux, la lumière ne les inonde-t-elle pas?... Mais elle a
respiré, je crois!... Ce sein, voyez? Ah! qui ne voudrait l'adorer
à genoux? Les chairs palpitent. Elle va se lever, attendez.

— Apercevez-vous quelque chose? demanda Poussin à
Porbus.

— Non. Et vous?

— Rien.

Les deux peintres laissèrent le vieillard à son extase, regardèrent

si la lumière, en tombant d'aplomb sur la toile qu'il leur montrait,
n'en neutralisait pas tous les effets. Ils examinèrent alors la peinture en se mettant à droite, à gauche, de face, en se baissant et
se levant tour à tour.

— Oui, oui, c'est bien une toile, leur disait Frenhofer en se
méprenant sur le but de cet examen scrupuleux. Tenez, voilà le
châssis, le chevalet, enfin voici mes couleurs, mes pinceaux.

Et il s'empara d'une brosse qu'il leur présenta par un mouvement naïf.

— Le vieux lansquenet se joue de nous, dit Poussin en revenant devant le prétendu tableau. Je ne vois là que des couleurs
confusément amassées et contenues par une multitude de lignes
bizarres qui forment une muraille de peinture.

— Nous nous trompons, voyez?... reprit Porbus.

En s'approchant, ils aperçurent dans un coin de la toile le bout
d'un pied nu qui sortait de ce chaos de couleurs, de tons, de
nuances indécises, espèce de brouillard sans forme; mais un pied
délicieux, un pied vivant! Ils restèrent pétrifiés d'admiration
devant ce fragment échappé à une incroyable, à une lente et pro-
gressive destruction. Ce pied apparaissait là comme un torse de
quelque Vénus en marbre de Paros qui surgirait parmi les
décombres d'une ville incendiée.

— Il y a une femme là-dessous, s'écria Porbus en faisant remarquer à Poussin les couches de couleurs que le vieux peintre
avait successivement superposées en croyant perfectionner sa
peinture.

Les deux peintres se tournèrent spontanément vers Frenhofer,
en commençant à s'expliquer, mais vaguement, l'extase dans
laquelle il vivait.

— Il est de bonne foi, dit Porbus.

— Oui, mon ami, répondit le vieillard en se réveillant, il faut
de la foi, de la foi dans l'art, et vivre pendant longtemps avec
son œuvre pour produire une semblable création. Quelques-unes
de ces ombres m'ont coûté bien des travaux. Tenez, il y a là sur la

joue, au-dessous des yeux, une légère pénombre qui, si vous l'observez dans la nature, vous paraîtra presque intraduisible. Eh! bien, croyez-vous que cet effet ne m'ait pas coûté des peines inouïes à reproduire? Mais aussi, mon cher Porbus, regarde attentivement mon travail, et tu comprendras mieux ce que je te disais sur la manière de traiter le modelé et les contours. Regarde la lumière du sein, et vois comme, par une suite de touches et de *rehauts* fortement empâtés, je suis parvenu à accrocher la véritable lumière et à la combiner avec la blancheur luisante des tons éclairés; et comme par un travail contraire, en effaçant les saillies et le grain de la pâte, j'ai pu, à force de caresser le contour de ma figure, noyé dans la demi-teinte, ôter jusqu'à l'idée de dessin et de moyens artificiels, et lui donner l'aspect et la rondeur même de la nature. Approchez, vous verrez mieux ce travail. De loin, il disparaît. Tenez? là il est, je crois, très-remarquable.

Et du bout de sa brosse, il désignait aux deux peintres un pâté de couleur claire.

Porbus frappa sur l'épaule du vieillard en se tournant vers Poussin: — Savez-vous que nous voyons en lui un bien grand peintre? dit-il.

— Il est encore plus poète que peintre, répondit gravement Poussin.

— Là, reprit Porbus en touchant la toile, finit notre art sur terre.

— Et de là, il va se perdre dans les cieux, dit Poussin.

— Combien de jouissance sur ce morceau de toile! s'écria Porbus.

Le vieillard absorbé ne les écoutait pas, et souriait à cette femme imaginaire.

— Mais, tôt ou tard, il s'apercevra qu'il n'y a rien sur sa toile, s'écria Poussin.

— Rien sur ma toile, dit Frenhofer en regardant tour à tour les deux peintres et son prétendu tableau.

— Qu'avez-vous fait! répondit Porbus à Poussin.

Le vieillard saisit avec force le bras du jeune homme et lui dit:
— Tu ne vois rien, manant! maheustre![32] bélître! bardache![33]
Pourquoi donc es-tu monté ici? — Mon bon Porbus, reprit-il
en se tournant vers le peintre, est-ce que, vous aussi, vous vous
joueriez de moi? répondez? je suis votre ami, dites, aurais-je
donc gâté mon tableau?

Porbus, indécis, n'osa rien dire; mais l'anxiété peinte sur la
physionomie blanche du vieillard était si cruelle, qu'il montra la
toile en disant: — Voyez!

Frenhofer contempla son tableau pendant un moment et
chancela.

— Rien, rien! Et avoir travaillé dix ans!

Il s'assit et pleura.

— Je suis donc un imbécile, un fou! je n'ai donc ni talent, ni
capacité, je ne suis plus qu'un homme riche qui, en marchant,
ne fait que marcher! Je n'aurai donc rien produit!

Il contempla sa toile à travers ses larmes, il se releva tout à
coup avec fierté, et jeta sur les deux peintres un regard étincelant.

— Par le sang, par le corps, par la tête du Christ, vous êtes des
jaloux qui voulez me faire croire qu'elle est gâtée pour me la
voler! Moi, je la vois! cria-t-il, elle est merveilleusement belle.

En ce moment, Poussin entendit les pleurs de Gillette, oubliée
dans un coin.

— Qu'as-tu, mon ange? lui demanda le peintre redevenu
subitement amoureux.

— Tue-moi! dit-elle. Je serais une infâme de t'aimer encore,
car je te méprise. Je t'admire et tu me fais horreur. Je t'aime et
je crois que je te hais déjà.

Pendant que Poussin écoutait Gillette, Frenhofer recouvrait
sa Catherine d'une serge verte, avec la sérieuse tranquillité d'un
joaillier qui ferme ses tiroirs en se croyant en compagnie d'adroits
larrons. Il jeta sur les deux peintres un regard profondément
sournois, plein de mépris et de soupçon, les mit silencieusement
à la porte de son atelier, avec une promptitude convulsive.

Puis, il leur dit sur le seuil de son logis: — Adieu, mes petits amis.

Cet adieu glaça les deux peintres. Le lendemain, Porbus, inquiet, revint voir Frenhofer, et apprit qu'il était mort dans la nuit, après avoir brûlé ses toiles.

Paris, février 1832.

LE MESSAGE[1]

J'AI toujours eu le désir de raconter une histoire simple et vraie, au récit de laquelle un jeune homme et sa maîtresse fussent saisis de frayeur et se réfugiassent au cœur l'un de l'autre, comme deux enfants qui se serrent en rencontrant un serpent sur le bord d'un bois. Au risque de diminuer l'intérêt de ma narration ou de passer pour un fat, je commence par vous annoncer le but de mon récit. J'ai joué un rôle dans ce drame presque vulgaire; s'il ne vous intéresse pas, ce sera ma faute autant que celle de la vérité historique. Beaucoup de choses véritables sont souverainement ennuyeuses. Aussi est-ce la moitié du talent que de choisir dans le vrai ce qui peut devenir poétique.

En 1819, j'allais de Paris à Moulins.[2] L'état de ma bourse m'obligeait à voyager sur l'impériale de la diligence. Les Anglais, vous le savez, regardent les places situées dans cette partie aérienne de la voiture comme les meilleures. Durant les premières lieues de la route, j'ai trouvé mille excellentes raisons pour justifier l'opinion de nos voisins. Un jeune homme, qui me parut être un peu plus riche que je ne l'étais, monta, par goût, près de moi, sur la banquette. Il accueillit mes arguments par des sourires inoffensifs. Bientôt une certaine conformité d'âge, de pensée, notre mutuel amour pour le grand air, pour les riches aspects des pays que nous découvrions à mesure que la lourde voiture avançait; puis, je ne sais quelle attraction magnétique, impossible à expliquer, firent naître entre nous cette espèce d'intimité momentanée à laquelle les voyageurs s'abandonnent avec d'autant plus de complaisance que ce sentiment éphémère paraît devoir cesser promptement et n'engager à rien pour l'avenir. Nous n'avions pas fait trente lieues que nous parlions des femmes et de l'amour. Avec toutes les précautions oratoires voulues en semblable occurrence, il fut naturellement question de nos maîtresses. Jeunes tous deux, nous n'en étions encore, l'un et l'autre, qu'à la *femme d'un certain âge*,³ c'est-à-dire à la femme qui se trouve entre trente-cinq et quarante ans. Oh! un poète qui nous eût écoutés de Montargis⁴ à je ne sais plus quel relais, aurait recueilli des expressions bien enflammées, des portraits ravissants et de bien douces confidences! Nos craintes pudiques, nos interjections silencieuses et nos regards encore rougissants étaient empreints d'une éloquence dont le charme naïf ne s'est plus retrouvé pour moi. Sans doute il faut rester jeune pour comprendre la jeunesse. Ainsi, nous nous comprîmes à merveille sur tous les points essentiels de la passion. Et d'abord, nous avions commencé à poser en fait et en principe qu'il n'y avait rien de plus sot au monde qu'un acte de naissance; que bien des femmes de quarante ans étaient plus jeunes que certaines femmes de vingt ans, et qu'en définitive les femmes n'avaient réellement que l'âge qu'elles paraissaient avoir. Ce système ne mettait pas de terme à l'amour, et nous nagions, de bonne foi, dans un océan sans bornes. Enfin, après avoir fait nos maîtresses jeunes, charmantes, dévouées, comtesses, pleines de goût, spirituelles, fines; après leur avoir donné de jolis pieds, une peau satinée et même doucement parfumée, nous nous avouâmes, lui, que *madame une telle* avait trente-huit ans, et moi, de mon côté, que j'adorais une quadragénaire. Là-dessus, délivrés l'un et l'autre d'une espèce de crainte vague, nous reprîmes nos confidences de plus belle en nous trouvant confrères en amour. Puis ce fut à qui, de nous deux, accuserait le plus de sentiment. L'un avait fait une fois deux cents lieues pour voir sa maîtresse pendant une heure. L'autre avait risqué de passer pour un loup et d'être fusillé dans un parc, afin de se trouver à un rendez-vous nocturne. Enfin, toutes nos folies! S'il y a du plaisir à se rappeler les dangers passés, n'y a-t-il pas aussi bien des délices à se souvenir des plaisirs évanouis: c'est jouir deux fois. Les périls, les grands et petits bonheurs, nous nous disions tout, même les plaisanteries. La comtesse de mon ami avait fumé un cigare pour lui plaire, la mienne me faisait mon chocolat et ne passait pas un jour sans

m'écrire ou me voir; la sienne était venue demeurer chez lui
pendant trois jours au risque de se perdre; la mienne avait fait
encore mieux, ou pis si vous voulez. Nos maris adoraient d'ailleurs nos comtesses; ils vivaient esclaves sous le charme que
possèdent toutes les femmes aimantes; et, plus niais que l'ordonnance ne le porte, ils ne nous faisaient tout juste de péril que ce
qu'il en fallait pour augmenter nos plaisirs. Oh! comme le vent
emportait vite nos paroles et nos douces risées!

En arrivant à Pouilly,[5] j'examinai fort attentivement la personne de mon nouvel ami. Certes, je crus facilement qu'il devait
être très-sérieusement aimé. Figurez-vous un jeune homme de
taille moyenne, mais très-bien proportionnée, ayant une figure
heureuse et pleine d'expression. Ses cheveux étaient noirs et ses
yeux bleus; ses lèvres étaient faiblement rosées; ses dents,
blanches et bien rangées; une pâleur gracieuse décorait encore ses
traits fins, puis un léger cercle de bistre cernait ses yeux, comme
s'il eût été convalescent. Ajoutez à cela qu'il avait des mains
blanches, bien modelées, soignées comme doivent l'être celles
d'une jolie femme, qu'il paraissait fort instruit, était spirituel, et
vous n'aurez pas de peine à m'accorder que mon compagnon
pouvait faire honneur à une comtesse. Enfin, plus d'une jeune
fille l'eût envié pour mari, car il était vicomte, et possédait
environ douze à quinze mille livres de rente, *sans compter les
espérances.*

A une lieue de Pouilly, la diligence versa. Mon malheureux
camarade jugea devoir, pour sa sûreté, s'élancer sur les bords
d'un champ fraîchement labouré, au lieu de se cramponner à la
banquette, comme je le fis, et de suivre le mouvement de la diligence. Il prit mal son élan ou glissa, je ne sais comment l'accident
eut lieu, mais il fut écrasé par la voiture, qui tomba sur lui. Nous
le transportâmes dans une maison de paysan. A travers les
gémissements que lui arrachaient d'atroces douleurs, il put me
léguer un de ces soins à remplir auxquels les derniers vœux d'un
mourant donnent un caractère sacré. Au milieu de son agonie, le

pauvre enfant se tourmentait avec toute la candeur dont on est
souvent victime à son âge, de la peine que ressentirait sa maîtresse
si elle apprenait brusquement sa mort par un journal. Il me pria
d'aller moi-même la lui annoncer. Puis il me fit chercher une clef
suspendue à un ruban qu'il portait en sautoir sur la poitrine. Je la
trouvai à moitié enfoncée dans les chairs. Le mourant ne proféra
pas la moindre plainte lorsque je la retirai, le plus délicatement
qu'il me fut possible, de la plaie qu'elle y avait faite. Au moment
où il achevait de me donner toutes les instructions nécessaires
pour prendre chez lui, à la Charité-sur-Loire,[6] les lettres d'amour
que sa maîtresse lui avait écrites, et qu'il me conjura de lui rendre,
il perdit la parole au milieu d'une phrase; mais son dernier geste
me fit comprendre que la fatale clef serait un gage de ma mission
auprès de sa mère. Affligé de ne pouvoir formuler un seul mot de
remercîment, car il ne doutait pas de mon zèle, il me regarda d'un
œil suppliant pendant un instant, me dit adieu en me saluant par
un mouvement de cils, puis il pencha la tête, et mourut. Sa mort
fut le seul accident funeste que causa la chute de la voiture.
— Encore y eut-il[7] un peu de sa faute, me disait le conducteur.

A la Charité, j'accomplis le testament verbal de ce pauvre
voyageur. Sa mère était absente; ce fut une sorte de bonheur pour
moi. Néanmoins, j'eus à essuyer la douleur d'une vieille servante,
qui chancela lorsque je lui racontai la mort de son jeune maître;
elle tomba demi-morte sur une chaise en voyant cette clef encore
empreinte de sang: mais comme j'étais tout préoccupé d'une plus
haute souffrance, celle d'une femme à laquelle le sort arrachait son
dernier amour, je laissai la vieille femme de charge poursuivant
le cours de ses prosopopées,[8] et j'emportai la précieuse correspondance, soigneusement cachetée par mon ami d'un jour.

Le château où demeurait la comtesse se trouvait à huit lieues
de Moulins, et encore fallait-il, pour y arriver, faire quelques lieues
dans les terres. Il m'était alors assez difficile de m'acquitter de mon
message. Par un concours de circonstances inutiles à expliquer,
je n'avais que l'argent nécessaire pour atteindre Moulins.

Cependant, avec l'enthousiasme de la jeunesse, je résolus de faire
la route à pied, et d'aller assez vite pour devancer la renommée des
mauvaises nouvelles, qui marche si rapidement. Je m'informai du
plus court chemin, et j'allai par les sentiers du Bourbonnais,[9]
portant, pour ainsi dire, un mort sur mes épaules. A mesure que
je m'avançais vers le château de Montpersan, j'étais de plus en
plus effrayé du singulier pèlerinage que j'avais entrepris. Mon
imagination inventait mille fantaisies romanesques. Je me re-
présentais toutes les situations dans lesquelles je pouvais rencontrer madame la comtesse de Montpersan, ou, pour obéir à la
poétique des romans, la *Juliette* tant aimée du jeune voyageur.
Je forgeais des réponses spirituelles à des questions que je sup-
posais devoir m'être faites. C'était à chaque détour de bois, dans
chaque chemin creux, une répétition de la scène de Sosie et de sa
lanterne,[10] à laquelle il rend compte de la bataille. A la honte de
mon cœur, je ne pensai d'abord qu'à mon maintien, à mon esprit,
à l'habileté que je voulais déployer; mais lorsque je fus dans le
pays, une réflexion sinistre me traversa l'âme comme un coup de
foudre[11] qui sillonne et déchire un voile de nuées grises. Quelle
terrible nouvelle pour une femme qui, tout occupée en ce
moment de son jeune ami, espérait d'heure en heure des joies
sans nom, après s'être donné mille peines pour l'amener légale-
ment chez elle! Enfin, il y avait encore une charité cruelle à être
le messager de la mort. Aussi hâtais-je le pas en me crottant et
m'embourbant dans les chemins du Bourbonnais. J'atteignis
bientôt une grande avenue de châtaigniers, au bout de laquelle
les masses du château de Montpersan se dessinèrent dans le ciel
comme des nuages bruns à contours clairs et fantastiques. En
arrivant à la porte du château, je la trouvai tout ouverte. Cette
circonstance imprévue détruisit mes plans et mes suppositions.
Néanmoins j'entrai hardiment, et j'eus aussitôt à mes côtés deux
chiens qui aboyèrent en vrais chiens de campagne. A ce bruit,
une grosse servante accourut, et quand je lui eus dit que je
voulais parler à madame la comtesse, elle me montra, par un geste

de main, les massifs d'un parc à l'anglaise qui serpentait autour du château, et me répondit: — Madame est par là…

— Merci! dis-je d'un air ironique. Son *par là* pouvait me faire errer pendant deux heures dans le parc.

Une jolie petite fille à cheveux bouclés, à ceinture rose, à robe blanche, à pèlerine plissée, arriva sur ces entrefaites, entendit ou saisit la demande et la réponse. A mon aspect, elle disparut en criant d'un petit accent fin: — Ma mère, voilà un monsieur qui veut vous parler. Et moi de suivre, à travers les détours des allées, les sauts et les bonds de la pèlerine blanche, qui, semblable à un feu follet, me montrait le chemin que prenait la petite fille.

Il faut tout dire. Au dernier buisson de l'avenue, j'avais rehaussé mon col, brossé mon mauvais chapeau et mon pantalon avec les parements de mon habit, mon habit avec ses manches, et les manches l'une par l'autre; puis je l'avais boutonné soigneusement pour montrer le drap des revers, toujours un peu plus neuf que ne l'est le reste; enfin, j'avais fait descendre mon pantalon sur mes bottes, artistement frottées dans l'herbe. Grâce à cette toilette de Gascon,[12] j'espérais ne pas être pris pour l'ambulant de la sous-préfecture;[13] mais quand aujourd'hui je me reporte par la pensée à cette heure de ma jeunesse, je ris parfois de moi-même.

Tout à coup, au moment où je composais mon maintien, au détour d'une verte sinuosité, au milieu de mille fleurs éclairées par un chaud rayon de soleil, j'aperçus Juliette et son mari. La jolie petite fille tenait sa mère par la main, et il était facile de s'apercevoir que la comtesse avait hâté le pas en entendant la phrase ambiguë de son enfant. Étonnée à l'aspect d'un inconnu qui la saluait d'un air assez gauche, elle s'arrêta, me fit une mine froidement polie et une adorable moue qui, pour moi, révélait toutes ses espérances trompées. Je cherchai, mais vainement, quelques-unes de mes belles phrases si laborieusement préparées. Pendant ce moment d'hésitation mutuelle, le mari put alors arriver en scène. Des myriades de pensées passèrent dans ma cervelle. Par contenance, je prononçai quelques mots assez insignifiants,

demandant si les personnes présentes étaient bien réellement
monsieur le comte et madame la comtesse de Montpersan. Ces
niaiseries me permirent de juger d'un seul coup-d'œil, et
d'analyser, avec une perspicacité rare à l'âge que j'avais, les deux
époux dont la solitude allait être si violemment troublée. Le mari
semblait être le type des gentilshommes qui sont actuellement le
plus bel ornement des provinces. Il portait de grands souliers à
grosses semelles: je les place en première ligne, parce qu'ils me
frappèrent plus vivement encore que son habit noir fané, son
pantalon usé, sa cravate lâche et son col de chemise recroquevillé.
Il y avait dans cet homme un peu du magistrat, beaucoup plus
du conseiller de préfecture, toute l'importance d'un maire de
canton auquel rien ne résiste, et l'aigreur d'un candidat éligible[14]
périodiquement refusé depuis 1816; incroyable mélange de bon
sens campagnard et de sottises; point de manières, mais la morgue
de la richesse; beaucoup de soumission pour sa femme, mais se
croyant le maître, et prêt à se regimber dans les petites choses,
sans avoir nul souci des affaires importantes; du reste, une figure
flétrie, très-ridée, hâlée; quelques cheveux gris, longs et plats,
voilà l'homme. Mais la comtesse! ah! quelle vive et brusque
opposition ne faisait-elle pas auprès de son mari! C'était une
petite femme à taille plate et gracieuse, ayant une tournure ravis-
sante; mignonne et si délicate, que vous eussiez eu peur de lui
briser les os en la touchant. Elle portait une robe de mousseline
blanche; elle avait sur la tête un joli bonnet à rubans roses, une
ceinture rose, une guimpe remplie si délicieusement par ses
épaules et par les plus beaux contours, qu'en les voyant il naissait
au fond du cœur une irrésistible envie de les posséder. Ses yeux
étaient vifs, noirs, expressifs, ses mouvements doux, son pied char-
mant. Un vieil homme à bonnes fortunes ne lui eût pas donné
plus de trente années, tant il y avait de jeunesse dans son front
et dans les détails les plus fragiles de sa tête. Quant au caractère,
elle me parut tenir tout à la fois de la comtesse de Lignolles
et de la marquise de B...,[15] deux types de femme toujours

frais dans la mémoire d'un jeune homme, quand il a lu le roman de Louvet. Je pénétrai soudain dans tous les secrets de ce ménage, et pris une résolution diplomatique digne d'un vieil ambassadeur. Ce fut peut-être la seule fois de ma vie que j'eus du tact et que je compris en quoi consistait l'adresse des courtisans ou des gens du monde.

Depuis ces jours d'insouciance, j'ai eu trop de batailles à livrer pour distiller les moindres actes de la vie et ne rien faire qu'en accomplissant les cadences de l'étiquette et du bon ton qui sèchent les émotions les plus généreuses.

— Monsieur le comte, je voudrais vous parler en particulier, dis-je d'un air mystérieux et en faisant quelques pas en arrière.

Il me suit. Juliette nous laissa seuls, et s'éloigna négligemment en femme certaine d'apprendre les secrets de son mari au moment où elle voudra les savoir. Je racontai brièvement au comte la mort de mon compagnon de voyage. L'effet que cette nouvelle produisit sur lui me prouva qu'il portait une affection assez vive à son jeune collaborateur,[16] et cette découverte me donna la hardiesse de répondre ainsi dans le dialogue qui s'ensuivit entre nous deux.

— Ma femme va être au désespoir, s'écria-t-il, et je serai obligé de prendre bien des précautions pour l'instruire de ce malheureux événement.

— Monsieur, en m'adressant d'abord à vous, lui dis-je, j'ai rempli un devoir. Je ne voulais pas m'acquitter de cette mission donnée par un inconnu près de madame la comtesse sans vous en prévenir; mais il m'a confié une espèce de fidéicommis honorable, un secret dont je n'ai pas le pouvoir de disposer. D'après la haute idée qu'il m'a donnée de votre caractère, j'ai pensé que vous ne vous opposeriez pas à ce que j'accomplisse ses derniers vœux. Madame la comtesse sera libre de rompre le silence qui m'est imposé.

En entendant son éloge, le gentilhomme balança très-agréablement la tête. Il me répondit par un compliment assez entortillé,

et finit en me laissant le champ libre. Nous revînmes sur nos pas.
En ce moment, la cloche annonça le dîner, je fus invité à le partager. En nous retrouvant graves et silencieux, Juliette nous
examina furtivement. Etrangement surprise de voir son mari
prenant un prétexte frivole pour nous procurer un tête à tête,
elle s'arrêta en me lançant un de ces coups-d'œil qu'il n'est donné
qu'aux femmes de jeter. Il y avait dans son regard toute la curiosité
permise à une maîtresse de maison qui reçoit un étranger tombé
chez elle comme des nues ; il y avait toutes les interrogations que
méritaient ma mise, ma jeunesse et ma physionomie, contrastes
singuliers ! puis tout le dédain d'une maîtresse idolâtrée aux yeux
de qui les hommes ne sont rien, hormis un seul ; il y avait des
craintes involontaires, de la peur, et l'ennui d'avoir un hôte
inattendu, quand elle venait, sans doute, de ménager à son amour
tous les bonheurs de la solitude. Je compris cette éloquence
muette, et j'y répondis par un triste sourire plein de pitié, de
compassion. Alors, je la contemplai pendant un instant dans tout
l'éclat de sa beauté, par un jour serein, au milieu d'une étroite
allée bordée de fleurs. En voyant cet admirable tableau, je ne pus
retenir un soupir.

— Hélas ! madame, je viens de faire un bien pénible voyage,
entrepris... pour vous seule.

— Monsieur ! me dit-elle.

— Oh ! repris-je, je viens au nom de celui qui vous nomme
Juliette. Elle pâlit. — Vous ne le verrez pas aujourd'hui.

— Il est malade ? dit-elle à voix basse.

— Oui, lui répondis-je. Mais, de grâce, modérez-vous. Je suis
chargé par lui de vous confier quelques secrets qui vous con-
cernent, et croyez que jamais messager ne sera ni plus discret ni
plus dévoué.

— Qu'y a-t-il ?

— S'il ne vous aimait plus ?

— Oh ! cela est impossible ! s'écria-t-elle en laissant échapper
un léger sourire qui n'était rien moins que franc.

Tout à coup elle eut une sorte de frisson, me jeta un regard fauve et prompt, rougit et dit: « Il est vivant? »

Grand Dieu! quel mot terrible! J'étais trop jeune pour en soutenir l'accent, je ne répondis pas, et regardai cette malheureuse femme d'un air hébété.

— Monsieur! monsieur, une réponse! s'écria-t-elle.

— Oui, madame.

— Cela est-il vrai? oh! dites-moi la vérité, je puis l'entendre. Dites! Toute douleur me sera moins poignante que ne l'est mon incertitude.

Je répondis par deux larmes que m'arrachèrent les étranges accents par lesquels ces phrases furent accompagnées.

Elle s'appuya sur un arbre en jetant un faible cri.

— Madame, lui dis-je, voici votre mari!

— Est-ce que j'ai un mari.

A ce mot, elle s'enfuit et disparut.

— Hé! bien, le dîner refroidit, s'écria le comte. Venez, monsieur.

Là-dessus, je suivis le maître de la maison qui me conduisit dans une salle à manger où je vis un repas servi avec tout le luxe auquel les tables parisiennes nous ont accoutumés. Il y avait cinq couverts: ceux des deux époux et celui de la petite fille; le *mien*, qui devait être le *sien*; le dernier était celui d'un chanoine de Saint-Denis qui, les grâces dites,[17] demanda: — Où donc est notre chère comtesse?

— Oh! elle va venir, répondit le comte qui, après nous avoir servi avec empressement le potage, s'en donna une très-ample assiettée et l'expédia merveilleusement vite.

— Oh! mon neveu, s'écria le chanoine, si votre femme était là, vous seriez plus raisonnable.

— Papa se fera mal, dit la petite fille d'un air malin.

Un instant après ce singulier épisode gastronomique, et au moment où le comte découpait avec empressement je ne sais quelle pièce de venaison, une femme de chambre entra et dit: — Monsieur, nous ne trouvons point madame!

A ce mot, je me levai par un mouvement brusque en redoutant quelque malheur, et ma physionomie exprima si vivement mes craintes, que le vieux chanoine me suivit au jardin. Le mari vint par décence jusque sur le seuil de la porte.

— Restez! restez! n'ayez aucune inquiétude, nous cria-t-il.

Mais il ne nous accompagna point. Le chanoine, la femme de chambre et moi nous parcourûmes les sentiers et les boulingrins du parc, appelant, écoutant, et d'autant plus inquiets, que j'annonçai la mort du jeune vicomte. En courant, je racontai les circonstances de ce fatal événement, et m'aperçus que la femme de chambre était extrêmement attachée à sa maîtresse; car elle entra bien mieux que le chanoine dans les secrets de ma terreur. Nous allâmes aux pièces d'eau, nous visitâmes tout sans trouver la comtesse, ni le moindre vestige de son passage. Enfin, en revenant le long d'un mur, j'entendis des gémissements sourds et profondément étouffés qui semblaient sortir d'une espèce de grange. A tout hasard, j'y entrai. Nous y découvrîmes Juliette, qui, mue par l'instinct du désespoir, s'y était ensevelie au milieu du foin. Elle avait caché là sa tête afin d'assourdir ses horribles cris, obéissant à une invincible pudeur; c'étaient des sanglots, des pleurs d'enfant, mais plus pénétrants, plus plaintifs. Il n'y avait plus rien dans le monde pour elle. La femme de chambre dégagea sa maîtresse, qui se laissa faire avec la flasque insouciance de l'animal mourant. Cette fille ne savait rien dire autre chose que: — Allons, madame, allons...

Le vieux chanoine demandait: — Mais qu'a-t-elle? Qu'avez-vous, ma nièce?

Enfin, aidé par la femme de chambre, je transportai Juliette dans sa chambre; je recommandai soigneusement de veiller sur elle et de dire à tout le monde que la comtesse avait la migraine. Puis, nous redescendîmes, le chanoine et moi, dans la salle à manger. Il y avait déjà quelque temps que nous avions quitté le comte, je ne pensai guère à lui qu'au moment où je me trouvai sous le péristyle, son indifférence me surprit; mais mon étonnement augmenta quand je le trouvai philosophiquement assis à table : il avait mangé presque tout le dîner, au grand plaisir de sa fille qui souriait de voir son père en flagrante désobéissance aux ordres de la comtesse. La singulière insouciance de ce mari me fut expliquée par la légère altercation qui s'éleva soudain entre le chanoine et lui. Le comte était soumis à une diète sévère que les médecins lui avaient imposée pour le guérir d'une maladie grave dont le nom m'échappe ; et, poussé par cette gloutonnerie féroce, assez familière aux convalescents, l'appétit de la bête l'avait emporté chez lui sur toutes les sensibilités de l'homme. En un moment, j'avais vu la nature dans toute sa vérité, sous deux aspects bien différents qui mettaient le comique au sein même de la plus horrible douleur.[18] La soirée fut triste. J'étais fatigué. Le chanoine employait toute son intelligence à deviner la cause des pleurs de sa nièce. Le mari digérait silencieusement, après s'être contenté d'une assez vague explication que la comtesse lui fit donner de son malaise par sa femme de chambre, et qui fut, je crois, empruntée aux indispositions naturelles à la femme. Nous nous couchâmes tous de bonne heure. En passant devant la chambre de la comtesse pour aller au gîte où me conduisit un valet, je demandai timidement de ses nouvelles. En reconnaissant ma voix, elle me fit entrer, voulut me parler ; mais, ne pouvant rien articuler, elle inclina la tête, et je me retirai. Malgré les émotions cruelles que je venais de partager avec la bonne foi d'un jeune homme, je dormis accablé par la fatigue d'une marche forcée. A une heure avancée de la nuit, je fus réveillé par les aigres bruissements que produisirent les anneaux de mes rideaux violemment tirés sur leurs tringles de fer. Je vis la comtesse assise sur le pied de mon lit. Son visage recevait toute la lumière d'une lampe posée sur ma table.

— Est-ce bien toujours vrai, monsieur ? me dit-elle. Je ne sais comment je puis vivre après l'horrible coup qui vient de me frapper ; mais en ce moment j'éprouve du calme. Je veux tout apprendre.

— Quel calme! me dis-je en apercevant l'effrayante pâleur de son teint qui contrastait avec la couleur brune de sa chevelure, en entendant les sons gutturaux de sa voix, en restant stupéfait des ravages dont témoignaient tous ses traits altérés. Elle était étiolée déjà comme une feuille dépouillée des dernières teintes qu'y imprime l'automne. Ses yeux rouges et gonflés, dénués de toutes leurs beautés, ne réfléchissaient qu'une amère et profonde douleur: vous eussiez dit d'un nuage gris,[19] là ou naguère pétillait le soleil.

Je lui redis simplement, sans trop appuyer sur certaines circonstances trop douloureuses pour elle, l'événement rapide qui l'avait privée de son ami. Je lui racontai la première journée de notre voyage, si remplie par les souvenirs de leur amour. Elle ne pleura point, elle écoutait avec avidité, la tête penchée vers moi, comme un médecin zélé qui épie un mal. Saisissant un moment où elle me parut avoir entièrement ouvert son cœur aux souffrances et vouloir se plonger dans son malheur avec toute l'ardeur que donne la première fièvre du désespoir, je lui parlai des craintes qui agitèrent le pauvre mourant, et lui dis comment et pourquoi il m'avait chargé de ce fatal message. Ses yeux se séchèrent[20] alors sous le feu sombre qui s'échappa des plus profondes régions de l'âme. Elle put pâlir encore. Lorsque je lui tendis les lettres que je gardais sous mon oreiller, elle les prit machinalement; puis elle tressaillit violemment, et me dit d'une voix creuse: — Et moi qui brûlais les siennes![21] Je n'ai rien de lui! rien! rien!

Elle se frappa fortement au front.

— Madame, lui dis-je. Elle me regarda par un mouvement convulsif. — J'ai coupé sur sa tête, dis-je en continuant, une mèche de cheveux que voici.

Et je lui présentai ce dernier, cet incorruptible lambeau de celui qu'elle aimait. Ah! si vous aviez reçu comme moi les larmes brûlantes qui tombèrent alors sur mes mains, vous sauriez ce qu'est la reconnaissance quand elle est si voisine du bienfait! Elle me serra les mains, et d'une voix étouffée, avec un regard brillant de fièvre, un regard où son frêle bonheur rayonnait à travers

d'horribles souffrances: — Ah! vous aimez! dit-elle. Soyez toujours heureux! ne perdez pas celle qui vous est chère.

Elle n'acheva pas, et s'enfuit avec son trésor.

Le lendemain, cette scène nocturne, confondue dans mes rêves,
me parut être une fiction. Il fallut, pour me convaincre de la douloureuse vérité, que je cherchasse infructueusement les lettres
sous mon chevet. Il serait inutile de vous raconter les événements
du lendemain. Je restai plusieurs heures encore avec la Juliette
que m'avait tant vantée mon pauvre compagnon de voyage. Les
moindres paroles, les gestes, les actions de cette femme me prou-
vèrent la noblesse d'âme, la délicatesse de sentiment qui faisaient
d'elle une de ces chères créatures d'amour et de dévouement si
rares semées sur cette terre. Le soir, le comte de Montpersan me
conduisit lui-même jusqu'à Moulins. En y arrivant, il me dit avec
une sorte d'embarras: — Monsieur, si ce n'est pas abuser de votre
complaisance, et agir bien indiscrètement avec un inconnu auquel
nous avons déjà des obligations, voudriez-vous avoir la bonté de
remettre, à Paris, puisque vous y allez, chez monsieur de... (j'ai
oublié le nom), rue du Sentier, une somr..e que je lui dois, et
qu'il m'a prié de lui faire promptement passer?

— Volontiers, dis-je.

Et dans l'innocence de mon âme, je pris un rouleau de vingt-
cinq louis, qui me servit à revenir à Paris, et que je rendis fidèlement au correspondant de monsieur de Montpersan.

A Paris seulement, et en portant cette somme dans la maison
indiquée, je compris l'ingénieuse adresse avec laquelle Juliette
m'avait obligé. La manière dont me fut prêté cet or, la discrétion
gardée sur une pauvreté facile à deviner, ne révèlent-elles pas tout
le génie d'une femme aimante!

Quelles délices d'avoir pu raconter cette aventure à une femme
qui, peureuse, vous a serré, vous a dit: « Oh! cher, ne meurs
pas, toi?»

Paris, janvier 1832.

LA GRANDE BRETÈCHE

A une centaine de pas environ de Vendôme,[1] sur les bords du Loir, il se trouve une vieille maison brune,[2] surmontée de toits très élevés, et si complètement isolée qu'il n'existe à l'entour ni tannerie puante ni méchante auberge, comme vous en voyez aux abords de presque toutes les petites villes. Devant ce logis est un jardin donnant sur la rivière, et où les buis, autrefois ras, qui dessinaient les allées, croissent maintenant à leur fantaisie. Quelques saules, nés dans le Loir, ont rapidement poussé comme la haie de clôture, et cachent à demi la maison. Les plantes que nous appelons mauvaises décorent de leur belle végétation le talus de la rive. Les arbres fruitiers, négligés depuis dix ans, ne produisent plus de récolte, et leurs rejetons forment des taillis. Les espaliers ressemblent à des charmilles. Les sentiers, sablés jadis, sont remplis de pourpier; mais, à vrai dire, il n'y a plus trace de sentier. Du haut de la montagne[3] sur laquelle pendent les ruines du vieux château des ducs de Vendôme, le seul endroit d'où l'œil puisse plonger sur cet enclos, on se dit que, dans un temps qu'il est difficile de déterminer, ce coin de terre fit les délices de quelque gentilhomme occupé de roses, de tulipiers, d'horticulture en un mot, mais surtout gourmand de bons fruits. On aperçoit une tonnelle, ou plutôt les débris d'une tonnelle sous laquelle est encore une table que le temps n'a pas entièrement dévorée. A l'aspect de ce jardin qui n'est plus, les joies négatives de la vie paisible dont on jouit en province se devinent, comme on devine l'existence d'un bon négociant en lisant l'épitaphe de sa tombe. Pour compléter les idées tristes et douces qui saisissent l'âme, un des murs offre un cadran solaire orné de cette inscription bourgeoisement chrétienne: ULTIMAM COGITA![4] Les toits de cette maison sont horriblement dégradés, les persiennes sont toujours closes, les balcons sont couverts de nids d'hirondelles, les portes restent constamment fermées. De hautes herbes ont dessiné par des lignes vertes les fentes des perrons, les ferrures sont rouillées. La lune, le soleil, l'hiver, l'été, la neige ont creusé les bois, gauchi les planches, rongé les peintures. Le morne silence qui règne là n'est troublé que par les oiseaux, les chats, les fouines, les rats et les souris, libres de trotter, de se battre, de se manger. Une invisible main a partout écrit le mot: Mystère. Si, poussé par la curiosité, vous alliez voir cette maison du côté de la rue, vous apercevriez une grande porte de forme ronde par le haut, et à laquelle les enfants du pays ont fait des trous nombreux. J'ai appris plus tard que cette porte était condamnée depuis dix ans. Par ces brèches irrégulières, vous pourriez observer la parfaite harmonie qui existe entre la façade du jardin et la façade de la cour. Le même désordre y règne. Des bouquets d'herbes encadrent les pavés. D'énormes lézardes sillonnent les murs, dont les crêtes noircies sont enlacées par les mille festons de la pariétaire. Les marches du perron sont disloquées, la corde de la cloche est pourrie, les gouttières sont brisées. Quel feu tombé du ciel a passé par là? Quel tribunal a ordonné de semer du sel sur ce logis? — Y a-t-on insulté Dieu? Y a-t-on trahi la France? Voilà ce qu'on se demande. Les reptiles y rampent sans vous répondre. Cette maison vide et déserte est une immense énigme dont le mot n'est connu de personne. Elle était autrefois un petit fief, et porte le nom de la *Grande Bretèche*.[5] Pendant le temps de mon séjour à Vendôme, où Desplein[6] m'avait laissé pour soigner un riche malade, la vue de ce singulier logis devint un de mes plaisirs les plus vifs. N'était-ce pas mieux qu'une ruine? A une ruine se rattachent quelques souvenirs d'une irréfragable authenticité; mais cette habitation encore debout quoique lentement démolie par une main vengeresse, renfermait un secret, une pensée inconnue; elle trahissait un caprice tout au moins. Plus d'une fois, le soir, je me fis aborder à la haie devenue sauvage qui protégeait cet enclos. Je bravais les égratignures, j'entrais dans ce jardin, sans maître, dans cette propriété qui n'était plus ni publique ni particulière; j'y restais des heures entières à contempler son désordre. Je n'aurais pas voulu, pour prix de l'histoire à laquelle sans doute était dû ce spectacle bizarre, faire une seule question à quelque Vendômois bavard. Là, je composais de délicieux romans, je m'y livrais à de petites débauches de mélancolie qui me ravissaient. Si j'avais connu le motif, peut-être vulgaire, de cet abandon, j'eusse perdu les poésies inédites dont je m'enivrais. Pour moi, cet asile représentait les images les plus variées de la vie humaine, assombrie par ses malheurs: c'était tantôt l'air du cloître, moins les religieux; tantôt la paix du cimetière, sans les morts qui vous parlent leur langage épitaphique; aujourd'hui la maison du lépreux, demain celle des Atrides;[7] mais c'était surtout la province avec ses idées recueillies, avec sa vie de sablier. J'y ai souvent pleuré, je n'y ai jamais ri. Plus d'une fois j'ai ressenti des terreurs involontaires en y entendant, au-dessus de ma tête, le sifflement sourd que rendaient les ailes de quelque ramier pressé. Le sol y est humide; il faut s'y défier des lézards, des vipères, des grenouilles qui s'y promènent avec la sauvage liberté de la nature; il faut surtout ne pas craindre le froid, car en quelques instants vous sentez un manteau de glace qui se pose sur vos épaules, comme la main du commandeur sur le cou de don Juan.[8] Un soir j'y ai frissonné: le vent avait fait tourner une vieille girouette rouillée, dont les cris ressemblèrent à un gémissement poussé par la maison au moment où j'achevais un drame assez noir par lequel je m'expliquais cette espèce de douleur monumentalisée. Je revins à mon auberge, en proie à des idées sombres. Quand j'eus soupé, l'hôtesse entra d'un air de mystère dans ma chambre, et me dit: « Monsieur, voici monsieur Regnault.[9]— Qu'est monsieur Regnault?— Comment, monsieur ne connaît pas monsieur Regnault? Ah! c'est drôle », dit-elle en s'en allant. Tout à coup je vis apparaître un homme long, fluet, vêtu de noir, tenant son chapeau à la main, et qui se présenta comme un bélier prêt à fondre sur son rival, en me montrant un front fuyant, une petite tête pointue, et une face pâle, assez semblable à un verre d'eau sale. Vous eussiez dit[10] de l'huissier d'un ministre. Cet

inconnu portait un vieil habit, très-usé sur les plis; mais il avait
un diamant au jabot de sa chemise et des boucles d'or à ses oreilles.
« Monsieur, à qui ai-je l'honneur de parler ? » lui dis-je. Il s'assit
sur une chaise, se mit devant mon feu, posa son chapeau sur ma
table, et me répondit en se frottant les mains : « Ah! il fait bien
froid. Monsieur, je suis monsieur Regnault. » Je m'inclinai, en me
disant à moi-même: *«Il bondo cani!*[11] Cherche.—Je suis, reprit-il,
notaire à Vendôme. — J'en suis ravi, monsieur, m'écriai-je, mais
je ne suis point en mesure de tester, pour des raisons à moi connues. — Petit moment,[12] reprit-il, en levant la main comme pour
m'imposer silence. Permettez, monsieur, permettez! J'ai appris
que vous alliez vous promener quelquefois dans le jardin de la
Grande Bretèche. — Oui, monsieur. — Petit moment! dit-il
en répétant son geste, cette action constitue un véritable délit.
Monsieur, je viens, au nom et comme exécuteur testamentaire de
feu madame la comtesse de Merret, vous prier de discontinuer vos
visites. Petit moment! Je ne suis pas un Turc et ne veux point
vous en faire un crime. D'ailleurs, bien permis à vous d'ignorer
les circonstances qui m'obligent à laisser tomber en ruines le plus
bel hôtel de Vendôme. Cependant, monsieur, vous paraissez
avoir de l'instruction, et devez savoir que les lois défendent, sous
des peines graves, d'envahir une propriété close. Une haie vaut
un mur. Mais l'état dans lequel la maison se trouve peut servir
d'excuse à votre curiosité. Je ne demanderais pas mieux que de
vous laisser libre d'aller et venir dans cette maison; mais chargé
d'exécuter les volontés de la testatrice, j'ai l'honneur, monsieur,
de vous prier de ne plus entrer dans le jardin. Moi-même, monsieur, depuis l'ouverture du testament, je n'ai pas mis le pied dans
cette maison, qui dépend, comme j'ai eu l'honneur de vous le
dire, de la succession de madame de Merret. Nous en avons seulement constaté les portes et fenêtres,[13] afin d'asseoir les impôts que
je paie annuellement sur des fonds à ce destinés par feu madame la
comtesse. Ah! mon cher monsieur, son testament a fait bien du
bruit dans Vendôme! » Là, il s'arrêta pour se moucher, le digne

homme! Je respectai sa loquacité, comprenant à merveille que la succession de madame de Merret était l'événement le plus important de sa vie, toute sa réputation, sa gloire, sa Restauration.[14] Il me fallait dire adieu à mes belles rêveries, à mes romans; je ne fus donc pas rebelle au plaisir d'apprendre la vérité d'une manière officielle. — Monsieur, lui dis-je, serait-il indiscret de vous demander les raisons de cette bizarrerie? A ces mots, un air qui exprimait tout le plaisir que ressentent les hommes habitués à monter sur le *dada*, passa sur la figure du notaire. Il releva le col de sa chemise avec une sorte de fatuité, tira sa tabatière, l'ouvrit, m'offrit du tabac; et, sur mon refus, il en saisit une forte pincée. Il était heureux! Un homme qui n'a pas de dada ignore tout le parti que l'on peut tirer de la vie. Un dada est le milieu précis entre la passion et la monomanie. En ce moment, je compris cette jolie expression de Sterne[15] dans toute son étendue, et j'eus une complète idée de la joie avec laquelle l'oncle Tobie enfourchait, Trim aidant, son cheval de bataille. — Monsieur, me dit monsieur Regnault, j'ai été premier clerc de maître Roguin,[16] à Paris. Excellente étude, dont vous avez peut-être entendu parler? Non! cependant une malheureuse faillite l'a rendu célèbre. N'ayant pas assez de fortune pour traiter à Paris, au prix où les charges montèrent en 1816, je vins ici acquérir l'Étude de mon prédécesseur. J'avais des parents à Vendôme, entre autres une tante fort riche, qui m'a donné sa fille en mariage. — Monsieur, reprit-il après une légère pause, trois mois après avoir été agréé par Monseigneur le Garde-des-sceaux je fus mandé un soir, au moment où j'allais me coucher (je n'étais pas encore marié), par madame la comtesse de Merret, en son château de Merret.[17] Sa femme de chambre, une brave fille qui sert aujourd'hui dans cette hôtellerie, était à ma porte avec la calèche de madame la comtesse. Ah! petit moment! Il faut vous dire, monsieur, que monsieur le comte de Merret était allé mourir à Paris deux mois avant que je vinsse ici. Il y périt misérablement en se livrant à des excès de tous les genres. Vous comprenez? Le jour de son départ, madame la comtesse avait quitté la Grande Bretèche et l'avait démeublée. Quelques personnes prétendent même qu'elle a brûlé les meubles, les tapisseries, enfin toutes les choses généralement quelconques qui garnissaient les lieux présentement loués par ledit sieur... (Tiens, qu'est-ce que je dis donc? Pardon, je croyais dicter un bail.) Qu'elle les brûla, reprit-il, dans la prairie de Merret. Êtes-vous allé à Merret, monsieur? Non, dit-il en faisant lui-même ma réponse. Ah! c'est un fort bel endroit! Depuis trois mois environ, dit-il en continuant après un petit hochement de tête, monsieur le comte et madame la comtesse avaient vécu singulièrement; ils ne recevaient plus personne, madame habitait le rez-de-chaussée, et monsieur le premier étage. Quand madame la comtesse resta seule, elle ne se montra plus qu'à l'église. Plus tard, chez elle à son château, elle refusa de voir les amis et amies qui vinrent lui faire des visites. Elle était déjà très-changée au moment où elle quitta la Grande Bretèche pour aller à Merret. Cette chère femme-là... (je dis chère, parce que ce diamant me vient d'elle, je ne l'ai vue, d'ailleurs, qu'une seule fois!) Donc, cette bonne dame était très malade; elle avait sans doute désespéré de sa santé, car elle est morte sans vouloir appeler de médecins; aussi, beaucoup de nos dames ont-elles pensé qu'elle ne jouissait pas de toute sa tête. Monsieur, ma curiosité fut donc singulièrement excitée en apprenant que madame de Merret avait besoin de mon ministère. Je n'étais pas le seul qui s'intéressât à cette histoire. Le soir même, quoiqu'il fût tard, toute la ville sut que j'allais à Merret. La femme de chambre répondit assez vaguement aux questions que je lui fis en chemin; néanmoins, elle me dit que sa maîtresse avait été administrée par le curé de Merret pendant la journée, et qu'elle paraissait ne pas devoir passer la nuit. J'arrivai sur les onze heures au château. Je montai le grand escalier. Après avoir traversé de grandes pièces hautes et noires, froides et humides en diable, je parvins dans la chambre à coucher d'honneur où était madame la comtesse. D'après les bruits qui couraient sur cette dame (monsieur, je n'en finirais pas si je vous répétais tous les contes

qui se sont débités à son égard!), je me la figurais comme une
coquette. Imaginez-vous que j'eus beaucoup de peine à la trouver
dans le grand lit où elle gisait. Il est vrai que, pour éclairer cette
énorme chambre à frises de l'ancien régime, et poudrées de
poussière à faire éternuer rien qu'à les voir, elle avait une de ces
anciennes lampes d'Argant.[18] Ah! mais vous n'êtes pas allé à
Merret! Eh! bien, monsieur, le lit est un de ces lits d'autrefois,
avec un ciel élevé, garni d'indienne à ramages. Une petite table
de nuit était près du lit, et je vis dessus une *Imitation de Jésus-
Christ*, que, par parenthèse, j'ai achetée à ma femme, ainsi que la
lampe. Il y avait aussi une grande bergère pour la femme de confiance, et deux chaises. Point de feu, d'ailleurs. Voilà le mobilier.
Ça n'aurait pas fait dix lignes dans un inventaire. Ah! mon cher
monsieur, si vous aviez vu, comme je la vis alors, cette vaste
chambre tendue en tapisseries brunes, vous vous seriez cru transporté dans une véritable scène de roman. C'était glacial, et mieux
que cela, funèbre, ajouta-t-il en levant le bras par un geste théâtral
et faisant une pause. A force de regarder, en venant près du lit,
je finis par voir madame de Merret, encore grâce à la lueur de la
lampe dont la clarté donnait sur les oreillers. Sa figure était jaune
comme de la cire, et ressemblait à deux mains jointes. Madame la
comtesse avait un bonnet de dentelles qui laissait voir de beaux
cheveux, mais blancs comme du fil. Elle était sur son séant, et
paraissait s'y tenir avec beaucoup de difficulté. Ses grands yeux
noirs, abattus par la fièvre, sans doute, et déjà presque morts,
remuaient à peine sous les os où sont les sourcils. — Ça, dit-il
en me montrant l'arcade de ses yeux. Son front était humide. Ses
mains décharnées ressemblaient à des os recouverts d'une peau
tendre; ses veines, ses muscles se voyaient parfaitement bien.
Elle avait dû être très belle; mais, en ce moment! je fus saisi de
je ne sais quel sentiment à son aspect. Jamais, au dire de ceux qui
l'ont ensevelie, une créature vivante n'avait atteint à sa maigreur
sans mourir. Enfin, c'était épouvantable à voir! Le mal avait si
bien rongé cette femme qu'elle n'était plus qu'un fantôme. Ses

lèvres d'un violet pâle me parurent immobiles quand elle me parla. Quoique ma profession m'ait familiarisé avec ces spectacles en me conduisant parfois au chevet des mourants pour constater leurs dernières volontés, j'avoue que les familles en larmes et les agonies que j'ai vues n'étaient rien auprès de cette femme solitaire et silencieuse, dans ce vaste château. Je n'entendais pas le moindre bruit, je ne voyais pas ce mouvement que la respiration de la malade aurait dû imprimer aux draps qui la couvraient, et je restai tout à fait immobile, occupé à la regarder avec une sorte de stupeur. Il me semble que j'y suis encore. Enfin ses grands yeux se remuèrent, elle essaya de lever sa main droite qui retomba sur le lit, et ces mots sortirent de sa bouche comme un souffle, car sa voix n'était déjà plus une voix : « Je vous attendais avec bien de l'impatience. » Ses joues se colorèrent vivement. Parler, monsieur, était un effort pour elle. — Madame, lui dis-je. Elle me fit signe de me taire. En ce moment, la vieille femme de charge se leva et me dit à l'oreille : « Ne parlez pas, madame la comtesse est hors d'état d'entendre le moindre bruit, et ce que vous lui diriez pourrait l'agiter. » Je m'assis. Quelques instants après, madame de Merret rassembla tout ce qui lui restait de forces pour mouvoir son bras droit, le mit, non sans des peines infinies, sous son traversin ; elle s'arrêta pendant un petit moment ; puis, elle fit un dernier effort pour retirer sa main, et lorsqu'elle eut pris un papier cacheté, des gouttes de sueur tombèrent de son front. « Je vous confie mon testament, dit-elle. Ah! mon Dieu! Ah! » Ce fut tout. Elle saisit un crucifix qui était sur son lit, le porta rapidement à ses lèvres, et mourut. L'expression de ses yeux fixes me fait encore frissonner quand j'y songe. Elle avait dû bien souffrir! Il y avait de la joie dans son dernier regard, sentiment qui resta gravé sur ses yeux morts. J'emportai le testament; et quand il fut ouvert, je vis que madame de Merret m'avait nommé son exécuteur testamentaire. Elle léguait la totalité de ses biens à l'hôpital de Vendôme, sauf quelques legs particuliers. Mais voici quelles furent ses dispositions relatives à la Grande Bretèche. Elle me

recommanda de laisser cette maison pendant cinquante années révolues, à partir du jour de sa mort, dans l'état où elle se trouverait au moment de son décès, en interdisant l'entrée des appartements à quelque personne que ce fût, en défendant d'y faire la moindre réparation, et allouant même une rente afin de gager des gardiens, s'il en était besoin, pour assurer l'entière exécution de ses intentions. A l'expiration de ce terme, si le vœu de la testatrice a été accompli, la maison doit appartenir à mes héritiers, car monsieur sait que les notaires ne peuvent accepter de legs; sinon, la Grande Bretèche reviendrait à qui de droit, mais à la charge de remplir les conditions indiquées dans un codicille annexé au testament, et qui ne doit être ouvert qu'à l'expiration desdites cinquante années. Le testament n'a point été attaqué, donc...
A ce mot, et sans achever sa phrase, le notaire oblong me regarda d'un air de triomphe, je le rendis tout à fait heureux en lui adressant quelques compliments. — Monsieur, lui dis-je en terminant, vous m'avez si vivement impressionné que je crois voir cette mourante plus pâle que ses draps; ses yeux luisants me font peur; et je rêverai d'elle cette nuit. Mais vous devez avoir formé quelques conjectures sur les dispositions contenues dans ce bizarre testament. — Monsieur, me dit-il avec une réserve comique, je ne me permets jamais de juger la conduite des personnes qui m'ont honoré par le don d'un diamant.[19] Je déliai bientôt la langue du scrupuleux notaire vendômois, qui me comuniqua, non sans de longues digressions, les observations dues aux profonds politiques des deux sexes dont les arrêts font loi dans Vendôme. Mais ces observations étaient si contradictoires, si diffuses que je faillis m'endormir, malgré l'intérêt que je prenais à cette histoire authentique. Le ton lourd et l'accent monotone de ce notaire, sans doute habitué à s'écouter lui-même et à se faire écouter de ses clients ou de ses compatriotes, triompha de ma curiosité. Heureusement il s'en alla. — Ah! ah! monsieur, bien des gens, me dit-il dans l'escalier, voudraient vivre encore quarante-cinq ans; mais, petit moment! Et il mit, d'un air fin,

l'index de sa main droite sur sa narine, comme s'il eût voulu dire:
Faites bien attention à ceci! — Pour aller jusque-là, dit-il,
il ne faut pas avoir la soixantaine. Je fermai ma porte, après
avoir été tiré de mon apathie par ce dernier trait que le notaire
trouva très spirituel; puis, je m'assis dans mon fauteuil, en mettant
mes pieds sur les deux chenets de ma cheminée. Je m'enfonçai
dans un roman à la Radcliffe,[20] bâti sur les données juridiques de
monsieur Regnault, quand ma porte, manœuvrée par la main
adroite d'une femme, tourna sur ses gonds. Je vis venir mon
hôtesse, grosse femme réjouie, de belle humeur, qui avait manqué
sa vocation: c'était une Flamande qui aurait dû naître dans un
tableau de Téniers.[21] — Eh! bien, monsieur? me dit-elle. Monsieur Regnault vous a sans doute rabâché son histoire de la
Grande Bretèche. — Oui, mère Lepas.[22] — Que vous a-t-il dit?
Je lui répétai en peu de mots la ténébreuse et froide histoire de
madame de Merret. A chaque phrase, mon hôtesse tendait le cou,
en me regardant avec une perspicacité d'aubergiste, espèce de
juste milieu entre l'instinct du gendarme, l'astuce de l'espion et
la ruse du commerçant. — Ma chère madame Lepas! ajoutai-je
en terminant, vous paraissez en savoir davantage. Hein? Autrement, pourquoi seriez-vous montée chez moi? — Ah! foi
d'honnête femme,[23] aussi vrai que je m'appelle Lepas… — Ne
jurez pas, vos yeux sont gros d'un secret. Vous avez connu monsieur de Merret. Quel homme était-ce? — Dame, monsieur de
Merret, voyez-vous, était un bel homme qu'on ne finissait pas de
voir, tant il était long! un digne gentilhomme venu de Picardie,
et qui avait, comme nous disons ici, la tête près du bonnet.[24] Il
payait tout comptant pour n'avoir de difficultés avec personne.
Voyez-vous, il était vif. Nos dames le trouvaient toutes fort
aimable. — Parce qu'il était vif! dis-je à mon hôtesse. — Peut-
être bien, dit-elle. Vous pensez bien, monsieur, qu'il fallait bien
avoir eu quelque chose devant soi, comme on dit, pour épouser
madame de Merret qui, sans vouloir nuire aux autres, était la plus
belle et la plus riche personne du Vendômois. Elle avait aux en-

virons de vingt mille livres de rente. Toute la ville assistait à sa
noce. La mariée était mignonne et avenante, un vrai bijou de
femme. Ah! ils ont fait un beau couple dans le temps! — Ont-ils
été heureux en ménage? — Heu, heu! oui et non, autant qu'on
peut le présumer, car vous pensez bien que, nous autres, nous ne
vivons pas à pot et à rôt avec eux![25] Madame de Merret était une
bonne femme, bien gentille, qui avait peut-être bien à souffrir
quelquefois des vivacités de son mari; mais quoiqu'un peu fier,
nous l'aimions. Bah! c'était son état à lui d'être comme ça! Quand
on est noble, voyez-vous... — Cependant il a bien fallu quelque
catastrophe pour que monsieur et madame de Merret se séparas-
sent violemment? — Je n'ai point dit qu'il y ait eu de catastrophe,
monsieur. Je n'en sais rien. — Bien. Je suis sûr maintenant que
vous savez tout. — Eh! bien, monsieur, je vais tout dire. En
voyant monter chez vous monsieur Regnault, j'ai bien pensé
qu'il vous parlerait de madame de Merret, à propos de la Grande
Bretèche. Ça m'a donné l'idée de consulter monsieur, qui me
paraît un homme de bon conseil et incapable de trahir une pauvre
femme comme moi qui n'ai jamais fait de mal à personne, et qui
se trouve cependant tourmentée par sa conscience. Jusqu'à
présent je n'ai point osé m'ouvrir aux gens de ce pays-ci, ce sont
tous des bavards à langue d'acier. Enfin, monsieur, je n'ai pas
encore eu de voyageur qui soit demeuré si longtemps que vous
dans mon auberge, et auquel je puisse dire l'histoire des quinze
mille francs... — Ma chère dame Lepas! lui répondis-je en
arrêtant le flux de ses paroles, si votre confidence est de nature
à me compromettre, pour tout au monde je ne voudrais pas en
être chargé. — Ne craignez rien, dit-elle en m'interrompant.
Vous allez voir. Cet empressement me fit croire que je n'étais
pas le seul à qui ma bonne aubergiste eût communiqué le
secret dont je devais être l'unique dépositaire, et j'écoutai.
— Monsieur, dit-elle, quand l'Empereur envoya ici des Espagnols
prisonniers de guerre ou autres, j'eus à loger, au compte du
gouvernement, un jeune Espagnol[26] envoyé à Vendôme sur

parole. Malgré la parole, il allait tous les jours se montrer au Sous-Préfet. C'était un Grand d'Espagne! Excusez du peu! Il portait un nom en *os* et en *dia*, comme Bagos de Férédia. J'ai son nom écrit sur mes registres; vous pourrez le lire, si vous le voulez. Oh! c'était un beau jeune homme pour un Espagnol qu'on dit tous laids. Il n'avait guère que cinq pieds deux ou trois pouces, mais il était bien fait; il avait de petites mains qu'il soignait, ah! fallait voir. Il avait autant de brosses pour ses mains qu'une femme en a pour toutes ses toilettes! Il avait de grands cheveux noirs, un œil de feu, un teint un peu cuivré, mais qui me plaisait tout de même. Il portait du linge fin comme je n'en ai jamais vu à personne, quoique j'aie logé des princesses, et entre autres le général Bertrand,[27] le duc et la duchesse d'Abrantès, monsieur Decazes et le roi d'Espagne. Il ne mangeait pas grand'chose; il avait des manières si polies, si aimables, qu'on ne pouvait pas lui en vouloir. Oh! je l'aimais beaucoup, quoiqu'il ne disait pas quatre paroles par jour et qu'il fût impossible d'avoir avec lui la moindre conversation; si on lui parlait, il ne répondait pas: c'était un tic, une manie qu'ils ont tous, à ce qu'on m'a dit. Il lisait son bréviaire comme un prêtre, il allait à la messe et à tous les offices régulièrement. Où se mettait-il (nous avons remarqué cela plus tard)? à deux pas de la chapelle de madame de Merret. Comme il se plaça là dès la première fois qu'il vint à l'église, personne n'imagina qu'il y eût de l'intention dans son fait. D'ailleurs, il ne levait pas le nez de dessus son livre de prières, le pauvre jeune homme! Pour lors, monsieur, le soir il se promenait sur la montagne, dans les ruines du château. C'était son seul amusement à ce pauvre homme, il se rappelait là son pays. On dit que c'est tout montagnes en Espagne! Dès les premiers jours de sa détention, il s'attarda. Je fus inquiète en ne le voyant revenir que sur le coup de minuit; mais nous nous habituâmes tous à sa fantaisie; il prit la clef de la porte, et nous ne l'attendîmes plus. Il logeait dans la maison que nous avons dans la rue des Casernes.[28] Pour lors, un de nos valets d'écurie nous dit qu'un soir, en allant faire baigner les chevaux, il avait vu le Grand d'Espagne nageant au loin dans la rivière comme un vrai poisson. Quand il revint, je lui dis de prendre garde aux herbes; il parut contrarié d'avoir été vu dans l'eau. — Enfin, monsieur, un jour, ou plutôt un matin, nous ne le trouvâmes plus dans sa chambre, il n'était pas revenu. A force de fouiller partout, je vis un écrit dans le tiroir de sa table où il y avait cinquante pièces d'or espagnoles qu'on nomme des portugaises et qui valaient environ cinq mille francs; puis des diamants pour dix mille francs dans une petite boîte cachetée. Son écrit disait donc qu'au cas où il ne reviendrait pas, il nous laissait cet argent et ces diamants, à la charge de fonder des messes pour remercier Dieu de son évasion et pour son salut. Dans ce temps-là, j'avais encore mon homme, qui courut à sa recherche. Et voilà le drôle de l'histoire! Il rapporta les habits de l'Espagnol qu'il découvrit sous une grosse pierre, dans une espèce de pilotis sur le bord de la rivière, du côté du château, à peu près en face de la Grande Bretèche. Mon mari était allé là si matin, que personne ne l'avait vu. Il brûla les habits après avoir lu la lettre, et nous avons déclaré, suivant le désir du comte Férédia, qu'il s'était évadé. Le Sous-Préfet mit toute la gendarmerie à ses trousses; mais brust! on ne l'a point rattrapé. Lepas a cru que l'Espagnol s'était noyé. Moi, monsieur, je ne le pense point, je crois plutôt qu'il est pour quelque chose dans l'affaire de madame de Merret, vu que Rosalie m'a dit que le crucifix auquel sa maîtresse tenait tant qu'elle s'est fait ensevelir avec, était d'ébène et d'argent; or, dans les premiers temps de son séjour, monsieur Férédia en avait un d'ébène et d'argent que je ne lui ai plus revu. Maintenant, monsieur, n'est-il pas vrai que je ne dois point avoir de remords des quinze mille francs de l'Espagnol, et qu'ils sont bien à moi? — Certainement. Mais vous n'avez pas essayé de questionner Rosalie? lui dis-je. — Oh! si fait, monsieur. Que voulez-vous! Cette fille-là, c'est un mur. Elle sait quelque chose; mais il est impossible de la faire jaser. Après avoir encore causé pendant un moment avec moi, mon hôtesse me laissa en proie à des pensées vagues et

ténébreuses, à une curiosité romanesque, à une terreur religieuse
assez semblable au sentiment profond qui nous saisit quand nous
entrons à la nuit dans une église sombre où nous apercevons
une faible lumière lointaine sous des arceaux élevés; une figure
indécise glisse, un frottement de robe ou de soutane se fait
entendre... nous avons frissonné. La Grande Bretèche et ses
hautes herbes, ses fenêtres condamnées, ses ferrements rouillés,
ses portes closes, ses appartements déserts, se montra tout à coup
fantastiquement devant moi. J'essayai de pénétrer dans cette
mystérieuse demeure en y cherchant le nœud de cette solennelle
histoire, le drame qui avait tué trois personnes. Rosalie fut à mes
yeux l'être le plus intéressant de Vendôme. Je découvris, en
l'examinant, les traces d'une pensée intime, malgré la santé bril-
lante qui éclatait sur son visage potelé. Il y avait chez elle un principe de remords ou d'espérance; son attitude annonçait un secret,
comme celle des dévotes qui prient avec excès ou celle de la fille
infanticide qui entend toujours le dernier cri de son enfant. Sa
pose était cependant naïve et grossière, son niais sourire n'avait
rien de criminel, et vous l'eussiez jugée innocente, rien qu'à voir
le grand mouchoir à carreaux rouges et bleus qui recouvrait son
buste vigoureux, encadré, serré, ficelé par une robe à raies
blanches et violettes. — Non, pensais-je, je ne quitterai pas Vendôme sans savoir toute l'histoire de la Grande Bretèche. Pour
arriver à mes fins je deviendrai l'ami de Rosalie, s'il le faut
absolument. — Rosalie! lui dis-je un soir. — Plaît-il, monsieur?
— Vous n'êtes pas mariée? Elle tressaillit légèrement. — Oh! je
ne manquerai point d'hommes quand la fantaisie d'être malheureuse me prendra! dit-elle en riant. Elle se remit promptement
de son émotion intérieure, car toutes les femmes, depuis la grande
dame jusqu'aux servantes d'auberge inclusivement, ont un sang-
froid qui leur est particulier. — Vous êtes assez fraîche, assez
appétissante pour ne pas manquer d'amoureux! Mais, dites-moi,
Rosalie, pourquoi vous êtes-vous faite servante d'auberge en
quittant madame de Merret? Est-ce qu'elle ne vous a pas laissé

quelque rente? — Oh! que si! Mais, monsieur, ma place est la
meilleure de tout Vendôme. Cette réponse était une de celles que
les juges et les avoués nomment *dilatoires*. Rosalie me paraissait
située dans cette histoire romanesque comme la case qui se trouve
au milieu d'un damier; elle était au centre même de l'intérêt et de
la vérité; elle me semblait nouée dans le nœud. Ce ne fut plus une
séduction ordinaire à tenter, il y avait dans cette fille le dernier
chapitre d'un roman; aussi, dès ce moment Rosalie devint-elle
l'objet de ma prédilection. A force d'étudier cette fille, je remarquai chez elle, comme chez toutes les femmes de qui nous
faisons notre pensée principale, une foule de qualités: elle était
propre, soigneuse; elle était belle, cela va sans dire; elle eut bientôt
tous les attraits que notre désir prête aux femmes, dans quelque
situation qu'elles puissent être. Quinze jours après la visite
du notaire, un soir, ou plutôt un matin, car il était de très-bonne
heure, je dis à Rosalie: «Raconte-moi donc tout ce que tu sais sur
madame de Merret? — Oh! répondit elle avec terreur, ne me
demandez pas cela, monsieur Horace!» Sa belle figure se rem-
brunit, ses couleurs vives et animées pâlirent, et ses yeux n'eurent
plus leur innocent éclat humide. — Eh! bien, reprit-elle, puisque
vous le voulez, je vous le dirai; mais gardez-moi bien le secret!
— Va! ma pauvre fille, je garderai tous tes secrets avec une
probité de voleur, c'est la plus loyale qui existe. — Si cela vous
est égal, me dit-elle, j'aime mieux que ce soit avec la vôtre. Là-
dessus, elle ragréa son foulard, et se posa pour conter; car il y a,
certes, une attitude de confiance et de sécurité nécessaire pour
faire un récit. Les meilleures narrations se disent à une certaine
heure, comme nous sommes là, tous à table.[29] Personne n'a rien
conté debout ou à jeun. Mais s'il fallait reproduire fidèlement la
diffuse éloquence de Rosalie, un volume entier suffirait à peine.
Or, comme l'événement dont elle me donna la confuse connaissance se trouve placé, entre le bavardage du notaire et celui de
madame Lepas, aussi exactement que les moyens termes d'une
proportion arithmétique le sont entre leurs deux extrêmes, je n'ai

plus qu'à vous le dire en peu de mots. J'abrège donc. La chambre
que madame de Merret occupait à la Bretèche était située au rez-
de-chaussée. Un petit cabinet de quatre pieds de profondeur environ, pratiqué dans l'intérieur du mur, lui servait de garde-robe.
Trois mois avant la soirée dont je vais vous raconter les faits,
madame de Merret avait été assez sérieusement indisposée pour
que son mari la laissât seule chez elle, et il couchait dans une
chambre au premier étage. Par un de ces hasards impossibles à
prévoir, il revint, ce soir-là, deux heures plus tard que de cou-
tume du Cercle où il allait lire les journaux et causer politique
avec les habitants du pays. Sa femme le croyait rentré, couché,
endormi. Mais l'invasion de la France avait été l'objet d'une dis-
cussion fort animée; la partie de billard s'était échauffée, il avait
perdu quarante francs, somme énorme à Vendôme, où tout le
monde thésaurise, et où les mœurs sont contenues dans les bornes
d'une modestie digne d'éloges, qui peut-être devient la source
d'un bonheur vrai dont ne se soucie aucun Parisien. Depuis
quelque temps monsieur de Merret se contentait de demander
à Rosalie si sa femme était couchée; sur la réponse toujours
affirmative de cette fille, il allait immédiatement chez lui, avec
cette bonhomie qu'enfantent l'habitude et la confiance. En ren-
trant, il lui prit fantaisie de se rendre chez madame de Merret pour
lui conter sa mésaventure, peut-être aussi pour s'en consoler.
Pendant le dîner, il avait trouvé madame de Merret fort coquette-
ment mise; il se disait, en allant du Cercle chez lui, que sa femme
ne souffrait plus, que sa convalescence l'avait embellie, et il s'en
apercevait, comme les maris s'aperçoivent de tout, un peu tard.
Au lieu d'appeler Rosalie qui dans ce moment était occupée dans
la cuisine à voir la cuisinière et le cocher jouant un coup difficile
de la brisque, monsieur de Merret se dirigea vers la chambre de
sa femme, à la lueur de son falot qu'il avait déposé sur la première
marche de l'escalier. Son pas facile à reconnaître retentissait sur
les voûtes du corridor. Au moment où le gentilhomme tourne la
clef de la chambre de sa femme il crut entendre fermer la porte du

une crevasse en bas. » Puis, tout haut, elle lui dit avec un sang-froid : « Va donc l'aider ! » Monsieur et madame de Merret restèrent silencieux pendant tout le temps que Gorenflot mit à murer la porte. Ce silence était calcul chez le mari, qui ne voulait pas fournir à sa femme le prétexte de jeter des paroles à double entente ; et chez madame de Merret ce fut prudence ou fierté. Quand le mur fut à la moitié de son élévation, le rusé maçon prit un moment où le gentilhomme avait le dos tourné pour donner un coup de pioche dans l'une des deux vitres de la porte. Cette action fit comprendre à madame de Merret que Rosalie avait parlé à Gorenflot. Tous trois virent alors une figure d'homme sombre et brune, des cheveux noirs, un regard de feu. Avant que son mari se fût retourné, la pauvre femme eut le temps de faire un signe de tête à l'étranger pour qui ce signe voulait dire : « Espérez ! » A quatre heures, vers le petit jour, car on était au mois de septembre, la construction fut achevée. Le maçon resta sous la garde de Jean, et monsieur de Merret coucha dans la chambre de sa femme. Le lendemain matin, en se levant, il dit avec insouciance : « Ah ! diable ! il faut que j'aille à la mairie pour le passe-port. » Il mit son chapeau sur sa tête, fit trois pas vers la porte, se ravisa, prit le crucifix. Sa femme tressaillit de bonheur. — Il ira chez Duvivier, pensa-t-elle. Aussitôt que le gentilhomme fut sorti, madame de Merret sonna Rosalie ; puis, d'une voix terrible : « La pioche ! la pioche ! s'écria-t-elle, et à l'ouvrage ! J'ai vu hier comment Gorenflot s'y prenait, nous aurons le temps d'y faire un trou et de le reboucher. » En un clin d'œil, Rosalie apporta une espèce de *merlin* à sa maîtresse, qui, avec une ardeur dont rien ne pourrait donner une idée, se mit à démolir le mur. Elle avait déjà fait sauter quelques briques, lorsqu'en prenant son élan pour appliquer un coup encore plus vigoureux que les autres, elle vit monsieur de Merret derrière elle ; elle s'évanouit. — Mettez madame sur son lit, dit froidement le gentilhomme. Prévoyant ce qui devait arriver pendant son absence, il avait tendu un piège à sa femme ; il avait tout bonnement écrit au maire, et envoyé chercher

cabinet dont je vous ai parlé ; mais, quand il entra, madame de Merret était seule, debout devant la cheminée. Le mari pensa naïvement en lui-même que Rosalie était dans le cabinet ; cependant un soupçon qui lui tinta dans l'oreille avec un bruit de cloches le mit en défiance ; il regarda sa femme, et lui trouva dans les yeux je ne sais quoi de trouble et de fauve. — Vous rentrez bien tard, dit-elle. Cette voix ordinairement si pure et si gracieuse lui parut légèrement altérée. Monsieur de Merret ne répondit rien, car en ce moment Rosalie entra. Ce fut un coup de foudre pour lui. Il se promena dans la chambre, en allant d'une fenêtre à l'autre par un mouvement uniforme et les bras croisés. — Avez-vous appris quelque chose de triste, ou souffrez-vous ? lui demanda timidement sa femme pendant que Rosalie la déshabillait. Il garda le silence. — Retirez-vous, dit madame de Merret à sa femme de chambre, je mettrai mes papillotes moi-même. Elle devina quelque malheur au seul aspect de la figure de son mari et voulut être seule avec lui. Lorsque Rosalie fut partie, ou censée partie, car elle resta pendant quelques instants dans le corridor, monsieur de Merret vint se placer devant sa femme, et lui dit froidement : « Madame, il y a quelqu'un dans votre cabinet ! » Elle regarda son mari d'un air calme, et lui répondit avec simplicité : « Non, monsieur. » Ce non navra monsieur de Merret, il n'y croyait pas ; et pourtant jamais sa femme ne lui avait paru ni plus pure ni plus religieuse qu'elle semblait l'être en ce moment. Il se leva pour aller ouvrir le cabinet ; madame de Merret le prit par la main, l'arrêta, le regarda d'un air mélancolique, et lui dit d'une voix singulièrement émue : « Si vous ne trouvez personne, songez que tout sera fini entre nous ! » L'incroyable dignité empreinte dans l'attitude de sa femme rendit au gentilhomme une profonde estime pour elle, et lui inspira une de ces résolutions auxquelles il ne manque plus qu'un vaste théâtre pour devenir immortelles. — Non, dit-il, Joséphine, je n'irai pas. Dans l'un et l'autre cas, nous serions séparés à jamais. Écoute, je connais toute la pureté de ton âme, et sais que tu mènes une vie sainte, tu ne voudrais pas commettre un péché mortel aux dépens de ta vie. A ces mots, madame de Merret regarda son mari d'un œil hagard. — Tiens, voici ton crucifix, ajouta cet homme. Jure-moi devant Dieu qu'il n'y a là personne, je te croirai, je n'ouvrirai jamais cette porte. Madame de Merret prit le crucifix et dit: « Je le jure. — Plus haut, dit le mari, et répète: Je jure devant Dieu qu'il n'y a personne dans ce cabinet. » Elle répéta la phrase sans se troubler. — C'est bien, dit froidement monsieur de Merret. Après un moment de silence: « Vous avez une bien belle chose que je ne connaissais pas, dit-il en examinant ce crucifix d'ébène incrusté d'argent, et très-artistement sculpté. — Je l'ai trouvé chez Duvivier, qui, lorsque cette troupe de prisonniers passa par Vendôme l'année dernière, l'avait acheté d'un religieux espagnol. » — Ah! dit monsieur de Merret en remettant le crucifix au clou, et il sonna. Rosalie ne se fit pas attendre. Monsieur de Merret alla vivement à sa rencontre, l'emmena dans l'embrasure de la fenêtre qui donnait dans le jardin, et lui dit à voix basse: « Je sais que Gorenflot[30] veut t'épouser, la pauvreté seule vous empêche de vous mettre en ménage, et tu lui as dit que tu ne serais pas sa femme s'il ne trouvait moyen de se rendre maître maçon... Eh! bien, va le chercher, dis-lui de venir ici avec sa truelle et ses outils. Fais en sorte de n'éveiller que lui dans sa maison; sa fortune passera vos désirs. Surtout sors d'ici sans jaser, sinon... » Il fronça le sourcil. Rosalie partit, il la rappela. — Tiens, prends mon passe-partout, dit-il. — Jean! cria monsieur de Merret d'une voix tonnante dans le corridor. Jean, qui était tout à la fois son cocher et son homme de confiance, quitta sa partie de brisque, et vint. — Allez vous coucher tous, lui dit son maître en lui faisant signe de s'approcher; et le gentilhomme ajouta, mais à voix basse: « Lorsqu'ils seront tous endormis, *endormis,* entends-tu bien? tu descendras m'en prévenir. » Monsieur de Merret, qui n'avait pas perdu de vue sa femme, tout en donnant des ordres, revint tranquillement auprès d'elle devant le feu, et se mit à lui raconter les événements de la partie de billard et les discussions du Cercle. Lorsque Rosalie

fut de retour, elle trouva monsieur et madame de Merret caus... très-amicalement. Le gentilhomme avait récemment fait plafon... toutes les pièces qui composaient son appartement de récepti... au rez-de-chaussée. Le plâtre est fort rare à Vendôme, le transpo... en augmente beaucoup le prix; le gentilhomme en avait fait don... venir une assez grande quantité, sachant qu'il trouverait toujour... bien des acheteurs pour ce qui lui resterait. Cette circonstance... lui inspira le dessein qu'il mit à exécution. — Monsieur, Gorenflot est là, dit Rosalie à voix basse. — Qu'il entre! répondit tout haut le gentilhomme picard. Madame de Merret pâlit légèrement en voyant le maçon. — Gorenflot, dit le mari, va prendre des briques sous la remise, et apportes-en assez pour murer la porte de ce cabinet; tu te serviras du plâtre qui me reste pour enduire le mur. Puis attirant à lui Rosalie et l'ouvrier: « Écoute, Gorenflot, dit-il à voix basse, tu coucheras ici cette nuit. Mais, demain matin, tu auras un passe-port pour aller en pays étranger dans une ville que je t'indiquerai. Je te remettrai six mille francs pour ton voyage. Tu demeureras dix ans dans cette ville; si tu ne t'y plaisais pas, tu pourrais t'établir dans une autre, pourvu que ce soit au même pays. Tu passeras par Paris, où tu m'attendras. Là je t'assurerai par un contrat six autres mille francs qui te seront payés à ton retour au cas où tu aurais rempli les conditions de notre marché. A ce prix, tu devras garder le plus profond silence sur ce que tu auras fait ici cette nuit. Quant à toi, Rosalie, je te donnerai dix mille francs qui ne te seront comptés que le jour de tes noces, et à la condition d'épouser Gorenflot; mais, pour vous marier, il faut se taire. Sinon, plus de dot. » — Rosalie, dit madame de Merret, venez me coiffer. Le mari se promena tranquillement de long en large, en surveillant la porte, le maçon et sa femme, mais sans laisser paraître une défiance injurieuse. Gorenflot fut obligé de faire du bruit. Madame de Merret saisit un moment où l'ouvrier déchargeait des briques et où son mari se trouvait au bout de la chambre, pour dire à Rosalie : « Mille francs de rente pour toi, ma chère enfant, si tu peux dire à Gorenflot de laisser

Duvivier. Le bijoutier arriva au moment où le désordre de l'appartement venait d'être réparé. — Duvivier, lui demanda le gentilhomme, n'avez-vous pas acheté des crucifix aux Espagnols qui ont passé par ici ? — Non, monsieur. — Bien, je vous remercie, dit-il en échangeant avec sa femme un regard de tigre. — Jean, ajouta-t-il en se tournant vers son valet de confiance, vous ferez servir mes repas dans la chambre de madame de Merret, elle est malade, et je ne la quitterai pas qu'elle ne soit rétablie. Le cruel gentilhomme resta vingt jours près de sa femme. Durant les premiers moments, quand il se faisait quelque bruit dans le cabinet muré et que Joséphine voulait l'implorer pour l'inconnu mourant, il lui répondait sans lui permettre de dire un seul mot: « Vous avez juré sur la croix qu'il n'y avait là personne. »

UN DRAME AU BORD DE LA MER

LES jeunes gens ont presque tous un compas avec lequel ils se plaisent à mesurer l'avenir; quand leur volonté s'accorde avec la hardiesse de l'angle qu'ils ouvrent, le monde est à eux. Mais ce phénomène de la vie morale n'a lieu qu'à un certain âge. Cet âge, qui pour tous les hommes se trouve entre vingt-deux et vingt-huit ans, est celui des grandes pensées, l'âge des conceptions premières, parce qu'il est l'âge des immenses désirs, l'âge où l'on ne doute de rien : qui dit doute, dit impuissance. Après cet âge rapide comme une semaison, vient celui de l'exécution. Il est en quelque sorte deux jeunesses, la jeunesse durant laquelle on croit, la jeunesse pendant laquelle on agit; souvent elles se confondent chez les hommes que la nature a favorisés, et qui sont, comme César, Newton et Bonaparte, les plus grands parmi les grands hommes.

Je mesurais[1] ce qu'une pensée veut de temps pour se développer; et, mon compas à la main, debout sur un rocher, à cent toises au-dessus de l'Océan, dont les lames se jouaient dans les brisants, j'arpentais mon avenir en le meublant d'ouvrages, comme un ingénieur qui, sur un terrain vide, trace des forteresses et des palais. La mer était belle, je venais de m'habiller après avoir nagé, j'attendais Pauline, mon ange gardien,[2] qui se baignait dans une cuve de granit pleine d'un sable fin, la plus coquette baignoire que la nature ait dessinée pour ses fées marines. Nous étions à l'extrémité du Croisic,[3] une mignonne presqu'île de la Bretagne; nous étions loin du port, dans un endroit que le Fisc a jugé tellement inabordable que le douanier n'y passe presque jamais. Nager dans les airs après avoir nagé dans la mer! ah! qui n'aurait nagé dans l'avenir? Pourquoi pensais-je? pourquoi vient un mal? qui le sait? Les idées vous tombent au cœur ou à la tête sans vous consulter. Nulle courtisane ne fut plus fantasque ni plus impérieuse

que ne l'est la Conception pour les artistes; il faut la prendre
comme la Fortune, à pleins cheveux, quand elle vient. Grimpé sur
ma pensée comme Astolphe sur son hippogriffe,[4] je chevauchais
donc à travers le monde, en y disposant de tout à mon gré. Quand
je voulus chercher autour de moi quelque présage pour les auda-
cieuses constructions que ma folle imagination me conseillait
d'entreprendre, un joli cri, le cri d'une femme qui vous appelle
dans le silence d'un désert, le cri d'une femme qui sort du bain,
ranimée, joyeuse, domina le murmure des franges incessamment
mobiles que dessinaient le flux et le reflux sur les découpures de
la côte. En entendant cette note jaillie de l'âme, je crus avoir vu
dans les rochers le pied d'un ange qui, déployant ses ailes, s'était
écrié: — Tu réussiras! Je descendis, radieux, léger; je descendis
en bondissant comme un caillou jeté sur une pente rapide. Quand
elle me vit, elle me dit: — Qu'as-tu? Je ne répondis pas, mes yeux
se mouillèrent. La veille, Pauline avait compris mes douleurs,
comme elle comprenait en ce moment mes joies, avec la sensibilité
magique d'une harpe qui obéit aux variations de l'atmosphère.
La vie humaine a de beaux moments! Nous allâmes en silence le
long des grèves. Le ciel était sans nuages, la mer était sans rides;
d'autres n'y eussent vu que deux steppes bleus l'un sur l'autre;
mais nous, nous qui nous entendions sans avoir besoin de la
parole, nous qui pouvions faire jouer entre ces deux langes de
l'infini, les illusions avec lesquelles on se repaît au jeune âge, nous
nous serrions la main au moindre changement que présentaient,
soit la nappe d'eau, soit les nappes de l'air, car nous prenions ces
légers phénomènes pour des traductions matérielles de notre
double pensée. Qui n'a pas savouré dans les plaisirs ce moment
de joie illimitée où l'âme semble s'être débarrassée des liens de la
chair, et se trouver comme rendue au monde d'où elle vient? Le
plaisir n'est pas notre seul guide en ces régions. N'est-il pas des
heures où les sentiments s'enlacent d'eux-mêmes et s'y élancent,
comme souvent deux enfants se prennent par la main et se met-
tent à courir sans savoir pourquoi. Nous allions ainsi. Au moment

où les toits de la ville apparurent à l'horizon en y traçant une ligne grisâtre, nous rencontrâmes un pauvre pêcheur qui retournait au Croisic; ses pieds étaient nus, son pantalon de toile était déchiqueté par le bas, troué, mal raccommodé; puis il avait une chemise de toile à voile, de mauvaises bretelles en lisière, et pour veste un haillon. Cette misère nous fit mal, comme si c'eût été quelque dissonance au milieu de nos harmonies. Nous nous regardâmes pour nous plaindre l'un à l'autre de ne pas avoir en ce moment le pouvoir de puiser dans les trésors d'Aboul-Casem.[5] Nous aperçûmes un superbe homard et une araignée de mer accrochés à une cordelette que le pêcheur balançait dans sa main droite, tandis que de l'autre il maintenait ses agrès et ses engins. Nous l'accostâmes, dans l'intention de lui acheter sa pêche, idée qui nous vint à tous deux et qui s'exprima dans un sourire auquel je répondis par une légère pression du bras que je tenais et que je ramenai près de mon cœur. C'est de ces riens dont plus tard le souvenir fait des poèmes, quand auprès du feu nous nous rappelons l'heure où ce rien nous a émus, le lieu où ce fut, et ce mirage dont les effets n'ont pas encore été constatés, mais qui s'exerce souvent sur les objets qui nous entourent dans les moments où la vie est légère et où nos cœurs sont pleins. Les sites les plus beaux ne sont que ce que nous les faisons. Quel homme un peu poète n'a dans ses souvenirs un quartier de roche qui tient plus de place que n'en ont pris les plus célèbres aspects de pays cherchés à grands frais! Près de ce rocher, de tumultueuses pensées; là, toute une vie employée, là, des craintes dissipées; là, des rayons d'espérance sont descendus dans l'âme. En ce moment, le soleil, sympathisant avec ces pensées d'amour ou d'avenir, a jeté sur les flancs fauves de cette roche une lueur ardente; quelques fleurs des montagnes attiraient l'attention; le calme et le silence grandissaient cette anfractuosité sombre en réalité, colorée par le rêveur; alors elle était belle avec ses maigres végétations, ses camomilles chaudes, ses cheveux de Vénus[6] aux feuilles veloutées. Fête prolongée, décorations magnifiques, heureuse exaltation des forces humaines! Une fois déjà le lac de Bienne,[7] vu de l'île Saint-Pierre, m'avait ainsi parlé; le rocher du Croisic sera peut-être la dernière de ces joies! Mais alors, que deviendra Pauline?

— Vous avez fait une belle pêche ce matin, mon brave homme? dis-je au pêcheur.

— Oui, monsieur, répondit-il en s'arrêtant et nous montrant la figure bistrée des gens qui restent pendant des heures entières exposés à la réverbération du soleil sur l'eau.

Ce visage annonçait une longue résignation, la patience du pêcheur et ses mœurs douces. Cet homme avait une voix sans rudesse, des lèvres bonnes, nulle ambition, je ne sais quoi de grêle, de chétif. Toute autre physionomie nous aurait déplu.

— Où allez-vous vendre ça?

— A la ville.

— Combien vous paiera-t-on le homard?

— Quinze sous.

— L'araignée?

— Vingt sous.

— Pourquoi tant de différence entre le homard et l'araignée?

— Monsieur, l'araignée (il la nommait une *iraigne*) est bien plus délicate! puis elle est maligne comme un singe, et se laisse rarement prendre.

— Voulez-vous nous donner le tout pour cent sous? dit Pauline.

L'homme resta pétrifié.

— Vous ne l'aurez pas! dis-je en riant, j'en donne dix francs. Il faut savoir payer les émotions ce qu'elles valent.

— Eh! bien, répondit-elle, je l'aurai! j'en donne dix francs deux sous.

— Dix sous.

— Douze francs.

— Quinze francs.

— Quinze francs cinquante centimes, dit-elle.

— Cent francs.

— Cent cinquante.

Je m'inclinai. Nous n'étions pas en ce moment assez riches pour pousser plus haut cette enchère. Notre pauvre pêcheur ne savait pas s'il devait se fâcher d'une mystification ou se livrer à la joie, nous le tirâmes de peine en lui donnant le nom de notre hôtesse et lui recommandant de porter chez elle le homard et l'araignée.

— Gagnez-vous votre vie? lui demandai-je pour savoir à quelle cause devait être attribué son dénûment.

— Avec bien de la peine et en souffrant bien des misères, me dit-il. La pêche au bord de la mer, quand on n'a ni barque ni filets et qu'on ne peut la faire qu'aux engins ou à la ligne, est un chanceux métier. Voyez-vous, il faut y attendre le poisson ou le coquillage, tandis que les grands pêcheurs vont le chercher en pleine mer. Il est si difficile de gagner sa vie ainsi, que je suis le seul qui pêche à la côte. Je passe des journées entières sans rien rapporter. Pour attraper quelque chose, il faut qu'une iraigne se soit oubliée à dormir comme celle-ci, ou qu'un homard soit assez étourdi pour rester dans les rochers. Quelquefois il y vient des lubines[8] après la haute mer, alors je les empoigne.

— Enfin, l'un portant l'autre, que gagnez-vous par jour?

— Onze à douze sous. Je m'en tirerais, si j'étais seul, mais j'ai mon père à nourrir, et le bonhomme ne peut pas m'aider, il est aveugle.

A cette phrase, prononcée simplement, nous nous regardâmes, Pauline et moi, sans mot dire.

— Vous avez une femme ou quelque bonne amie?

Il nous jeta l'un des plus déplorables regards que j'aie vus, en répondant: — Si j'avais une femme, il faudrait donc abandonner mon père; je ne pourrais pas le nourrir et nourrir encore une femme et des enfants.

— Hé! bien, mon pauvre garçon, comment ne cherchez-vous pas à gagner davantage en portant du sel sur le port ou en travaillant aux marais salants![9]

— Ha! monsieur, je ne ferais pas ce métier pendant trois mois.
Je ne suis pas assez fort, et si je mourais, mon père serait à la
mendicité. Il me fallait un métier qui ne voulût qu'un peu
d'adresse et beaucoup de patience.

— Et comment deux personnes peuvent-elles vivre avec douze
sous par jour?

— Oh! monsieur, nous mangeons des galettes de sarrasin et
des bernicles[10] que je détache des rochers.

— Quel âge avez-vous donc?

— Trente-sept ans.

— Êtes-vous sorti d'ici?

— Je suis allé une fois à Guérande[11] pour tirer à la milice,[12]
et suis allé à Savenay[13] pour me faire voir à des messieurs qui
m'ont mesuré. Si j'avais eu un pouce de plus, j'étais soldat. Je
serais crevé à la première fatigue, et mon pauvre père demande-
rait aujourd'hui la charité.

J'avais pensé bien des drames; Pauline était habituée à de
grandes émotions, près d'un homme souffrant comme je le suis;
eh! bien, jamais ni l'un ni l'autre nous n'avions entendu de
paroles plus émouvantes que ne l'étaient celles de ce pêcheur. Nous
fîmes quelques pas en silence, mesurant tous deux la profondeur
muette de cette vie inconnue, admirant la noblesse de ce dévouement qui s'ignorait lui-même; la force de cette faiblesse[14] nous
étonna; cette insoucieuse générosité nous rapetissa. Je voyais ce
pauvre être tout instinctif rivé sur ce rocher comme un galérien
l'est à son boulet, y guettant depuis vingt ans des coquillages pour
gagner sa vie, et soutenu dans sa patience par un seul sentiment.
Combien d'heures consumées au coin d'une grève! Combien
d'espérances renversées par un grain, par un changement de
temps! Il restait suspendu au bord d'une table de granit, le bras
tendu comme celui d'un fakir de l'Inde, tandis que son père, assis
sur une escabelle, attendait, dans le silence et dans les ténèbres,
le plus grossier des coquillages, et du pain, si le voulait la mer.

— Buvez-vous quelquefois du vin? lui demandai-je.

—Trois ou quatre fois par an.

— Hé! bien, vous en boirez aujourd'hui, vous et votre père, et nous vous enverrons un pain blanc.

— Vous êtes bien bon, monsieur.

— Nous vous donnerons à dîner si vous voulez nous conduire[15] par le bord de la mer jusqu'à Batz,[16] où nous irons voir la tour qui domine le bassin et les côtes entre Batz et le Croisic.

— Avec plaisir, nous dit-il. Allez droit devant vous, en suivant le chemin dans lequel vous êtes, je vous y retrouverai après m'être débarrassé de mes agrès et de ma pêche.

Nous fîmes un même signe de consentement, et il s'élança joyeusement vers la ville. Cette rencontre nous maintint dans la situation morale où nous étions, mais elle en avait affaibli la gaieté.

— Pauvre homme! me dit Pauline avec cet accent qui ôte à la compassion d'une femme ce que la pitié peut avoir de blessant, n'a-t-on pas honte de se trouver heureux en voyant cette misère?

— Rien n'est plus cruel que d'avoir des désirs impuissants, lui répondis-je. Ces deux pauvres êtres, le père et le fils, ne sauront pas plus combien ont été vives nos sympathies que le monde ne sait combien leur vie est belle, car ils amassent des trésors dans le ciel.

— Le pauvre pays! dit-elle en me montrant le long d'un champ environné d'un mur à pierres sèches, des bouses de vache appliquées symétriquement. J'ai demandé ce que c'était que cela. Une paysanne, occupée à les coller, m'a répondu qu'elle *faisait du bois*. Imaginez-vous, mon ami, que, quand ces bouses sont séchées, ces pauvres gens les récoltent, les entassent et s'en chauffent. Pendant l'hiver, on les vend comme on vend les mottes de tan. Enfin, que crois-tu que gagne la couturière la plus chèrement payée? Cinq sous par jour, dit-elle après une pause; mais on la nourrit.

— Vois, lui dis-je, les vents de mer dessèchent ou renversent tout, il n'y a point d'arbres; les débris des embarcations hors de service se vendent aux riches, car le prix des transports les empêche sans doute de consommer le bois de chauffage dont abonde la Bretagne. Ce pays n'est beau que pour les grandes âmes; les gens sans cœur n'y vivraient pas; il ne peut être habité que par des poètes ou par des bernicles. N'a-t-il pas fallu que l'entrepôt du sel se plaçât sur ce rocher pour qu'il fût habité. D'un côté, la mer; ici, des sables; en haut, l'espace.

Nous avions déjà dépassé la ville, et nous étions dans l'espèce de désert qui sépare le Croisic du bourg de Batz. Figurez-vous, mon cher oncle,[17] une lande de deux lieues remplie par le sable luisant qui se trouve au bord de la mer. Çà et là quelques rochers[18] y levaient leurs têtes, et vous eussiez dit des animaux gigantesques couchés dans les dunes. Le long de la mer apparaissaient quelques récifs autour desquels se jouait l'eau en leur donnant l'apparence de grandes roses blanches flottant sur l'étendue liquide et venant se poser sur le rivage. En voyant cette savane[19] terminée par l'Océan sur la droite, bordée sur la gauche par le grand lac que fait l'irruption de la mer entre le Croisic et les hauteurs sablonneuses de Guérande, au bas desquelles se trouvent des marais salants dénués de végétation, je regardai Pauline en lui demandant si elle se sentait le courage d'affronter les ardeurs du soleil et la force de marcher dans le sable.

— J'ai des brodequins, allons-y, me dit-elle en me montrant la tour de Batz[20] qui arrêtait la vue par une immense construction placée là comme une pyramide, mais une pyramide fuselée, découpée, une pyramide si poétiquement ornée qu'elle permettait à l'imagination d'y voir la première des ruines d'une grande ville asiatique. Nous fîmes quelques pas pour aller nous asseoir sur la portion d'une roche qui se trouvait encore ombrée; mais il était onze heures du matin, et cette ombre, qui cessait à nos pieds, s'effaçait avec rapidité.

— Combien ce silence est beau, me dit-elle, et comme la profondeur en est étendue par le retour égal du frémissement de la mer sur cette plage!

— Si tu veux livrer ton entendement aux trois immensités qui nous entourent, l'eau, l'air et les sables, en écoutant exclusivement le son répété du flux et du reflux, lui répondis-je, tu n'en supporteras pas le langage, tu croiras y découvrir une pensée qui t'accablera. Hier, au coucher du soleil, j'ai eu cette sensation; elle m'a brisé.

— Oh! oui, parlons, dit-elle après une longue pause. Aucun orateur n'est plus terrible. Je crois découvrir les causes des harmonies qui nous environnent, reprit-elle. Ce paysage, qui n'a que trois couleurs tranchées, le jaune brillant des sables, l'azur du ciel et le vert uni de la mer, est grand sans être sauvage; il est immense, sans être désert; il est monotone, sans être fatigant; il n'a que trois éléments, il est varié.

— Les femmes seules savent rendre ainsi leurs impressions, répondis-je, tu serais désespérante pour un poète, chère âme que j'ai si bien devinée!

— L'excessive chaleur de midi jette à ces trois expressions de l'infini une couleur dévorante, reprit Pauline en riant. Je conçois ici les poésies et les passions de l'Orient.

— Et moi, j'y conçois le désespoir.

— Oui, dit-elle, cette dune est un cloître sublime.

Nous entendîmes le pas pressé de notre guide; il s'était endimanché. Nous lui adressâmes quelques paroles insignifiantes; il crut voir que nos dispositions d'âme avaient changé; et avec cette réserve que donne le malheur, il garda le silence. Quoique nous nous pressassions de temps en temps la main pour nous avertir de la mutualité de nos idées et de nos impressions, nous marchâmes pendant une demi-heure en silence, soit que nous fussions accablés par la chaleur qui s'élançait en ondées brillantes du milieu des sables, soit que la difficulté de la marche employât notre attention. Nous allions en nous tenant par la main, comme deux enfants; nous n'eussions pas fait douze pas si nous nous étions donné le bras. Le chemin qui mène au bourg de Batz n'était pas tracé; il suffisait d'un coup de vent pour effacer les marques que laissaient les pieds de chevaux ou les jantes de charrette; mais l'œil exercé de notre guide reconnaissait à quelques fientes de bestiaux, à quelques parcelles de crottin, ce chemin qui tantôt descendait vers la mer, tantôt remontait vers les terres au gré des pentes, ou pour tourner des roches. A midi nous n'étions qu'à mi-chemin.

— Nous nous reposerons là-bas, dis-je en montrant un promontoire composé de rochers assez élevés pour faire supposer que nous y trouverions une grotte.

En m'entendant, le pêcheur, qui avait suivi la direction de mon doigt, hocha la tête, et me dit: — Il y a là quelqu'un. Ceux qui viennent du bourg de Batz au Croisic, ou du Croisic au bourg de Batz, font tous un détour pour n'y point passer.

Les paroles de cet homme furent dites à voix basse, et supposaient un mystère.

— Est-ce donc un voleur, un assassin?

Notre guide ne nous répondit que par une aspiration creusée qui redoubla notre curiosité.

— Mais, si nous y passons, nous arrivera-t-il quelque malheur?

— Oh! non.

— Y passerez-vous avec nous?

— Non, monsieur.

— Nous irons donc, si vous nous assurez qu'il n'y a nul danger pour nous.

— Je ne dis pas cela, répondit vivement le pêcheur. Je dis seulement que celui qui s'y trouve ne vous dira rien et ne vous fera aucun mal. Oh! mon Dieu, il ne bougera seulement pas de sa place.

— Qui est-ce donc?

— Un homme!

Jamais deux syllabes ne furent prononcées d'une façon si tragique. En ce moment nous étions à une vingtaine de pas de ce récif dans lequel se jouait la mer; notre guide prit le chemin qui entourait les rochers; nous continuâmes droit devant nous; mais

Pauline me prit le bras. Notre guide hâta le pas, afin de se trouver en même temps que nous à l'endroit où les deux chemins se rejoignaient. Il supposait sans doute qu'après avoir vu l'homme, nous irions d'un pas pressé. Cette circonstance alluma notre curiosité, qui devint alors si vive, que nos cœurs palpitèrent comme si nous eussions éprouvé un sentiment de peur. Malgré la chaleur du jour et l'espèce de fatigue que nous causait la marche dans les sables, nos âmes étaient encore livrées à la mollesse indicible d'une harmonieuse extase: elles étaient pleines de ce plaisir pur qu'on ne saurait peindre qu'en le comparant à celui qu'on ressent en écoutant quelque délicieuse musique, l'*andiamo mio ben* de Mozart.[21] Deux sentiments purs qui se confondent, ne sont-ils pas comme deux belles voix qui chantent? Pour pouvoir bien apprécier l'émotion qui vint nous saisir, il faut donc partager l'état à demi voluptueux dans lequel nous avaient plongés les événements de cette matinée. Admirez pendant long-temps une tourterelle aux jolies couleurs, posée sur un souple rameau, près d'une source, vous jetterez un cri de douleur en voyant tomber sur elle un émouchet qui lui enfonce ses griffes d'acier jusqu'au cœur et l'emporte avec la rapidité meurtrière que la poudre communique au boulet. Quand nous eûmes fait un pas dans l'espace qui se trouvait devant la grotte, espèce d'esplanade située à cent pieds au-dessus de l'Océan, et défendue contre ses fureurs par une cascade de rochers abruptes, nous éprouvâmes un frémissement électrique[22] assez semblable au sursaut que cause un bruit soudain au milieu d'une nuit silencieuse. Nous avions vu, sur un quartier de granit, un homme assis qui nous avait regardés. Son coup d'œil, semblable à la flamme d'un canon, sortit de deux yeux ensanglantés, et son immobilité stoïque ne pouvait se comparer qu'à l'inaltérable attitude des piles grani-tiques qui l'environnaient. Ses yeux se remuèrent par un mouve-ment lent, son corps demeura fixe, comme s'il eût été pétrifié; puis, après nous avoir jeté ce regard qui nous frappa violemment, il reporta ses yeux sur l'étendue de l'Océan, et la contempla malgré la lumière qui en jaillissait, comme on dit que les aigles contemplent le soleil, sans baisser ses paupières, qu'il ne releva plus. Cherchez à vous rappeler, mon cher oncle, une de ces vieilles truisses de chêne,[23] dont le tronc noueux, ébranché de la veille, s'élève fantastiquement sur un chemin désert, et vous aurez une image vraie de cet homme. C'était des formes herculéennes ruinées, un visage de Jupiter olympien, mais détruit par l'âge, par les rudes travaux de la mer, par le chagrin, par une nourriture grossière, et comme noirci par un éclat de foudre. En voyant ses mains poilues et dures, j'aperçus des nerfs qui ressemblaient à des veines de fer. D'ailleurs, tout en lui dénotait une constitution vigoureuse. Je remarquai dans un coin de la grotte une assez grande quantité de mousse, et sur une grossière tablette taillée par le hasard au milieu du granit, un pain rond cassé qui couvrait une cruche de grès. Jamais mon imagination, quand elle me reportait vers les déserts où vécurent les premiers anachorètes de la chrétienté, ne m'avait dessiné de figure plus grandement religieuse ni plus horriblement repentante que l'était celle de cet homme. Vous qui avez pratiqué le confessionnal, mon cher oncle, vous n'avez jamais peut-être vu un si beau remords, mais ce remords était noyé dans les ondes de la prière, la prière continue d'un muet désespoir. Ce pêcheur, ce marin, ce Breton grossier était sublime par un sentiment inconnu. Mais ces yeux avaient-ils pleuré ? Cette main de statue ébauchée avait-elle frappé ? Ce front rude, empreint de probité farouche, et sur lequel la force avait néanmoins laissé les vestiges de cette douceur qui est l'apanage de toute force vraie, ce front sillonné de rides, était-il en harmonie avec un grand cœur ? Pourquoi cet homme dans le granit ?[24] Pourquoi ce granit dans cet homme ? Où était l'homme, où était le granit ? Il nous tomba tout un monde de pensées dans la tête. Comme l'avait supposé notre guide, nous passâmes en silence, promptement, et il nous revit émus de terreur ou saisis d'étonnement, mais il ne s'arma point contre nous de la réalité de ses prédictions.

— Vous l'avez vu ? dit-il.

— Quel est cet homme ? dis-je.

— On l'appelle l'*Homme-au-vœu.*

Vous figurez-vous bien à ce mot le mouvement par lequel nos deux têtes se tournèrent vers notre pêcheur ! C'était un homme simple ; il comprit notre muette interrogation, et voici ce qu'il nous dit dans son langage, auquel je tâche de conserver son allure populaire.

— Madame, ceux du Croisic comme ceux de Batz croient que cet homme est coupable de quelque chose, et fait une pénitence ordonnée par un fameux recteur auquel il est allé se confesser plus loin que Nantes. D'autres croient que Cambremer, c'est son nom, a une mauvaise chance qu'il communique à qui passe sous son air. Aussi plusieurs, avant de tourner sa roche, regardent-ils d'où vient le vent ! S'il est de galerne, dit-il en nous montrant l'ouest, ils ne continueraient pas leur chemin quand il s'agirait d'aller quérir[25] un morceau de la vraie croix ; ils retournent, ils ont peur. D'autres, les riches du Croisic, disent que Cambremer a fait un vœu, d'où son nom d'Homme-au-vœu. Il est là nuit et jour, sans en sortir. Ces dires ont une apparence de raison. Voyez-vous, dit-il en se retournant pour nous montrer une chose que nous n'avions pas remarquée, il a planté là, à gauche, une croix de bois pour annoncer qu'il s'est mis sous la protection de Dieu, de la sainte Vierge et des saints. Il ne se serait pas sacré comme ça, que la frayeur qu'il donne au monde, fait qu'il est là en sûreté comme s'il était gardé par de la troupe. Il n'a pas dit un mot depuis qu'il s'est enfermé en plein air ; il se nourrit de pain et d'eau que lui apporte tous les matins la fille de son frère, une petite tronquette[26] de douze ans à laquelle il a laissé ses biens, et qu'est[27] une jolie créature, douce comme un agneau, une bien mignonne fille, bien plaisante. Elle vous a, dit-il en montrant son pouce, des yeux bleus[28] *longs comme ça*, sous une chevelure de chérubin. Quand on lui demande : Dis donc, Pérotte ?... (Ça veut dire chez nous Pierrette, fit-il en s'interrompant ; elle est vouée à saint Pierre,

Cambremer s'appelle Pierre, il a été son parrain.) — Dis donc, Pérotte, reprit-il, qué qui te dit ton oncle?[29] — Il ne me dit rin,[30] qu'elle répond,[31] rin du tout, rin. — Eh! ben,[32] qué qu'il te fait? — Il m'embrasse au front le dimanche. — Tu n'en as pas peur? — Ah! ben, qu'a dit,[33] il est mon parrain. Il n'a pas voulu d'autre personne pour lui apporter à manger. Pérotte prétend qu'il sourit quand elle vient, mais autant dire un rayon de soleil dans la brouine,[34] car on dit qu'il est nuageux comme un brouillard.

— Mais, lui dis-je, vous excitez notre curiosité sans la satisfaire. Savez-vous ce qui l'a conduit là? Est-ce le chagrin, est-ce le repentir, est-ce une manie, est-ce un crime, est-ce...

— Eh! monsieur, il n'y a guère que mon père et moi qui sachions la vérité de la chose. Défunt ma mère servait un homme de justice à qui Cambremer a tout dit par ordre du prêtre qui ne lui a donné l'absolution qu'à cette condition-là, à entendre les gens du port. Ma pauvre mère a entendu Cambremer sans le vouloir, parce que la cuisine du justicier était à côté de sa salle, elle a écouté! Elle est morte; le juge qu'a écouté est défunt aussi. Ma mère nous a fait promettre, à mon père et à moi, de n'en rin afférer[35] aux gens du pays, mais je puis vous dire à vous que le soir où ma mère nous a raconté ça les cheveux me grésillaient dans la tête.

— Hé! bien, dis-nous ça, mon garçon, nous n'en parlerons à personne.

Le pêcheur nous regarda, et continua ainsi: — Pierre Cambremer, que vous avez vu là, est l'aîné des Cambremer, qui de père en fils sont marins; leur nom le dit, la mer a toujours plié sous eux. Celui que vous avez vu s'était fait pêcheur à bateaux. Il avait donc des barques, allait pêcher la sardine, il pêchait aussi le haut poisson, pour les marchands. Il aurait armé un bâtiment et pêché la morue, s'il n'avait pas tant aimé sa femme, qui était une belle femme, une Brouin de Guérande, une fille superbe, et qui avait bon cœur. Elle aimait tant Cambremer, qu'elle n'a jamais voulu que son homme la quittât plus du temps[36] nécessaire à la

pêche aux sardines. Ils demeuraient là-bas, tenez! dit le pêcheur
en montant sur une éminence pour nous montrer un îlot dans
la petite méditerranée[37] qui se trouve entre les dunes où nous
marchions et les marais salants de Guérande, voyez-vous cette
maison? Elle était à lui. Jacquette Brouin et Cambremer n'ont eu
qu'un enfant, un garçon qu'ils ont aimé… comme quoi dirai-je?
dam! comme on aime un enfant unique; ils en étaient fous. Leur
petit Jacques aurait fait, sous votre respect, dans la marmite
qu'ils auraient trouvé que c'était du sucre. Combien donc que
nous les avons vus de fois, à la foire, achetant les plus belles
berloques[38] pour lui! C'était de la déraison, tout le monde le leur
disait. Le petit Cambremer, voyant que tout lui était permis, est
devenu méchant comme un âne rouge. Quand on venait dire au
père Cambremer: —« Votre fils a manqué tuer le petit un tel! »
il riait et disait: —« Bah! ce sera un fier marin! il commandera les
flottes du roi.» Un autre: —« Pierre Cambremer, savez-vous que
votre gars a crevé l'œil de la petite Pougaud? — Il aimera les
filles », disait Pierre. Il trouvait tout bon. Alors mon petit mâtin,
à dix ans, battait tout le monde et s'amusait à couper le cou aux
poules, il éventrait les cochons, enfin il se roulait dans le sang
comme une fouine. —« Ce sera un fameux soldat! disait Cambremer, il a goût au sang. » Voyez-vous, moi, je me suis souvenu
de tout ça, dit le pêcheur. Et Cambremer aussi, ajouta-t-il après
une pause. A quinze ou seize ans, Jacques Cambremer était…
quoi? un requin. Il allait s'amuser à Guérande, ou faire le joli
cœur à Savenay. Fallait des espèces. Alors il se mit à voler sa
mère, qui n'osait en rien dire à son mari. Cambremer était un
homme probe à faire vingt lieues pour rendre à quelqu'un deux
sous qu'on lui aurait donnés de trop dans un compte. Enfin, un
jour, la mère fut dépouillée de tout. Pendant une pêche de son
père, le fils emporta le buffet, la mette,[39] les draps, le linge, ne
laissa que les quatre murs, il avait tout vendu pour aller faire ses
frigousses[40] à Nantes. La pauvre femme en a pleuré pendant des
jours et des nuits. Fallait dire ça au père à son retour, elle craignait

le père, pas pour elle, allez! Quand Pierre Cambremer revint,
qu'il vit sa maison garnie des meubles que l'on avait prêtés à sa
femme, il dit: Qu'est-ce que c'est que ça? La pauvre femme était
plus morte que vive, elle dit: — Nous avons été volés. — Où
donc est Jacques? — Jacques, il est en riolle![41] Personne ne
savait où le drôle était allé. — Il s'amuse trop! dit Pierre. Six mois
après, le pauvre père sut que son fils allait être pris par la justice
à Nantes. Il fait la route à pied, y va plus vite que par mer, met la
main sur son fils et l'amène ici. Il ne lui demanda pas: — Qu'as-tu
fait? Il lui dit: Si tu ne te tiens pas sage deux ans ici avec ta mère
et avec moi, allant à la pêche et te conduisant comme un honnête
homme, tu auras affaire à moi. L'enragé, comptant sur la bêtise
de ses père et mère, lui a fait la grimace. Pierre, là-dessus, lui
flanque une mornifle[42] qui vous a mis Jacques au lit pour six
mois. La pauvre mère se mourait de chagrin. Un soir, elle dormait paisiblement à côté de son mari, elle entend du bruit, se lève,
elle reçoit un coup de couteau dans le bras. Elle crie, on cherche
de la lumière. Pierre Cambremer voit sa femme blessée; il croit
que c'est un voleur, comme s'il y en avait dans notre pays, où
l'on peut porter sans crainte dix mille francs en or, du Croisic à
Saint-Nazaire, sans avoir à s'entendre demander ce qu'on a sous
le bras. Pierre cherche Jacques, il ne trouve point son fils. Le
matin ce monstre-là n'a-t-il pas eu le front de revenir en disant
qu'il était allé à Batz. Faut vous dire que sa mère ne savait où
cacher son argent. Cambremer, lui, mettait le sien chez monsieur
Dupotet du Croisic. Les folies de leur fils leur avaient mangé des
cent écus, des cent francs, des louis d'or, ils étaient quasiment
ruinés, et c'était dur pour des gens qui avaient aux environs de
douze mille livres, compris leur îlot. Personne ne sait ce que
Cambremer a donné à Nantes pour ravoir son fils. Le guignon
ravageait la famille. Il était arrivé des malheurs au frère de Cambremer, qui avait besoin de secours. Pierre lui disait pour le consoler que Jacques et Pérotte (la fille au cadet Cambremer) se
marieraient. Puis, pour lui faire gagner son pain, il l'employait

à la pêche; car Joseph Cambremer en était réduit à vivre de son travail. Sa femme avait péri de la fièvre, il fallait payer les mois de nourrice de Pérotte.[43] La femme de Pierre Cambremer devait une somme de cent francs à diverses personnes pour cette petite, du linge, des hardes, et deux ou trois mois à la grande Frelu qu'avait un enfant de Simon Gaudry et qui nourrissait Pérotte. La Cambremer avait cousu une pièce d'Espagne dans la laine de son matelas, en mettant dessus: *A Pérotte*. Elle avait reçu beaucoup d'éducation, elle écrivait comme un greffier, et avait appris à lire à son fils, c'est ce qui l'a perdu. Personne n'a su comment ça s'est fait, mais ce gredin de Jacques avait flairé l'or, l'avait pris et était allé riboter[44] au Croisic. Le bonhomme Cambremer, par un fait exprès, revenait avec sa barque chez lui. En abordant il voit flotter un bout de papier, le prend, l'apporte à sa femme qui tombe à la renverse en reconnaissant ses propres paroles écrites. Cambremer ne dit rien, va au Croisic, apprend là que son fils est au billard; pour lors,[45] il fait demander la bonne femme qui tient le café, et lui dit: — J'avais dit à Jacques de ne pas se servir d'une pièce d'or avec quoi il vous paiera; rendez-la moi, j'attendrai sur la porte, et vous donnerai de l'argent blanc pour.[46] La bonne femme lui apporta la pièce. Cambremer la prend en disant: — Bon! et revient chez lui. Toute la ville a su cela. Mais voilà ce que je sais et ce dont les autres ne font que de se douter en gros. Il dit à sa femme d'approprier[47] leur chambre, qu'est par bas;[48] il fait du feu dans la cheminée, allume deux chandelles, place deux chaises d'un côté de l'âtre, et met de l'autre côté un escabeau. Puis dit à sa femme de lui apprêter ses habits de noces, en lui commandant de pouiller[49] les siens. Il s'habille. Quand il est vêtu, il va chercher son frère, et lui dit de faire le guet devant la maison pour l'avertir s'il entendait du bruit sur les deux grèves, celle-ci et celle des marais de Guérande. Il rentre quand il juge que sa femme est habillée, il charge un fusil et le cache dans le coin de la cheminée. Voilà Jacques qui revient; il revient tard; il avait bu et joué jusqu'à dix heures; il s'était fait passer[50] à la pointe de Carnouf. Son oncle l'entend héler, va le chercher sur la grève des marais, et le passe sans rien dire. Quand il entre, son père lui dit: — Assieds-toi là, en lui montrant l'escabeau. Tu es, dit-il, devant ton père et ta mère que tu as offensés, et qui ont à te juger. Jacques se mit à beugler, parce que la figure de Cambremer était tortillée d'une singulière manière. La mère était roide comme une rame. — Si tu cries, si tu bouges, si tu ne te tiens pas comme un mât sur ton escabeau, dit Pierre en l'ajustant avec son fusil, je te tue comme un chien. Le fils devint muet comme un poisson; la mère n'a rin dit. — Voilà, dit Pierre à son fils, un papier qui enveloppait une pièce d'or espagnole; la pièce d'or était dans le lit de ta mère; ta mère seule savait l'endroit où elle l'avait mise; j'ai trouvé le papier sur l'eau en abordant ici; tu viens de donner ce soir cette pièce d'or espagnole à la mère Fleurant, et ta mère n'a plus vu sa pièce dans son lit. Explique-toi. Jacques dit qu'il n'avait pas pris la pièce de sa mère, et que cette pièce lui était restée de Nantes. — Tant mieux, dit Pierre. Comment peux-tu nous prouver cela? — Je l'avais. — Tu n'as pas pris celle de ta mère? — Non. — Peux-tu le jurer sur ta vie éternelle? Il allait le jurer; sa mère leva les yeux sur lui et lui dit: — Jacques, mon enfant, prends garde, ne jure pas si ça n'est pas vrai; tu peux t'amender, te repentir; il est temps encore. Et elle pleura. — Vous êtes une ci et une ça, lui dit-il, qu'avez toujours voulu ma perte. Cambremer pâlit et dit: — Ce que tu viens de dire à ta mère grossira ton compte. Allons au fait. Jures-tu? — Oui. — Tiens, dit-il, y avait-il sur ta pièce cette croix que le marchand de sardines qui me l'a donnée avait faite sur la nôtre? Jacques se dégrisa et pleura. — Assez causé, dit Pierre. Je ne te parle pas de ce que tu as fait avant cela, je ne veux pas qu'un Cambremer soit fait mourir sur la place du Croisic. Fais tes prières, et dépêchons-nous! Il va venir un prêtre pour te confesser. La mère était sortie, pour ne pas entendre condamner son fils. Quand elle fut dehors, Cambremer l'oncle vint avec le recteur de Piriac,[51] auquel Jacques ne voulut rien dire. Il était malin, il connaissait assez son père pour savoir qu'il ne le tuerait pas sans

confession. — Merci, excusez-nous, monsieur, dit Cambremer au
prêtre, quand il vit l'obstination de Jacques. Je voulais donner une
leçon à mon fils et vous prier de n'en rien dire. — Toi, dit-il à
Jacques, si tu ne t'amendes pas, la première fois ce sera pour de
bon, et j'en finirai sans confession. Il l'envoya se coucher.
L'enfant crut cela et s'imagina qu'il pourrait se remettre avec son
père. Il dormit. Le père veilla. Quand il vit son fils au fin fond
de son sommeil, il lui couvrit la bouche avec du chanvre, la lui
banda avec un chiffon de voile bien serré; puis il lui lia les mains
et les pieds. Il rageait, il pleurait du sang, disait Cambremer au
justicier. Que voulez-vous! La mère se jeta aux pieds du père.
— Il est jugé, qu'il dit, tu vas m'aider à le mettre dans la barque.
Elle s'y refusa. Cambremer l'y mit tout seul, l'y assujettit au fond,
lui mit une pierre au cou, sortit du bassin, gagna la mer, et vint
à la hauteur de la roche où il est. Pour lors, la pauvre mère, qui
s'était fait passer ici par son beau-frère, eut beau crier *grâce!* ça
servit comme une pierre à un loup. Il y avait de la lune, elle a vu
le père jetant à la mer son fils qui lui tenait encore aux entrailles,
et comme il n'y avait pas d'air, elle a entendu blouf! puis rin, ni
trace, ni bouillon; la mer est d'une fameuse garde, allez! En
abordant là pour faire taire sa femme qui gémissait, Cambremer
la trouva quasi morte, il fut impossible aux deux frères de la
porter, il a fallu la mettre dans la barque qui venait de servir au
fils, et ils l'ont ramenée chèz elle en faisant le tour par la passe du
Croisic. Ah! ben, la belle Brouin, comme on l'appelait, n'a pas
duré huit jours; elle est morte en demandant à son mari de brûler
la damnée barque. Oh! il l'a fait. Lui il est devenu tout chose, il
savait plus ce qu'il voulait; il fringalait[52] en marchant comme un
homme qui ne peut pas porter le vin. Puis il a fait un voyage de
dix jours, et est revenu se mettre où vous l'avez vu, et, depuis
qu'il y est, il n'a pas dit une parole.

Le pêcheur ne mit qu'un moment à nous raconter cette histoire
et nous la dit plus simplement encore que je ne l'écris. Le gens du
peuple font peu de réflexions en contant, ils accusent le fait qui

les a frappés, et le traduisent comme ils le sentent. Ce récit fut aussi aigrement incisif que l'est un coup de hache.

— Je n'irai pas à Batz, dit Pauline en arrivant au contour supérieur du lac. Nous revînmes au Croisic par les marais salants, dans le dédale desquels nous conduisit le pêcheur, devenu comme nous silencieux. La disposition de nos âmes était changée. Nous étions tous deux plongés en de funestes réflexions, attristés par ce drame qui expliquait le rapide pressentiment que nous en avions eu à l'aspect de Cambremer. Nous avions l'un et l'autre assez de connaissance du monde pour deviner de cette triple vie tout ce que nous en avait tu notre guide. Les malheurs de ces trois êtres se reproduisaient devant nous comme si nous les avions vus dans les tableaux d'un drame que ce père couronnait en expiant son crime nécessaire. Nous n'osions regarder la roche où était l'homme fatal qui faisait peur à toute une contrée. Quelques nuages embrumaient le ciel; des vapeurs s'élevaient à l'horizon, nous marchions au milieu de la nature la plus âcrement sombre que j'aie jamais rencontrée. Nous foulions une nature qui semblait souffrante, maladive; des marais salants, qu'on peut à bon droit nommer les écrouelles de la terre. Là, le sol est divisé en carrés inégaux de forme, tous encaissés par d'énormes talus de terre grise, tous pleins d'une eau saumâtre, à la surface de laquelle arrive le sel. Ces ravins faits à main d'hommes sont intérieurement partagés en plates-bandes, le long desquelles marchent des ouvriers armés de longs râteaux, à l'aide desquels ils écrèment cette saumure, et amènent sur des plates-formes rondes pratiquées de distance en distance ce sel quand il est bon à mettre en mulons.[53] Nous côtoyâmes pendant deux heures ce triste damier, où le sel étouffe par son abondance la végétation, et où nous n'apercevions de loin en loin que quelques *paludiers*, nom donné à ceux qui cultivent le sel. Ces hommes, ou plutôt ce clan de Bretons porte un costume spécial, une jaquette blanche assez semblable à celle des brasseurs. Ils se marient entre eux. Il n'y a pas d'exemple qu'une fille de cette tribu ait épousé un autre homme qu'un paludier. L'horrible aspect de ces marécages, dont la boue était symétriquement ratissée, et de cette terre grise dont a horreur la Flore bretonne, s'harmoniait avec le deuil de notre âme. Quand nous arrivâmes à l'endroit où l'on passe le bras de mer formé par l'irruption des eaux dans ce fond, et qui sert sans doute à alimenter les marais salants, nous aperçûmes avec plaisir les maigres végétations qui garnissent les sables de la plage. Dans la traversée, nous aperçûmes au milieu du lac l'île où demeurent les Cambremer; nous détournâmes la tête.

En arrivant à notre hôtel, nous remarquâmes un billard dans une salle basse, et quand nous apprîmes que c'était le seul billard public qu'il y eût au Croisic, nous fîmes nos apprêts de départ pendant la nuit; le lendemain nous étions à Guérande. Pauline était encore triste, et moi je ressentais déjà les approches de cette flamme qui me brûle le cerveau. J'étais si cruellement tourmenté par les visions que j'avais de ces trois existences, qu'elle me dit:
— Louis, écris cela, tu donneras le change à la nature de cette fièvre.

Je vous ai donc écrit cette aventure, mon cher oncle; mais elle m'a déjà fait perdre le calme que je devais à mes bains[54] et à notre séjour ici.

Paris, 20 novembre 1834.

LA MESSE DE L'ATHÉE

UN médecin à qui la science doit une belle théorie physiologique, et qui, jeune encore, s'est placé parmi les célébrités de l'École de Paris, centre de lumières auquel les médecins de l'Europe rendent tous hommage, le docteur Bianchon a longtemps pratiqué la chirurgie avant de se livrer à la médecine. Ses premières études furent dirigées par un des plus grands chirurgiens français, par l'illustre Desplein, qui passa comme un météore dans la science. De l'aveu de ses ennemis, il enterra dans la tombe une méthode intransmissible.[1] Comme tous les gens de génie, il était sans héritiers: il portait et emportait tout avec lui. La gloire des chirurgiens ressemble à celle des acteurs, qui n'existent que de leur vivant et dont le talent n'est plus appréciable dès qu'ils ont disparu. Les acteurs et les chirurgiens, comme aussi les grands chanteurs, comme les virtuoses qui décuplent par leur exécution la puissance de la musique, sont tous les héros du moment. Desplein offre la preuve de cette similitude entre la destinée de ces génies transitoires. Son nom, si célèbre hier, aujourd'hui presque oublié, restera dans sa spécialité sans en franchir les bornes.[2] Mais ne faut-il pas des circonstances inouïes pour que le nom d'un savant passe du domaine de la Science dans l'histoire générale de l'humanité? Desplein avait-il cette universalité de connaissances qui fait d'un homme le *verbe* ou la *figure* d'un siècle? Desplein possédait un divin coup d'œil: il pénétrait le malade et sa maladie par une intuition acquise ou naturelle[3] qui lui permettait d'embrasser les diagnostics particuliers à l'individu, de déterminer le moment précis, l'heure, la minute à laquelle il fallait opérer, en faisant la part aux circonstances atmosphériques et aux particularités du tempérament. Pour marcher ainsi de conserve avec la Nature, avait-il donc étudié l'incessante jonction des êtres et des substances élémentaires contenues dans l'atmosphère ou que fournit la terre à l'homme qui les absorbe et les prépare pour en tirer une expression particulière ? Procédait-il par cette puissance de déduction et d'analogie à laquelle est dû le génie de Cuvier ?[4] Quoi qu'il en soit, cet homme s'était fait le confident de la Chair, il la saisissait dans le passé comme dans l'avenir, en s'appuyant sur le présent. Mais a-t-il résumé[5] toute la science en sa personne comme ont fait Hippocrate, Galien, Aristote ?[6] A-t-il conduit toute une école vers des mondes nouveaux ? Non. S'il est impossible de refuser à ce perpétuel observateur de la chimie humaine, l'antique science du Magisme, c'est-à-dire la connaissance des principes en fusion, les causes de la vie, la vie avant la vie, ce qu'elle sera par ses préparations avant d'être, malheureusement tout en lui fut personnel : isolé dans sa vie par l'égoïsme,[7] l'égoïsme suicide aujourd'hui sa gloire. Sa tombe n'est pas surmontée de la statue sonore qui redit à l'avenir les mystères que le Génie cherche à ses dépens. Mais peut-être le talent de Desplein était-il solidaire de ses croyances, et conséquemment mortel. Pour lui, l'atmosphère terrestre était un sac générateur : il voyait la terre comme un œuf dans sa coque, et ne pouvant savoir qui de l'œuf, qui de la poule, avait commencé, il n'admettait ni le coq ni l'œuf. Il ne croyait ni en l'animal antérieur, ni en l'esprit postérieur à l'homme. Desplein n'était pas dans le doute, il affirmait. Son athéisme pur et franc[8] ressemblait à celui de beaucoup de savants, les meilleurs gens du monde, mais invinciblement athées, athées comme les gens religieux n'admettent pas qu'il puisse y avoir d'athées. Cette opinion ne devait pas être autrement chez un homme habitué depuis son jeune âge à disséquer l'être par excellence, avant, pendant et après la vie, à le fouiller dans tous ses appareils sans y trouver cette âme unique, si nécessaire aux théories religieuses. En y reconnaissant[9] un centre cérébral, un centre nerveux et un centre aérosanguin, dont les premiers se suppléent si bien l'un l'autre, qu'il eut dans les derniers jours de sa vie la conviction que le sens de l'ouïe n'était pas absolument nécessaire pour entendre, ni le sens de la vue absolument nécessaire pour voir, et que le plexus solaire les remplaçait sans que l'on en pût douter; Desplein, en trouvant deux âmes dans l'homme, corrobora son athéisme de ce fait, quoiqu'il ne préjuge encore rien sur Dieu. Cet homme mourut, dit-on, dans l'impénitence finale[10] où meurent malheureusement beaucoup de beaux génies, à qui Dieu puisse pardonner.[11]

La vie de cet homme si grand offrait beaucoup de petitesses, pour employer l'expression dont se servaient ses ennemis, jaloux de diminuer sa gloire, mais qu'il serait plus convenable de nommer des contre-sens apparents. N'ayant jamais connaissance des déterminations par lesquelles agissent les esprits supérieurs, les envieux ou les naïfs s'arment aussitôt de quelques contradictions superficielles pour dresser un acte d'accusation sur lequel ils les font momentanément juger. Si, plus tard, le succès couronne les combinaisons attaquées, en montrant la corrélation des préparatifs et des résultats, il subsiste toujours un peu des calomnies d'avant-garde. Ainsi, de nos jours, Napoléon fut condamné par nos contemporains, lorsqu'il déployait les ailes de son aigle sur l'Angleterre: il fallut 1822[12] pour expliquer 1804 et les bateaux plats de Boulogne.

Chez Desplein, la gloire et la science étant inattaquables, ses ennemis s'en prenaient à son humeur bizarre, à son caractère; tandis qu'il possédait tout bonnement cette qualité que les Anglais nomment *excentricity*. Tantôt superbement vêtu comme Crébillon le tragique,[13] tantôt il affectait une singulière indifférence[14] en fait de vêtement; on le voyait tantôt en voiture, tantôt à pied. Tour à tour brusque et bon,[15] en apparence âpre et avare,[16] mais capable d'offrir sa fortune à ses maîtres exilés[17] qui lui firent l'honneur de l'accepter pendant quelques jours, aucun homme n'a inspiré plus de jugements contradictoires. Quoique capable, pour avoir un cordon noir[18] que les médecins n'auraient pas dû briguer, de laisser tomber à la cour un livre d'heures de sa poche,[19] croyez qu'il se moquait en lui-même de tout; il avait un profond mépris pour les hommes, après les avoir observés d'en haut et d'en bas, après les avoir surpris dans leur véritable expression, au milieu des actes de l'existence les plus solennels et les plus mesquins. Chez un grand homme, les qualités sont souvent solidaires. Si, parmi ces colosses, l'un d'eux a plus de talent que d'esprit, son esprit est encore plus étendu que celui de qui l'on dit simplement: Il a de l'esprit. Tout génie suppose une vue morale.[20] Cette vue peut s'appliquer à quelque spécialité; mais qui voit la fleur, doit voir le soleil. Celui qui entendit un diplomate, sauvé par lui, demandant: « Comment va l'Empereur? » et qui répondit: « Le courtisan revient, l'homme suivra! » celui-là n'est pas seulement chirurgien ou médecin, il est aussi prodigieusement spirituel. Ainsi, l'observateur patient et assidu de l'humanité légitimera les prétentions exorbitantes de Desplein et le croira, comme il se croyait lui-même, propre à faire un ministre[21] tout aussi grand qu'était le chirurgien.

Parmi les énigmes que présente aux yeux de plusieurs contemporains la vie de Desplein, nous avons choisi l'une des plus intéressantes, parce que le mot s'en trouvera dans la conclusion du récit, et le vengera de quelques sottes accusations.

De tous les élèves que Desplein eut à son hôpital, Horace Bianchon fut l'un de ceux auxquels il s'attacha le plus vivement. Avant d'être interne à l'Hôtel-Dieu,[22] Horace Bianchon était un étudiant en médecine, logé dans une misérable pension du quartier latin, connue sous le nom de la Maison Vauquer.[23] Ce pauvre jeune homme y sentait les atteintes de cette ardente misère, espèce de creuset d'où les grands talents doivent sortir purs et incorruptibles comme des diamants qui peuvent être soumis à tous les chocs sans se briser. Au feu violent de leurs passions déchaînées, ils acquièrent la probité la plus inaltérable, et contractent l'habitude des luttes qui attendent le génie, par le travail constant dans lequel ils ont cerclé leurs appétits trompés. Horace était un jeune homme droit, incapable de tergiverser dans les questions d'honneur, allant sans phrase au fait, prêt pour ses amis à mettre en gage son manteau, comme à leur donner son temps et ses veilles. Horace était enfin un de ces amis qui ne s'inquiètent pas de ce qu'ils reçoivent en échange de ce qu'ils donnent, certains de recevoir à leur tour plus qu'ils ne donneront. La plupart de ses amis avaient pour lui ce respect intérieur qu'inspire une vertu sans emphase, et plusieurs d'entre eux redoutaient sa censure. Mais ces qualités, Horace les déployait sans pédantisme. Ni puritain ni sermonneur, il jurait de bonne grâce en donnant un conseil, et faisait volontiers un *tronçon de chière lie*[24] quand l'occasion s'en présentait. Bon compagnon, pas plus prude que ne l'est un cuirassier, rond et franc, non pas comme un marin, car le marin d'aujourd'hui est un rusé diplomate, mais comme un brave jeune homme qui n'a rien à déguiser dans sa vie, il marchait la tête haute et la pensée rieuse. Enfin, pour tout exprimer par un mot, Horace était le Pylade de plus d'un Oreste,[25] les créanciers étant pris aujourd'hui comme la figure la plus réelle des Furies antiques. Il portait sa misère avec cette gaieté qui peut-être est un des plus grands éléments du courage, et comme tous ceux qui n'ont rien, il contractait peu de dettes. Sobre comme un chameau, alerte comme un cerf, il était ferme dans ses idées et dans sa conduite. La vie heureuse de Bianchon commença du jour où l'illustre chirurgien acquit la preuve des qualités et des défauts qui, les uns aussi bien que les autres, rendent doublement précieux à ses amis le docteur Horace Bianchon. Quand un chef de clinique[26] prend dans son giron un jeune homme, ce jeune homme a, comme on dit, le pied dans l'étrier. Desplein ne manquait pas d'emmener Bianchon pour se faire assister par lui dans les maisons opulentes où presque toujours quelque gratification tombait dans l'escarcelle de l'interne, et où se révélaient insensiblement au provincial les mystères de la vie parisienne; il le gardait dans son cabinet lors de ses consultations, et l'y employait; parfois, il l'envoyait accompagner un riche malade aux Eaux; enfin il lui préparait une clientèle. Il résulte de ceci qu'au bout d'un certain temps, le tyran de la chirurgie eut un Séide.[27] Ces deux hommes, l'un au faîte des honneurs et de sa science, jouissant d'une immense fortune et d'une immense gloire; l'autre, modeste Oméga, n'ayant ni fortune ni gloire, devinrent intimes. Le grand Desplein disait tout à son interne; l'interne savait si telle femme[28] s'était assise sur une chaise auprès du maître, ou sur le fameux canapé qui se trouvait dans le cabinet et sur lequel Desplein dormait: Bianchon connaissait les mystères de ce tempérament de lion et de taureau, qui finit par élargir, amplifier outre mesure le buste du grand homme, et causa sa mort par le développement du cœur.[29] Il étudia les bizarreries de cette vie si occupée, les projets de cette avarice si sordide, les espérances de l'homme politique caché dans le savant; il put prévoir les déceptions qui attendaient le seul sentiment enfoui dans ce cœur moins de bronze que bronzé.

Un jour, Bianchon dit à Desplein qu'un pauvre porteur d'eau du quartier Saint-Jacques avait une horrible maladie causée par les fatigues et la misère; ce pauvre Auvergnat n'avait mangé que des pommes de terre dans le grand hiver de 1821. Desplein laissa tous ses malades. Au risque de crever son cheval, il vola, suivi de Bianchon, chez le pauvre homme et le fit transporter lui-même dans la maison de santé établie par le célèbre Dubois[30] dans le faubourg Saint-Denis. Il alla soigner cet homme, auquel il donna, quand il l'eut rétabli, la somme nécessaire pour acheter un cheval et un tonneau. Cet Auvergnat se distingua par un trait original. Un de ses amis tombe malade, il l'emmène promptement chez Desplein, en disant à son bienfaiteur: « Je n'aurais pas souffert qu'il allât chez un autre. » Tout bourru qu'il était, Desplein serra la main du porteur d'eau, et lui dit: « Amène-les-moi tous. »[31] Et il fit entrer l'enfant du Cantal[32] à l'Hôtel-Dieu, où il eut de lui le plus grand soin. Bianchon avait déjà plusieurs fois remarqué chez son chef une prédilection pour les Auvergnats et surtout pour les porteurs d'eau; mais, comme Desplein mettait une sorte d'orgueil à ses traitements de l'Hôtel-Dieu, l'élève n'y voyait rien de trop étrange.

Un jour, en traversant la place Saint-Sulpice, Bianchon aperçut son maître entrant dans l'église[33] vers neuf heures du matin.

Desplein, qui ne faisait jamais alors un pas sans son cabriolet, était à pied, et se coulait par la porte de la rue du Petit-Lion,[34] comme s'il fût entré dans une maison suspecte. Naturellement pris de curiosité, l'interne qui connaissait les opinions de son maître, et qui était *Cabaniste*[35] en dyable par un y grec (ce qui semble dans Rabelais une supériorité de diablerie), Bianchon se glissa dans Saint-Sulpice, et ne fut pas médiocrement étonné de voir le grand Desplein, cet athée sans pitié pour les anges qui n'offrent point prise aux bistouris, et ne peuvent avoir ni fistules ni gastrites, enfin, cet intrépide *dériseur*, humblement agenouillé, et où ? ... à la chapelle de la Vierge devant laquelle il écouta une messe, donna pour les frais du culte, donna pour les pauvres, en restant sérieux comme s'il se fût agi d'une opération.

— Il ne venait, certes, pas éclaircir des questions relatives à l'accouchement de la Vierge, disait Bianchon dont l'étonnement fut sans bornes. Si je l'avais vu tenant, à la Fête-Dieu, un des cordons du dais, il n'y aurait eu qu'à rire ; mais à cette heure, seul, sans témoins, il y a, certes, de quoi faire penser !

Bianchon ne voulut pas avoir l'air d'espionner le premier chirurgien de l'Hôtel-Dieu, il s'en alla. Par hasard, Desplein l'invita ce jour-là même à dîner avec lui, hors de chez lui, chez un restaurateur.

Entre la poire et le fromage Bianchon arriva, par d'habiles préparations, à parler de la messe, en la qualifiant de momerie et de farce.

— Une farce, dit Desplein, qui a coûté plus de sang à la chrétienté que toutes les batailles de Napoléon et que toutes les sangsues de Broussais![36] La messe est une invention papale qui ne remonte pas plus haut que le VIe siècle, et que l'on a basée sur *Hoc est corpus*.[37] Combien de torrents de sang n'a-t-il pas fallu verser pour établir la Fête-Dieu par l'institution de laquelle la cour de Rome a voulu constater sa victoire dans l'affaire de la Présence Réelle, schisme qui pendant trois siècles a troublé l'Église ! Les guerres du comte de Toulouse et les Albigeois[38] sont la queue de cette affaire. Les Vaudois[39] et les Albigeois se refu-saient à reconnaître cette innovation.

Enfin Desplein prit plaisir à se livrer à toute sa verve d'athée, et ce fut un flux de plaisanteries voltairiennes, ou, pour être plus exact, une détestable contrefaçon du *Citateur*.[40]

— Ouais! se dit Bianchon en lui-même, où est mon dévot de ce matin?

Il garda le silence, il douta d'avoir vu son chef à Saint-Sulpice. Desplein n'eût pas pris la peine de mentir à Bianchon: ils se con-naissaient trop bien tous deux, ils avaient déjà, sur des points tout aussi graves, échangé des pensées, discuté des systèmes *de natura rerum*[41] en les sondant ou les disséquant avec les couteaux et le scalpel de l'Incrédulité. Trois mois se passèrent. Bianchon ne donna point de suite à ce fait, quoiqu'il restât gravé dans sa mémoire. Dans cette année, un jour, l'un des médecins de l'Hôtel-Dieu prit Desplein par le bras devant Bianchon, comme pour l'interroger.

— Qu'alliez-vous donc faire à Saint-Sulpice, mon cher maître? lui dit-il.

—Y voir un prêtre qui a une carie au genou, et que madame la duchesse d'Angoulême[42] m'a fait l'honneur de me recom-mander, dit Desplein.

Le médecin se paya de cette défaite, mais non Bianchon.

— Ah! il va voir des genoux malades dans l'église! Il allait entendre sa messe, se dit l'interne.

Bianchon se promit de guetter Desplein; il se rappela le jour, l'heure auxquels il l'avait surpris entrant à Saint-Sulpice, et se promit d'y venir l'année suivante au même jour et à la même heure, afin de savoir s'il l'y surprendrait encore. En ce cas, la périodicité de sa dévotion autoriserait une investigation scienti-fique, car il ne devait pas se rencontrer chez un tel homme une contradiction directe entre la pensée et l'action. L'année suivante, au jour et à l'heure dits, Bianchon, qui déjà n'était plus l'interne de Desplein, vit le cabriolet du chirurgien s'arrêtant au coin de la rue de Tournon et de celle du Petit-Lion, d'où son ami s'en alla jésuitiquement le long des murs à Saint-Sulpice, où il entendit encore sa messe à l'autel de la Vierge. C'était bien Desplein! le chirurgien en chef, l'athée *in petto*, le dévot par hasard. L'intrigue s'embrouillait. La persistance de cet illustre savant compliquait tout. Quand Desplein fut sorti, Bianchon s'approcha du sacristain qui vint desservir la chapelle, et lui demanda si ce monsieur était un habitué.

— Voici vingt ans que je suis ici, dit le sacristain, et depuis ce temps monsieur Desplein vient quatre fois par an entendre cette messe; il l'a fondée.

— Une fondation faite par lui! dit Bianchon en s'éloignant. Ceci vaut le mystère de l'Immaculée Conception,[13] une chose qui, à elle seule, doit rendre un médecin incrédule.

Il se passa quelque temps sans que le docteur Bianchon, quoique ami de Desplein, fût en position de lui parler de cette particularité de sa vie. S'ils se rencontraient en consultation ou dans le monde, il était difficile de trouver ce moment de confiance et de solitude où l'on demeure les pieds sur le chenets, la tête appuyée sur le dos d'un fauteuil, et pendant lequel deux hommes se disent leurs secrets. Enfin, à sept ans de distance, après la révolution de 1830, quand le peuple se ruait sur l'Archevêché,[44] quand les inspirations républicaines le poussaient à détruire les croix dorées qui poindaient,[45] comme des éclairs, dans l'immensité de cet océan de maisons; quand l'Incrédulité, côte à côte avec l'Émeute,[46] se carrait dans les rues, Bianchon surprit Desplein entrant encore dans Saint-Sulpice. Le docteur l'y suivit, se mit près de lui, sans que son ami lui fît le moindre signe ou témoignât la moindre surprise. Tous deux entendirent la messe de fondation.

— Me direz-vous, mon cher, dit Bianchon à Desplein quand ils sortirent de l'église, la raison de votre capucinade? Je vous ai déjà surpris trois fois allant à la messe, vous! Vous me ferez raison de ce mystère, et m'expliquerez ce désaccord flagrant entre vos opinions et votre conduite. Vous ne croyez pas en Dieu, et vous allez à la messe! Mon cher maître, vous êtes tenu de me répondre.

— Je ressemble à beaucoup de dévots, à des hommes profondément religieux en apparence, mais tout aussi athées que nous pouvons l'être, vous et moi.

Et ce fut un torrent d'épigrammes sur quelques personnages politiques, dont le plus connu nous offre en ce siècle une nouvelle édition du Tartufe de Molière.[47]

— Je ne vous demande pas tout cela, dit Bianchon, je veux savoir la raison de ce que vous venez de faire ici, pourquoi vous avez fondé cette messe.

— Ma foi, mon cher ami, dit Desplein, je suis sur le bord de ma tombe, je puis bien vous parler des commencements de ma vie.

En ce moment Bianchon et le grand homme se trouvaient dans la rue des Quatre-Vents, une des plus horribles rues de Paris. Desplein montra le sixième étage d'une de ces maisons qui ressemblent à un obélisque, dont la porte bâtarde donne sur une allée au bout de laquelle est un tortueux escalier éclairé par des jours justement nommées des *jours de souffrance*. C'était une maison verdâtre, au rez-de-chaussée de laquelle habitait un marchand de meubles, et qui paraissait loger à chacun de ses étages une différente misère. En levant le bras par un mouvement plein d'énergie, Desplein dit à Bianchon: — J'ai demeuré là-haut deux ans!

— Je le sais, d'Arthez[48] y a demeuré, j'y suis venu presque tous les jours pendant ma première jeunesse, nous l'appelions alors le *bocal aux grands hommes*! Après?

— La messe que je viens d'entendre est liée à des événements qui se sont accomplis alors que j'habitais la mansarde où vous me dites qu'a demeuré d'Arthez, celle à la fenêtre de laquelle flotte une corde chargée de linge au-dessus d'un pot de fleurs. J'ai eu de si rudes commencements,[49] mon cher Bianchon, que je puis disputer à qui que ce soit la palme des souffrances parisiennes. J'ai tout supporté: faim, soif, manque d'argent, manque d'habits, de chaussure et de linge, tout ce que la misère a de plus dur. J'ai soufflé sur mes doigts engourdis dans ce *bocal aux grands hommes*, que je voudrais aller revoir avec vous. J'ai travaillé pendant un hiver en voyant fumer ma tête, et distinguant l'aire de ma transpiration comme nous voyons celle des chevaux par un jour de gelée. Je ne sais où l'on prend son point d'appui pour résister à cette vie. J'étais seul, sans secours, sans un sou ni pour acheter des livres ni pour payer les frais de mon éducation médicale; sans un ami: mon caractère irascible, ombrageux, inquiet me desservait. Personne ne voulait voir dans mes irritations le malaise et le travail d'un homme qui, du fond de l'état social où il est, s'agite pour arriver à la surface. Mais j'avais, je puis vous le dire, à vous devant qui je n'ai pas besoin de me draper, j'avais ce lit de bons sentiments et de sensibilité vive qui sera toujours l'apanage des hommes assez forts pour grimper sur un sommet quelconque, après avoir piétiné longtemps dans les marécages de la Misère. Je ne pouvais rien tirer de ma famille, ni de mon pays, au delà de l'insuffisante pension qu'on me faisait. Enfin, à cette époque, je mangeais le matin un petit pain que le boulanger de la rue du Petit-Lion me vendait moins cher parce qu'il était de la veille ou de l'avant-veille, et je l'émiettais dans du lait: mon repas du matin ne me coûtait ainsi que deux sous. Je ne dînais que tous les deux jours dans une pension où le dîner coûtait seize sous. Je ne dépensais ainsi que neuf sous par jour.[50] Vous connaissez aussi bien que moi quel soin je pouvais avoir de mes habits et de ma chaussure! Je ne sais pas si plus tard nous éprouvons autant de chagrin par la trahison d'un confrère que nous en avons éprouvé, vous comme moi, en apercevant la rieuse grimace d'un soulier qui se décout, en entendant craquer l'entournure d'une redingote. Je ne buvais que de l'eau, j'avais le plus grand respect pour les Cafés. Zoppi[51] m'apparaissait comme une terre promise où les Lucullus[52] du pays latin avaient seuls droit de présence. — Pourrais-je jamais, me disais-je parfois, y prendre une tasse de café à la crème, y jouer une partie de dominos? Enfin, je reportais dans mes travaux la rage que m'inspirait la misère. Je tâchais d'accaparer des connaissances positives afin d'avoir une immense valeur personnelle, pour mériter la place à laquelle j'arriverais le jour où je serais sorti de mon néant. Je consommais plus d'huile que de pain: la lumière qui m'éclairait pendant ces nuits obstinées me coûtait plus cher que ma nourriture. Ce duel a été long, opiniâtre, sans consolation. Je ne réveillais aucune sympathie autour de moi. Pour avoir des amis, ne faut-il pas se lier avec des jeunes gens, posséder quelques sous afin d'aller gobeloter[53] avec eux, se rendre ensemble partout où vont des étudiants! Je n'avais rien! Et personne à Paris ne se figure que *rien* est *rien*. Quand il s'agissait de découvrir mes misères, j'éprouvais au gosier cette contraction nerveuse qui fait croire à nos malades qu'il leur remonte une boule de l'œsophage dans le larynx. J'ai plus tard rencontré de ces gens, nés riches, qui, n'ayant jamais manqué de rien, ne connaissent pas le problème de cette règle de trois: *Un jeune homme* EST *au crime comme une pièce de cent sous* EST *à X.* Ces imbéciles dorés me disent: « Pourquoi donc faisiez-vous des dettes? pourquoi donc contractiez-vous des obligations onéreuses? » Ils me font l'effet de cette princesse qui, sachant que le peuple crevait de faim, disait: « Pourquoi n'achète-t-il pas de la brioche? »[54] Je voudrais bien voir l'un de ces riches, qui se plaint que je lui prends trop cher quand il faut l'opérer, seul dans Paris, sans sou ni maille, sans un ami, sans crédit, et forcé de travailler de ses cinq doigts pour vivre? Que ferait-il? où irait-il apaiser sa faim? Bianchon, si vous m'avez vu quelquefois amer et dur, je superposais alors mes premières douleurs sur l'insensibilité, sur l'égoïsme desquels j'ai eu des milliers de preuves dans les hautes sphères; ou bien je pensais aux obstacles que la haine, l'envie, la jalousie, la calomnie ont élevés entre le succès et moi. A Paris, quand certaines gens vous voient prêts à mettre le pied à l'étrier, les uns vous tirent par le pan de votre habit, les autres lâchent la boucle de la sous-ventrière pour que vous vous cassiez la tête en tombant; celui-ci vous déferre le cheval, celui-là vous vole le fouet:

le moins traître est celui que vous voyez venir pour vous tirer un
coup de pistolet à bout portant. Vous avez assez de talent, mon
cher enfant, pour connaître bientôt la bataille horrible, incessante
que la médiocrité livre à l'homme supérieur. Si vous perdez vingt-
cinq louis un soir, le lendemain vous serez accusé d'être un joueur,
et vos meilleurs amis diront que vous avez perdu la veille vingt-
cinq mille francs. Ayez mal à la tête, vous passerez pour un fou.
Ayez une vivacité, vous serez insociable. Si, pour résister à ce
bataillon de pygmées, vous rassemblez en vous des forces supérieures, vos meilleurs amis s'écrieront que vous voulez tout
dévorer, que vous avez la prétention de dominer, de tyranniser.
Enfin vos qualités deviendront des défauts, vos défauts deviendront des vices, et vos vertus seront des crimes. Si vous avez
sauvé quelqu'un, vous l'aurez tué; si votre malade reparaît, il sera
constant que vous aurez le présent aux dépens de l'avenir; s'il
n'est pas mort, il mourra. Bronchez, vous serez tombé! Inventez
quoi que ce soit, réclamez vos droits, vous serez un homme
difficultueux, un homme fin, qui ne veut pas laisser arriver les
jeunes gens. Ainsi, mon cher, si je ne crois pas en Dieu, je crois
encore moins à l'homme. Ne connaissez-vous pas en moi un
Desplein entièrement différent du Desplein de qui chacun médit?
Mais ne fouillons pas dans ce tas de boue. Donc, j'habitais cette
maison, j'étais à travailler pour pouvoir passer mon premier
examen, et je n'avais pas un liard. Vous savez! j'étais arrivé à l'une
de ces dernières extrémités où l'on se dit: *Je m'engagerai!*[55] J'avais
un espoir. J'attendais de mon pays une malle pleine de linge, un
présent de ces vieilles tantes qui ne connaissant rien de Paris,
pensent à vos chemises, en s'imaginant qu'avec trente francs par
mois leur neveu mange des ortolans. La malle arriva pendant que
j'étais à l'École: elle avait coûté quarante francs de port; le portier, un cordonnier allemand logé dans une soupente, les avait
payés et gardait la malle. Je me suis promené dans la rue des
Fossés-Saint-Germain-des-Prés et dans la rue de l'École-de-
Médecine, sans pouvoir inventer un stratagème qui me livrât

ma malle sans être obligé de donner les quarante francs que
j'aurais naturellement payés après avoir vendu le linge. Ma
stupidité me fit deviner que je n'avais pas d'autre vocation
que la chirurgie. Mon cher, les âmes délicates, dont la force
s'exerce dans une sphère élevée, manquent de cet esprit d'intrigue, fertile en ressources, en combinaisons; leur génie, à
elles, c'est le hasard; elles ne cherchent pas, elles rencontrent.
Enfin, je revins à la nuit, au moment où rentrait mon voisin,
un porteur d'eau nommé Bourgeat,[56] un homme de Saint-
Flour.[57] Nous nous connaissions comme se connaissent deux
locataires qui ont chacun leur chambre sur le même carré,[58] qui
s'entendent dormant, toussant, s'habillant, et qui finissent par
s'habituer l'un à l'autre. Mon voisin m'apprit que le propriétaire,
auquel je devais trois termes, m'avait mis à la porte: il me faudrait
déguerpir le lendemain. Lui-même était chassé à cause de sa profession. Je passai la nuit la plus douloureuse de ma vie. « Où
prendre un commissionnaire pour emporter mon pauvre ménage,
mes livres? comment payer le commissionnaire et le portier? où
aller? » Ces questions insolubles, je les répétais dans les larmes,
comme les fous redisent leurs refrains. Je dormis. La misère a
pour elle un divin sommeil plein de beaux rêves. Le lendemain
matin, au moment où je mangeais mon écuellée de pain émietté
dans mon lait, Bourgeat entre et me dit en mauvais français:
« Monchieur l'étudiant,[59] che chuis un pauvre homme, enfant
trouvé de l'hospital de Chain-Flour, chans père ni mère, et qui
ne chuis pas assez riche pour me marier. Vous n'êtes pas non plus
fertile en parents, ni garni de che qui che compte? Écoutez, j'ai
en bas une charrette à bras que j'ai louée à deux chous l'heure,
toutes nos affaires peuvent y tenir; si vous voulez, nous cher-
cherons à nous loger de compagnie, puisque nous chommes
chassés d'ici. Che n'est pas après tout le paradis terrestre. — Je le
sais bien, lui dis-je, mon brave Bourgeat. Mais je suis bien embarrassé, j'ai en bas une malle qui contient pour cent écus de linge,
avec lequel je pourrais payer le propriétaire et ce que je dois au

portier, et je n'ai pas cent sous. — Bah! j'ai quelques monnerons,[60] me répondit joyeusement Bourgeat en me montrant une vieille bourse en cuir crasseux. Gardez vostre linge. » Bourgeat paya mes trois termes, le sien, et solda le portier. Puis, il mit nos meubles, mon linge dans sa charrette, et la traîna par les rues en s'arrêtant devant chaque maison où pendait une écriteau. Moi, je montais pour aller voir si le local à louer pouvait nous convenir. A midi nous errions encore dans le quartier latin sans y avoir rien trouvé. Le prix était un grand obstacle. Bourgeat me proposa de déjeuner chez un marchand de vin, à la porte duquel nous laissâmes la charrette. Vers le soir, je découvris dans la cour de Rohan, passage du Commerce, en haut d'une maison, sous les toits, deux chambres séparées par l'escalier. Nous eûmes chacun pour soixante francs de loyer par an. Nous voilà casés, moi et mon humble ami. Nous dînâmes ensemble. Bourgeat, qui gagnait environ cinquante sous par jour, possédait environ cent écus, il allait bientôt pouvoir réaliser son ambition en achetant un tonneau et un cheval. En apprenant ma situation, car il me tira mes secrets avec une profondeur matoise et une bonhomie dont le souvenir me remue encore aujourd'hui le cœur, il renonça pour quelque temps à l'ambition de toute sa vie: Bourgeat était marchand à la voie depuis vingt-deux ans, il sacrifia ses cent écus à mon avenir.

Desplein serra violemment le bras de Bianchon.

— Il me donna l'argent nécessaire à mes examens! Cet homme, mon ami, comprit que j'avais une mission, que les besoins de mon intelligence passaient avant les siens. Il s'occupa de moi, il m'appelait son *petit*, il me prêta l'argent nécessaire à mes achats de livres, il venait quelquefois tout doucement me voir travaillant; enfin il prit des précautions maternelles pour que je substituasse à la nourriture insuffisante et mauvaise à laquelle j'étais condamné, une nourriture saine et abondante. Bourgeat, homme d'environ quarante ans, avait une figure bourgeoise du Moyen-Age, un front bombé, une tête qu'un peintre aurait pu faire poser comme modèle pour un Lycurgue.[61] Le pauvre homme se sentait le cœur gros d'affections à placer; il n'avait jamais été aimé que par un caniche mort depuis peu de temps, et dont il me parlait toujours en me demandant si je croyais que l'Église consentirait à dire des messes pour le repos de son âme. Son chien était, disait-il, un vrai chrétien, qui, durant douze années, l'avait accompagné à l'église sans avoir jamais aboyé, écoutant les orgues sans ouvrir la gueule, et restant accroupi près de lui d'un air qui lui faisait croire qu'il priait avec lui. Cet homme reporta sur moi toutes ses affections: il m'accepta comme un être seul et souffrant; il devint pour moi la mère la plus attentive, le bienfaiteur le plus délicat, enfin l'idéal de cette vertu qui se complaît dans son œuvre. Quand je le rencontrais dans la rue, il me jetait un regard d'intelligence plein d'une inconcevable noblesse: il affectait alors de marcher comme s'il ne portait rien, il paraissait heureux de me voir en bonne santé, bien vêtu. Ce fut enfin le dévouement du peuple, l'amour de la grisette reporté dans une sphère élevée. Bourgeat faisait mes commissions, il m'éveillait la nuit aux heures dites, il nettoyait ma lampe, frottait notre palier; aussi bon domestique que bon père, et propre comme une fille anglaise. Il faisait le ménage. Comme Philopémen,[62] il sciait notre bois, et communiquait à toutes ses actions la simplicité du faire, en y gardant sa dignité, car il semblait comprendre que le but ennoblissait tout. Quand je quittai ce brave homme pour entrer à l'Hôtel-Dieu comme interne, il éprouva je ne sais quelle douleur morne en songeant qu'il ne pourrait plus vivre avec moi; mais il se consola par la perspective d'amasser l'argent nécessaire aux dépenses de ma thèse, et il me fit promettre de le venir voir les jours de sortie. Bourgeat était fier de moi, il m'aimait pour moi et pour lui. Si vous recherchiez ma thèse, vous verriez qu'elle lui a été dédiée. Dans la dernière année de mon internat, j'avais gagné assez d'argent pour rendre tout ce que je devais à ce digne Auvergnat en lui achetant un cheval et un tonneau, il fut outré de colère de savoir que je me privais de mon argent, et néanmoins il était

enchanté de voir ses souhaits réalisés; il riait et me grondait, il
regardait son tonneau, son cheval, et s'essuyait une larme en me
disant: « C'est mal! Ah! le beau tonneau! Vous avez eu tort, le
cheval est fort comme un Auvergnat. » Je n'ai rien vu de plus
touchant que cette scène. Bourgeat voulut absolument m'acheter
cette trousse garnie en argent que vous avez vue dans mon
cabinet, et qui en est pour moi la chose la plus précieuse. Quoique
enivré par mes premiers succès, il ne lui est jamais échappé la
moindre parole, le moindre geste qui voulussent dire: *C'est à moi
qu'est dû cet homme!* Et cependant sans lui la misère m'aurait tué.
Le pauvre homme s'était exterminé pour moi: il n'avait mangé
que du pain frotté d'ail, afin que j'eusse du café pour suffire à mes
veilles. Il tomba malade. J'ai passé, comme vous l'imaginez, les
nuits à son chevet, je l'ai tiré d'affaire la première fois; mais il eut
une rechute deux ans après, et malgré les soins les plus assidus,
malgré les plus grands efforts de la science, il dut succomber.
Jamais roi ne fut soigné comme il le fut. Oui, Bianchon, j'ai tenté,
pour arracher cette vie à la mort, des choses inouïes. Je voulais le
faire vivre assez pour le rendre témoin de son ouvrage, pour lui
réaliser tous ses vœux, pour satisfaire la seule reconnaissance qui
m'ait empli le cœur, pour éteindre un foyer qui me brûle encore
aujourd'hui!

— Bourgeat, reprit après une pause Desplein visiblement ému,
mon second père est mort dans mes bras, me laissant tout ce qu'il
possédait par un testament qu'il avait fait chez un écrivain public,[63] et daté de l'année où nous étions venus nous loger dans la
cour de Rohan. Cet homme avait la foi du charbonnier. Il aimait
la sainte Vierge comme il eût aimé sa femme. Catholique ardent,
il ne m'avait jamais dit un mot sur mon irréligion. Quand il fut
en danger, il me pria de ne rien ménager pour qu'il eût les secours
de l'Église. Je fis dire tous les jours la messe pour lui. Souvent,
pendant la nuit, il me témoignait des craintes sur son avenir, il
craignait de ne pas avoir vécu assez saintement. Le pauvre homme!
il travaillait du matin au soir. A qui donc appartiendrait le paradis,

s'il y a un paradis? Il a été administré comme un saint qu'il était, et sa mort fut digne de sa vie. Son convoi ne fut suivi que par moi. Quand j'eus mis en terre mon unique bienfaiteur, je cherchai comment m'acquitter envers lui; je m'aperçus qu'il n'avait ni famille, ni amis, ni femme, ni enfants. Mais il croyait! il avait une conviction religieuse, avais-je le droit de la discuter? Il m'avait timidement parlé des messes dites pour le repos des morts, il ne voulait pas m'imposer ce devoir, en pensant que ce serait faire payer ses services. Aussitôt que j'ai pu établir une fondation, j'ai donné à Saint-Sulpice la somme nécessaire pour y faire dire quatre messes par an. Comme la seule chose que je puisse offrir à Bourgeat est la satisfaction de ses pieux désirs, le jour où se dit cette messe, au commencement de chaque saison, je dis avec la bonne foi du douteur: « Mon Dieu, s'il est une sphère où tu mettes après leur mort ceux qui ont été parfaits, pense au bon Bourgeat; et s'il y a quelque chose à souffrir pour lui, donne-moi ses souffrances, afin de le faire entrer plus vite dans ce qu'on appelle le paradis. » Voilà, mon cher, tout ce qu'un homme qui a mes opinions peut se permettre. Dieu doit être un bon diable, il ne saurait m'en vouloir. Je vous le jure, je donnerais ma fortune pour que la croyance de Bourgeat pût m'entrer dans la cervelle.

Bianchon, qui soigna Desplein dans sa dernière maladie, n'ose pas affirmer aujourd'hui que l'illustre chirurgien soit mort athée. Des croyants n'aimeront-ils pas à penser que l'humble Auvergnat sera venu lui ouvrir la porte du ciel, comme il lui ouvrit jadis la porte du temple terrestre[64] au fronton duquel se lit: *Aux grands hommes la patrie reconnaissante*!

Paris, janvier 1836.

FACINO CANE

Je demeurais alors dans une petite rue que vous ne connaissez sans doute pas, la rue de Lesdiguières:[1] elle commence à la rue Saint-Antoine, en face d'une fontaine près de la place de la Bastille et débouche dans la rue de La Cerisaie. L'amour de la science m'avait jeté dans une mansarde où je travaillais pendant la nuit, et je passais le jour dans une bibliothèque voisine, celle de MONSIEUR.[2] Je vivais frugalement, j'avais accepté toutes les conditions de la vie monastique, si nécessaires aux travailleurs. Quand il faisait beau, à peine me promenais-je sur le boulevard Bourdon. Une seule passion m'entraînait en dehors de mes habitudes studieuses; mais n'était-ce pas encore de l'étude? j'allais observer les mœurs du faubourg, ses habitants et leurs caractères. Aussi mal vêtu que les ouvriers, indifférent au décorum, je ne les mettais point en garde contre moi; je pouvais me mêler à leurs groupes, les voir concluant leurs marchés, et se disputant à l'heure où ils quittent le travail. Chez moi l'observation était déjà devenue intuitive, elle pénétrait l'âme sans négliger le corps; ou plutôt elle saisissait si bien les détails extérieurs, qu'elle allait sur-le-champ au-delà; elle me donnait la faculté de vivre de la vie de l'individu sur laquelle elle s'exerçait, en me permettant de me substituer à lui comme le derviche des *Mille et une Nuits* prenait le corps et l'âme des personnes sur lesquelles il prononçait certaines paroles.

Lorsque, entre onze heures et minuit, je rencontrais un ouvrier et sa femme revenant ensemble de l'Ambigu-Comique,[3] je m'amusais à les suivre depuis le boulevard du Pont-aux-Choux jusqu'au boulevard Beaumarchais. Ces braves gens parlaient d'abord de la pièce qu'ils avaient vue; de fil en aiguille, ils arrivaient à leurs affaires; la mère tirait son enfant par la main, sans écouter ni ses plaintes ni ses demandes; les deux époux comptaient l'argent qui leur serait payé le lendemain, ils le dépensaient de vingt manières différentes. C'était alors des détails de ménage, des doléances sur le prix excessif des pommes de terre, ou sur la longueur de l'hiver et le renchérissement des mottes,[4] des représentations énergiques sur ce qui était dû au boulanger; enfin des discussions qui s'envenimaient, et où chacun d'eux déployait son caractère en mots pittoresques. En entendant ces gens, je pouvais épouser leur vie, je me sentais leurs guenilles sur le dos, je marchais les pieds dans leurs souliers percés; leurs désirs, leurs besoins, tout passait dans mon âme, ou mon âme passait dans la leur. C'était le rêve d'un homme éveillé. Je m'échauffais avec eux contre les chefs d'atelier qui les tyrannisaient, ou contre les mauvaises pratiques qui les faisaient revenir plusieurs fois sans les payer. Quitter ses habitudes, devenir un autre que soi par l'ivresse des facultés morales, et jouer ce jeu à volonté, telle était ma distraction. A quoi dois-je ce don? Est-ce une seconde vue? est-ce une de ces qualités dont l'abus mènerait à la folie?[5] Je n'ai jamais recherché les causes de cette puissance; je la possède et m'en sers, voilà tout. Sachez seulement que, dès ce temps, j'avais décomposé les éléments de cette masse hétérogène nommée le peuple, que je l'avais analysée de manière à pouvoir évaluer ses qualités bonnes ou mauvaises. Je savais déjà de quelle utilité pourrait être ce faubourg, ce séminaire de révolutions qui renferme des héros, des inventeurs, des savants pratiques, des coquins, des scélérats, des vertus et des vices, tous comprimés par la misère, étouffés par la nécessité, noyés dans le vin, usés par les liqueurs fortes. Vous ne sauriez imaginer combien d'aventures perdues, combien de drames oubliés dans cette ville de douleur! Combien d'horribles et belles choses! L'imagination n'atteindra jamais au vrai qui s'y cache et que personne ne peut aller découvrir; il faut descendre trop bas pour trouver ces admirables scènes tragiques ou comiques, chefs-d'œuvre enfantés par le hasard.[6] Je ne sais comment j'ai si longtemps gardé sans la dire l'histoire que je vais vous raconter, elle fait partie de ces récits curieux restés dans le sac d'où la mémoire les tire capricieusement comme des numéros de loterie: j'en ai bien d'autres, aussi singuliers que celui-ci, également enfouis; mais ils auront leur tour, croyez-le.

Un jour ma femme de ménage, la femme d'un ouvrier, vint me prier d'honorer de ma présence la noce d'une de ses sœurs. Pour vous faire comprendre ce que pouvait être cette noce, il faut vous dire que je donnais quarante sous par mois à cette pauvre créature, qui venait tous les matins faire mon lit, nettoyer mes souliers, brosser mes habits, balayer la chambre et préparer mon déjeuner; elle allait pendant le reste du temps tourner la manivelle d'une mécanique, et gagnait à ce dur métier dix sous par jour. Son mari, un ébéniste, gagnait quatre francs. Mais comme ce ménage avait trois enfants, il pouvait à peine honnêtement manger du pain. Je n'ai jamais rencontré de probité plus solide que celle de cet homme et de cette femme. Quand j'eus quitté le quartier, pendant cinq ans, la mère Vaillant[7] est venue me souhaiter ma fête en m'apportant un bouquet et des oranges, elle qui n'avait jamais dix sous d'économie. La misère nous avait rapprochés. Je n'ai jamais pu lui donner autre chose que dix francs, souvent empruntés pour cette circonstance. Ceci peut expliquer ma promesse d'aller à la noce, je comptais me blottir dans la joie de ces pauvres gens.

Le festin, le bal, tout eut lieu chez un marchand de vin de la rue de Charenton, au premier étage, dans une grande chambre éclairée par des lampes à réflecteurs en fer-blanc, tendue d'un papier crasseux à hauteur des tables, et le long des murs de laquelle il y avait des bancs de bois. Dans cette chambre, quatre-vingts personnes endimanchées, flanquées de bouquets et de rubans, toutes animées par l'esprit de la Courtille,[8] le visage enflammé, dansaient comme si le monde allait finir. Les mariés s'embrassaient à la satisfaction générale, et c'étaient des hé! hé! des ha! ha! facétieux mais réellement moins indécents que ne le sont les timides œillades des jeunes filles bien élevées. Tout ce monde exprimait un contentement brutal qui avait je ne sais quoi de communicatif.

Mais ni les physionomies de cette assemblée, ni la noce, ni rien

de ce monde n'a trait à mon histoire. Retenez seulement la bizarrerie du cadre. Figurez-vous bien la boutique ignoble et peinte
en rouge, sentez l'odeur du vin, écoutez les hurlements de cette
joie, restez bien dans ce faubourg, au milieu de ces ouvriers, de
ces vieillards, de ces pauvres femmes livrés au plaisir d'une
nuit!

L'orchestre se composait de trois aveugles des Quinze-Vingts[9];
le premier était violon, le second clarinette, et le troisième
flageolet. Tous trois étaient payés en bloc sept francs pour la
nuit. Sur ce prix-là, certes, ils ne donnaient ni du Rossini, ni du
Beethoven,[10] ils jouaient ce qu'ils voulaient et ce qu'ils pouvaient;
personne ne leur faisait de reproches, charmante délicatesse! Leur
musique attaquait si brutalement le tympan, qu'après avoir jeté
les yeux sur l'assemblée, je regardai ce trio d'aveugles, et fus tout
d'abord disposé à l'indulgence en reconnaissant leur uniforme.
Ces artistes étaient dans l'embrasure d'une croisée; pour distinguer leurs physionomies, il fallait donc être près d'eux: je n'y
vins pas sur-le-champ; mais quand je m'en rapprochai, je ne sais
pourquoi, tout fut dit, la noce et sa musique disparut, ma curiosité
fut excitée au plus haut degré, car mon âme passa dans le corps
du joueur de clarinette. Le violon et le flageolet avaient tous deux
des figures vulgaires, la figure si connue de l'aveugle, pleine de
contention, attentive et grave; mais celle de la clarinette était un
de ces phénomènes qui arrêtent tout court l'artiste et le philo-
sophe.

Figurez-vous le masque en plâtre de Dante, éclairé par la lueur
rouge du quinquet, et surmonté d'une forêt de cheveux d'un
blanc argenté. L'expression amère et douloureuse de cette magnifique tête était agrandie par la cécité, car les yeux morts revivaient
par la pensée; il s'en échappait comme une lueur brûlante, produite par un désir unique, incessant, énergiquement inscrit sur un
front bombé que traversaient des rides pareilles aux assises d'un
vieux mur. Ce vieillard soufflait au hasard, sans faire la moindre
attention à la mesure ni à l'air, ses doigts se baissaient ou se

levaient, agitaient les vieilles clefs par une habitude machinale, il
ne se gênait pas pour faire ce que l'on nomme des *canards* en
termes d'orchestre, les danseurs ne s'en apercevaient pas plus
que les deux acolytes de mon Italien; car je voulais que ce fût
un Italien, et c'était un Italien. Quelque chose de grand et de
despotique se rencontrait dans ce vieil Homère qui gardait en
lui-même une Odyssée condamnée à l'oubli. C'était une grandeur
si réelle qu'elle triomphait encore de son abjection, c'était un
despotisme si vivace qu'il dominait la pauvreté. Aucune des
violentes passions qui conduisent l'homme au bien comme au
mal, en font un forçat ou un héros, ne manquait à ce visage noble-
ment coupé, lividement italien, ombragé par des sourcils grison-
nants qui projetaient leur ombre sur des cavités profondes où l'on
tremblait de voir reparaître la lumière de la pensée, comme on
craint de voir venir à la bouche d'une caverne quelques brigands
armés de torches et de poignards. Il existait un lion dans cette cage
de chair, un lion dont la rage s'était inutilement épuisée contre
le fer de ses barreaux. L'incendie du désespoir s'était éteint dans
ses cendres, la lave s'était refroidie; mais les sillons, les boule-
versements, un peu de fumée attestaient la violence de l'éruption,
les ravages du feu. Ces idées, réveillées par l'aspect de cet homme,
étaient aussi chaudes dans mon âme qu'elles étaient froides sur
sa figure.

Entre chaque contredanse, le violon et le flageolet, sérieusement occupés de leur verre et de leur bouteille, suspendaient leur
instrument au bouton de leur redingote rougeâtre, avançaient la
main sur une petite table placée dans l'embrasure de la croisée où
était leur cantine, et offraient toujours à l'Italien un verre plein
qu'il ne pouvait prendre lui-même, car la table se trouvait derrière
sa chaise; chaque fois, la clarinette les remerciait par un signe de
tête amical. Leurs mouvements s'accomplissaient avec cette précision qui étonne toujours chez les aveugles des Quinze-Vingts,
et qui semble faire croire qu'ils voient. Je m'approchai des trois
aveugles pour les écouter; mais quand je fus près d'eux, ils

m'étudièrent, ne reconnurent sans doute pas la nature ouvrière, et se tinrent cois.

— De quel pays êtes-vous, vous qui jouez de la clarinette ?

— De Venise, répondit l'aveugle avec un léger accent italien.

— Êtes-vous né aveugle, ou êtes-vous aveugle par...

— Par accident, répondit-il vivement, une maudite goutte sereine.[11]

— Venise est une belle ville, j'ai toujours eu la fantaisie d'y aller.

La physionomie du vieillard s'anima, ses rides s'agitèrent, il fut violemment ému.

— Si j'y allais avec vous, vous ne perdriez pas votre temps, me dit-il.

— Ne lui parlez pas de Venise, me dit le violon, ou notre doge va commencer son train ; avec ça qu'il a déjà deux bouteilles dans le bocal,[12] le prince !

— Allons, en avant, père Canard, dit le flageolet.

Tous trois se mirent à jouer ; mais pendant le temps qu'ils mirent à exécuter les quatre contredanses, le Vénitien me flairait, il devinait l'excessif intérêt que je lui portais. Sa physionomie quitta sa froide expression de tristesse ; je ne sais quelle espérance égaya tous ses traits, se coula comme une flamme bleue dans ses rides ; il sourit, et s'essuya le front, ce front audacieux et terrible ; enfin il devint gai comme un homme qui monte sur son dada.

— Quel âge avez-vous ? lui demandai-je.

— Quatre-vingt-deux ans !

— Depuis quand êtes-vous aveugle ?

— Voici bientôt cinquante ans, répondit-il avec un accent qui annonçait que ses regrets ne portaient pas seulement sur la perte de sa vue, mais sur quelque grand pouvoir dont il aurait été dépouillé.

— Pourquoi vous appellent-ils donc le doge ? lui demandai-je.

— Ah ! une farce, me dit-il, je suis patricien de Venise, et j'aurais été doge tout comme un autre.

— Comment vous nommez-vous donc?

— Ici, me dit-il, le père Canet. Mon nom n'a jamais pu s'écrire autrement sur les registres; mais, en italien, c'est *Marco Facino Cane, principe de Varese*.

— Comment? vous descendez du fameux condottiere Facino Cane[13] dont les conquêtes ont passé aux ducs de Milan?

— *È vero*, me dit-il. Dans ce temps-là, pour n'être pas tué par les Visconti, le fils de Cane s'est réfugié à Venise et s'est fait inscrire sur le Livre d'or.[14] Mais il n'y a pas plus de Cane maintenant que de livre. Et il fit un geste effrayant de patriotisme éteint et de dégoût pour les choses humaines.

— Mais si vous étiez sénateur de Venise, vous deviez être riche; comment avez-vous pu perdre votre fortune?

A cette question il leva la tête vers moi, comme pour me contempler par un mouvement vraiment tragique, et me répondit: « Dans les malheurs! »

Il ne songeait plus à boire, il refusa par un geste le verre de vin que lui tendit en ce moment le vieux flageolet, puis il baissa la tête. Ces détails n'étaient pas de nature à éteindre ma curiosité. Pendant la contredanse que jouèrent ces trois machines, je contemplai le vieux noble vénitien avec les sentiments qui dévorent un homme de vingt ans. Je voyais Venise et l'Adriatique, je la voyais en ruines sur cette figure ruinée. Je me promenais dans cette ville si chère à ses habitants, j'allais du Rialto au grand canal, du quai des Esclavons au Lido, je revenais à sa cathédrale, si originalement sublime; je regardais les fenêtres de la *Casa d'Oro*,[15] dont chacune a des ornements différents; je contemplais ses vieux palais si riches de marbre, enfin toutes ces merveilles avec lesquelles le savant sympathise d'autant plus qu'il les colore à son gré, et ne dépoétise pas ses rêves par le spectacle de la réalité. Je remontais le cours de la vie de ce rejeton du plus grand des condottieri, en y cherchant les traces de ses malheurs et les causes de cette profonde dégradation physique et morale qui rendait plus belles encore les étincelles de grandeur et de noblesse ranimées en ce moment. Nos pensées étaient sans doute communes, car je crois que la cécité rend les communications intellectuelles beaucoup plus rapides en défendant à l'attention de s'éparpiller sur les objets extérieurs. La preuve de notre sympathie ne se fit pas attendre. Facino Cane cessa de jouer, se leva, vint à moi et me dit un: « Sortons! » qui produisit sur moi l'effet d'une douche électrique.[16] Je lui donnai le bras, et nous nous en allâmes.

Quand nous fûmes dans la rue, il me dit: « Voulez-vous me mener à Venise, m'y conduire, voulez-vous avoir foi en moi? vous serez plus riche que ne le sont les dix maisons les plus riches d'Amsterdam ou de Londres, plus riche que les Rotschild,[17] enfin riche comme les *Mille et une Nuits*. »

Je pensai que cet homme était fou; mais il y avait dans sa voix une puissance à laquelle j'obéis. Je me laissai conduire et il me mena vers les fossés de la Bastille comme s'il avait eu des yeux. Il s'assit sur une pierre dans un endroit fort solitaire où depuis fut bâti le pont par lequel le canal Saint-Martin communique avec la Seine. Je me mis sur une autre pierre devant ce vieillard dont les cheveux blancs brillèrent comme des fils d'argent à la clarté de la lune. Le silence que troublait à peine le bruit orageux des boulevards qui arrivait jusqu'à nous, la pureté de la nuit, tout contribuait à rendre cette scène vraiment fantastique.

— Vous parlez de millions à un jeune homme, et vous croyez qu'il hésiterait à endurer mille maux pour les recueillir! Ne vous moquez-vous pas de moi?

— Que je meure sans confession, me dit-il avec violence, si ce que je vais vous dire n'est pas vrai. J'ai eu vingt ans comme vous les avez en ce moment, j'étais riche, j'étais beau, j'étais noble, j'ai commencé par la première des folies, par l'amour. J'ai aimé comme l'on n'aime plus, jusqu'à me mettre dans un coffre et risquer d'y être poignardé sans avoir reçu autre chose que la promesse d'un baiser. Mourir pour *elle* me semblait toute une vie. En 1760 je devins amoureux d'une Vendramini, une femme de dix-huit ans, mariée à un Sagredo, l'un des plus riches sénateurs, un homme de trente ans, fou de sa femme. Ma maîtresse et moi nous étions innocents comme deux chérubins, quand le *sposo*[18] nous surprit causant d'amour; j'étais sans armes, il me manqua, je sautai sur lui, je l'étranglai de mes deux mains en lui tordant le cou comme à un poulet. Je voulus partir avec Bianca, elle ne voulut pas me suivre. Voilà les femmes! Je m'en allai seul, je fus condamné, mes biens furent séquestrés au profit de mes héritiers; mais j'avais emporté mes diamants, cinq tableaux de Titien roulés, et tout mon or. J'allai à Milan, où je ne fus pas inquiété: mon affaire n'intéressait point l'État.

— Une petite observation avant de continuer, dit-il après une pause. Que les fantaisies d'une femme influent ou non sur son enfant pendant qu'elle le porte ou quand elle le conçoit, il est certain que ma mère eut une passion pour l'or pendant sa grossesse. J'ai pour l'or une monomanie dont la satisfaction est si nécessaire à ma vie que, dans toutes les situations où je me suis trouvé, je n'ai jamais été sans or sur moi; je manie constamment de l'or; jeune, je portais toujours des bijoux et j'avais toujours sur moi deux ou trois cents ducats.

En disant ces mots, il tira deux ducats de sa poche et me les montra.

— Je sens l'or. Quoique aveugle, je m'arrête devant les boutiques de joailliers. Cette passion m'a perdu, je suis devenu joueur pour jouer de l'or. Je n'étais pas fripon, je fus friponné, je me ruinai. Quand je n'eus plus de fortune, je fus pris par la rage de voir Bianca: je revins secrètement à Venise, je la retrouvai, je fus heureux pendant six mois, caché chez elle, nourri par elle. Je pensais délicieusement à finir ainsi ma vie. Elle était recherchée par le Provéditeur;[19] celui-ci devina un rival, en Italie on les sent: il nous espionna, nous surprit au lit, le lâche! Jugez combien vive fut notre lutte: je ne le tuai pas, je le blessai grièvement. Cette aventure brisa mon bonheur. Depuis ce jour je n'ai jamais retrouvé de Bianca. J'ai eu de grands plaisirs, j'ai vécu à la cour de Louis XV parmi les femmes les plus célèbres; nulle part je n'ai trouvé les qualités, les grâces, l'amour de ma chère Vénitienne. Le Provéditeur avait ses gens, il les appela, le palais fut cerné, envahi; je me défendis pour mourir sous les yeux de Bianca qui m'aidait à tuer le Provéditeur. Jadis cette femme n'avait pas voulu s'enfuir avec moi; mais après six mois de bonheur elle voulait mourir de ma mort, et reçut plusieurs coups. Pris dans un grand manteau que l'on jeta sur moi, je fus roulé, porté dans une gondole et transporté dans un cachot des puits. J'avais vingt-deux ans, je tenais si bien le tronçon de mon épée que pour l'avoir il aurait fallu me couper le poing. Par un singulier hasard, ou plutôt inspiré par une pensée de précaution, je cachai ce morceau de fer dans un coin, comme s'il pouvait me servir. Je fus soigné. Aucune de mes blessures n'était mortelle. A vingt-deux ans, on revient de tout. Je devais mourir décapité, je fis le malade afin de gagner du temps. Je croyais être dans un cachot voisin du canal, mon projet était de m'évader en creusant le mur et traversant le canal à la nage, au risque de me noyer. Voici sur quels raisonnements s'appuyait mon espérance. Toutes les fois que le geôlier m'apportait à manger, je lisais des indications écrites sur les murs, comme: *côté du palais, côté du canal, côté du souterrain*, et je finis par apercevoir un plan dont le sens m'inquiétait peu, mais explicable par l'état actuel du palais ducal qui n'est pas terminé. Avec le génie que donne le désir de recouvrer la liberté, je parvins à déchiffrer, en tâtant du bout des doigts la superficie d'une pierre, une inscription arabe par laquelle l'auteur de ce travail avertissait ses successeurs qu'il avait détaché deux pierres de la dernière assise, et creusé onze pieds de souterrain. Pour continuer son œuvre, il fallait répandre sur le sol même du cachot les parcelles de pierre et de mortier produites par le travail de l'excavation. Quand même les gardiens ou les inquisiteurs n'eussent pas été rassurés par la construction de l'édifice qui n'exigeait qu'une surveillance extérieure, la disposition des puits, où l'on descend par quelques marches, permettait d'exhausser graduellement le sol sans que les gardiens s'en aperçussent. Cet immense travail avait été superflu, du moins pour celui qui l'avait entrepris, car son inachèvement annonçait la mort de l'inconnu. Pour que son dévouement ne fût pas à jamais perdu, il fallait qu'un prisonnier sût l'arabe; mais j'avais étudié les langues orientales au couvent des Arméniens. Une phrase écrite derrière la pierre disait le destin de ce malheureux, mort victime de ses immenses richesses, que Venise avait convoitées et dont elle s'était emparée. Il me fallut un mois pour arriver à un résultat. Pendant que je travaillais, et dans les moments où la fatigue m'anéantissait, j'entendais le son de l'or, je voyais de l'or devant moi, j'étais ébloui par des diamants! Oh! attendez. Pendant une nuit, mon acier émoussé trouva du bois. J'aiguisai mon bout d'épée, et fis un trou dans ce bois. Pour pouvoir travailler, je me roulais comme un serpent sur le ventre, je me mettais nu pour travailler à la manière des taupes, en portant mes mains en avant et me faisant de la pierre même un point d'appui. La surveille du jour où je devais comparaître devant mes juges, pendant la nuit, je voulus tenter un dernier effort; je perçai le bois, et mon fer ne rencontra rien au-delà. Jugez de ma surprise quand j'appliquai les yeux sur le trou! J'étais dans le lambris d'une cave où une faible lumière me permettait d'apercevoir un monceau d'or. Le doge et l'un des Dix[20] étaient dans ce caveau, j'entendais leurs voix; leurs discours m'apprirent que là était le trésor secret de la République, les dons des doges, et les réserves du butin appelé le denier de Venise, et pris sur le produit des expéditions. J'étais sauvé! Quand le geôlier vint, je lui proposai de favoriser ma fuite et de partir avec moi en emportant tout ce que nous pourrions prendre. Il n'y avait pas à hésiter, il accepta. Un navire faisait voile pour le Levant, toutes les précautions furent prises, Bianca favorisa les mesures que je dictais à mon complice. Pour ne pas donner l'éveil, Bianca devait nous rejoindre à Smyrne. En une nuit le trou fut agrandi, et nous descendîmes dans le trésor secret de Venise. Quelle nuit! J'ai vu quatre tonnes pleines d'or. Dans la pièce précédente, l'argent était également amassé en deux tas qui laissaient un chemin au milieu pour traverser la chambre où les pièces relevées en talus garnissaient les murs à cinq pieds de hauteur. Je crus que le geôlier deviendrait fou; il chantait, il sautait, il riait, il gambadait dans l'or; je le menaçai de l'étrangler s'il perdait le temps ou s'il faisait du bruit. Dans sa joie, il ne vit pas d'abord une table où étaient les diamants. Je me jetai dessus assez habilement pour emplir ma veste de matelot et les poches de mon pantalon. Mon Dieu! je n'en pris pas le tiers. Sous cette table étaient des lingots d'or. Je persuadai à mon compagnon de remplir d'or autant de sacs que nous pourrions en porter, en lui faisant observer que c'était la seule manière de n'être pas découverts à l'étranger. — Les perles, les bijoux, les diamants nous feraient reconnaître, lui dis-je. Quelle que fût notre avidité, nous ne pûmes prendre que deux mille livres d'or, qui nécessitèrent six voyages à travers la prison jusqu'à la gondole. La sentinelle à la porte d'eau avait été gagnée moyennant un sac de dix livres d'or. Quant aux deux gondoliers, ils croyaient servir la République. Au jour, nous partîmes. Quand nous fûmes en pleine mer, et que je me souvins de cette nuit; quand je me rappelai les sensations que j'avais éprouvées, que je revis cet immense trésor où, suivant mes évaluations, je laissais trente millions en argent et vingt millions en or, plusieurs millions en diamants, perles et rubis, il se fit en moi comme un mouvement de folie. J'eus la fièvre de l'or. Nous nous fîmes débarquer à Smyrne, et nous nous embarquâmes aussitôt pour la France. Comme nous montions sur le bâtiment français, Dieu me fit la grâce de me débarrasser de mon complice. En ce moment je ne pensais pas à toute la portée de ce méfait du hasard, dont je me réjouis beaucoup. Nous étions si complètement énervés que nous demeurions hébétés, sans nous rien dire, attendant que nous fussions en sûreté pour jouir à notre aise. Il n'est pas étonnant que la tête ait tourné à ce drôle. Vous verrez combien Dieu m'a puni. Je ne me crus tranquille qu'après avoir vendu les deux tiers de mes diamants à Londres et à Amsterdam, et réalisé ma poudre d'or en valeurs commerciales. Pendant cinq

ans, je me cachai dans Madrid; puis, en 1770, je vins à Paris sous
un nom espagnol, et menai le train le plus brillant. Bianca était
morte. Au milieu de mes voluptés, quand je jouissais d'une fortune de six millions, je fus frappé de cécité. Je ne doute pas que
cette infirmité ne soit le résultat de mon séjour dans le cachot, de
mes travaux dans la pierre, si toutefois ma faculté de voir l'or
n'emportait pas un abus de la puissance visuelle qui me pré-
destinait à perdre les yeux. En ce moment, j'aimais une femme à
laquelle je comptais lier mon sort; je lui avais dit le secret de mon
nom, elle appartenait à une famille puissante, j'espérais tout
de la faveur que m'accordait Louis XV; j'avais mis ma confiance en cette femme, qui était l'amie de madame du Barry;[21]
elle me conseilla de consulter un fameux oculiste de Londres:
mais, après quelques mois de séjour dans cette ville, j'y fus aban-
donné par cette femme dans Hyde-Park, elle m'avait dépouillé
de toute ma fortune sans me laisser aucune ressource; car, obligé
de cacher mon nom, qui me livrait à la vengeance de Venise, je
ne pouvais invoquer l'assistance de personne, je craignais Venise.
Mon infirmité fut exploitée par les espions que cette femme avait
attaché à ma personne. Je vous fais grâce d'aventures dignes de
Gil Blas.[22] Votre révolution vint. Je fus forcé d'entrer aux
Quinze-Vingts, où cette créature me fit admettre après m'avoir
tenu pendant deux ans à Bicêtre[23] comme fou; je n'ai jamais pu
la tuer, je n'y voyais point, et j'étais trop pauvre pour acheter un
bras. Si avant de perdre Benedetto Carpi, mon geôlier, je l'avais
consulté sur la situation de mon cachot, j'aurais pu reconnaître
le trésor et retourner à Venise quand la république fut anéantie
par Napoléon. Cependant, malgré ma cécité, allons à Venise!
Je retrouverai la porte de la prison, je verrai l'or à travers les
murailles, je le sentirai sous les eaux où il est enfoui; car les
événements qui ont renversé la puissance de Venise sont tels que
le secret de ce trésor a dû mourir avec Vendramino, le frère de
Bianca, un doge, qui, je l'espérais, aurait fait ma paix avec les Dix.
J'ai adressé des notes au Premier Consul,[24] j'ai proposé un traité

à l'empereur d'Autriche, tous m'ont éconduit comme un fou! Venez, partons pour Venise, partons mendiants, nous reviendrons millionnaires; nous rachèterons mes biens, et vous serez mon héritier, vous serez prince de Varese.

Étourdi de cette confidence, qui dans mon imagination prenait les proportions d'un poème, à l'aspect de cette tête blanchie, et devant l'eau noire des fossés de la Bastille, eau dormante comme celle des canaux de Venise, je ne répondis pas. Facino Cane crut sans doute que je le jugeais comme tous les autres, avec une pitié dédaigneuse, il fit un geste qui exprima toute la philosophie du désespoir. Ce récit l'avait reporté peut-être à ses heureux jours, à Venise; il saisit sa clarinette et joua mélancoliquement une chanson vénitienne, barcarolle pour laquelle il retrouva son premier talent, son talent de patricien amoureux. Ce fut quelque chose comme le *Super flumina Babylonis*.[25] Mes yeux s'emplirent de larmes. Si quelques promeneurs attardés vinrent à passer le long du boulevard Bourdon, sans doute ils s'arrêtèrent pour écouter cette dernière prière du banni, le dernier regret d'un nom perdu, auquel se mêlait le souvenir de Bianca. Mais l'or reprit bientôt le dessus, et la fatale passion éteignit cette lueur de jeunesse.

— Ce trésor, me dit-il, je le vois toujours, éveillé comme en rêve; je m'y promène, les diamants étincellent, je ne suis pas aussi aveugle que vous le croyez: l'or et les diamants éclairent ma nuit, la nuit du dernier Facino Cane, car mon titre passe aux Memmi.[26] Mon Dieu! la punition du meurtrier a commencé de bien bonne heure! *Ave Maria*...

Il récita quelques prières que je n'entendis pas.

— Nous irons à Venise, m'écriai-je quand il se leva.

— J'ai donc trouvé un homme, s'écria-t-il le visage en feu.

Je le reconduisis en lui donnant le bras; il me serra la main à la porte des Quinze-Vingts, au moment où quelques personnes de la noce revenaient en criant à tue-tête.

— Partirons-nous demain? dit le vieillard.

— Aussitôt que nous aurons quelque argent.

— Mais nous pouvons aller à pied, je demanderai l'aumône...
Je suis robuste, et l'on est jeune quand on voit de l'or devant soi.

Facino Cane[27] mourut pendant l'hiver, après avoir langui deux mois. Le pauvre homme avait un catarrhe.[28]

Paris, mars 1836.

PIERRE GRASSOU

TOUTES les fois[1] que vous êtes sérieusement allé voir l'Exposition des ouvrages de sculpture et de peinture, comme elle a lieu depuis la Révolution de 1830, n'avez-vous pas été pris d'un sentiment d'inquiétude, d'ennui, de tristesse, à l'aspect des longues galeries encombrées ? Depuis 1830, le Salon n'existe plus. Une seconde fois, le Louvre a été pris d'assaut[2] par le peuple des artistes qui s'y est maintenu. En offrant autrefois l'élite des œuvres d'art, le Salon emportait les plus grands honneurs pour les créations qui y étaient exposées. Parmi les deux cents tableaux choisis, le public choisissait encore ; une couronne était décernée au chef-d'œuvre par des mains inconnues. Il s'élevait des discussions passionnées à propos d'une toile. Les injures prodiguées à Delacroix,[3] à Ingres,[4] n'ont pas moins servi leur renommée que les éloges et le fanatisme de leurs adhérents. Aujourd'hui, ni la foule ni la Critique ne se passionneront plus pour les produits de ce bazar. Obligées de faire le choix dont se chargeait autrefois le Jury d'examen, leur attention se lasse à ce travail ; et, quand il est achevé, l'Exposition se ferme. Avant 1817, les tableaux admis ne dépassaient jamais les deux premières colonnes de la longue galerie où sont les œuvres des vieux maîtres, et cette année ils remplirent tout cet espace, au grand étonnement du public. Le Genre historique, le Genre proprement dit,[5] les tableaux de chevalet, le Paysage, les Fleurs, les Animaux, et l'Aquarelle, ces sept spécialités ne sauraient offrir plus de vingt tableaux dignes des regards du public, qui ne peut accorder son attention à une plus grande quantité d'œuvres. Plus le nombre des artistes allait croissant, plus le Jury d'admission devait se montrer difficile. Tout fut perdu dès que le Salon se continua dans la Galerie. Le Salon aurait dû rester un lieu déterminé, restreint, de proportions inflexibles, où chaque Genre eût exposé ses chefs-d'œuvre. Une expérience de dix ans a prouvé la bonté de l'ancienne institution. Au lieu d'un tournoi, vous avez une émeute; au lieu d'une Exposition glorieuse, vous avez un tumultueux bazar; au lieu du choix, vous avez la totalité. Qu'arrive-t-il? Le grand artiste y perd. *Le Café Turc, les Enfants à la fontaine, le Supplice des crochets*, et *le Joseph* de Decamps[6] eussent plus profité à sa gloire, tous quatre dans le grand Salon, exposés avec les cent bons tableaux de cette année, que ses vingt toiles perdues parmi trois mille œuvres, confondues dans six galeries. Par une étrange bizarrerie, depuis que la porte s'est ouverte à tout le monde, on a beaucoup parlé de génies méconnus. Quand, douze années auparavant, *la Courtisane* de Ingres et celle de Sigalon,[7] *la Méduse* de Géricault,[8] *le Massacre de Scio* de Delacroix, *le Baptême d'Henri IV* par Eugène Deveria,[9] admis par des célébrités taxées de jalousie, apprenaient au monde, malgré les dénégations de la Critique, l'existence de palettes jeunes et ardentes, il ne s'élevait aucune plainte. Maintenant que le moindre gâcheur de toile peut envoyer son œuvre, il n'est question que de gens incompris. Là où il n'y a plus jugement, il n'y a plus de chose jugée. Quoi que fassent les artistes, ils reviendront à l'examen qui recommande leurs œuvres aux admirations de la foule pour laquelle ils travaillent. Sans le choix de l'Académie,[10] il n'y aura plus de Salon, et sans Salon l'art peut périr.

Depuis que le livret est devenu un gros livre, il s'y produit bien des noms qui restent dans leur obscurité, malgré la liste de dix ou douze tableaux qui les accompagne. Parmi ces noms, le plus inconnu peut-être est celui d'un artiste nommé Pierre Grassou,[11] venu de Fougères,[12] appelé plus simplement Fougères dans le monde artiste, qui tient aujourd'hui beaucoup de place au soleil, et qui suggère les amères réflexions par lesquelles commence l'esquisse de sa vie, applicable à quelques autres individus de la Tribu des Artistes.[13] En 1832, Fougères demeurait rue de Navarin, au quatrième étage d'une de ces maisons étroites et hautes qui ressemblent à l'obélisque de Luxor,[14] qui ont une allée, un petit escalier obscur à tournants dangereux, qui ne comportent pas plus de trois fenêtres à chaque étage, et à l'intérieur desquelles se trouvent une cour, ou, pour parler plus exactement, un puits carré. Au-dessus des trois ou quatre pièces de l'appartement occupé par Grassou de Fougères s'étendait son atelier, qui regardait Montmartre.[15] L'atelier peint en fond de briques, le carreau soigneusement mis en couleur brune et frotté, chaque chaise munie d'un petit tapis bordé, le canapé, simple d'ailleurs, mais propre comme celui de la chambre à coucher d'une épicière, là, tout dénotait la vie méticuleuse des petits esprits[16] et le soin d'un homme pauvre. Il y avait une commode pour serrer les effets d'atelier, une table à déjeuner, un buffet, un secrétaire, enfin les ustensiles nécessaires aux peintres, tous rangés et propres. Le poêle participait à ce système de soin hollandais, d'autant plus visible que la lumière pure et peu changeante du nord inondait de son jour net et froid cette immense pièce. Fougères, simple peintre de Genre, n'a pas besoin des machines énormes qui ruinent les peintres d'Histoire, il ne s'est jamais reconnu de facultés assez complètes pour aborder la haute peinture, il s'en tenait encore au Chevalet. Au commencement du mois de décembre de cette année, époque à laquelle les bourgeois de Paris conçoivent périodiquement l'idée burlesque de perpétuer leur figure, déjà bien encombrante par elle-même, Pierre Grassou, levé de bonne heure, préparait sa palette, allumait son poêle, mangeait une flûte trempée dans du lait, et attendait, pour travailler, que le dégel de ses carreaux laissât passer le jour. Il faisait sec et beau. En ce moment, l'artiste qui mangeait avec cet air patient et résigné qui dit tant de choses, reconnut le pas d'un homme qui avait eu sur sa vie l'influence que ces sortes de gens ont sur celle de presque tous les artistes, d'Élias Magus,[17] un marchand de tableaux, l'usurier des toiles. En effet Élias Magus surprit le peintre au moment où, dans cet atelier si propre, il allait se mettre à l'ouvrage.

— Comment vous va, vieux coquin ? lui dit le peintre.

Fougères avait eu la croix,[18] Élias lui achetait ses tableaux deux ou trois cents francs, il se donnait des airs très-artistes.

— Le commerce va mal, répondit Élias. Vous avez tous des prétentions, vous parlez maintenant de deux cents francs dès que vous avez mis pour six sous de couleur sur une toile... Mais vous êtes un brave garçon, vous! Vous êtes un homme d'ordre, et je viens vous apporter une bonne affaire.

— *Timeo Danaos et dona ferentes*,[19] dit Fougères. Savez-vous le latin?

— Non.

— Eh! bien, cela veut dire que les Grecs ne proposent pas de bonnes affaires aux Troyens sans y gagner quelque chose. Autrefois ils disaient:« Prenez mon cheval! » Aujourd'hui nous disons: « Prenez mon ours... »[20] Que voulez-vous, Ulysse-Langeingeole-Élias Magus?

Ces paroles donnent la mesure de la douceur et de l'esprit avec lesquels Fougères employait ce que les peintres appellent les charges d'atelier.

— Je ne dis pas que vous ne me ferez pas deux tableaux gratis.

— Oh! oh!

— Je vous laisse le maître, je ne les demande pas. Vous êtes un honnête artiste.

— Au fait?

— Hé! bien, j'amène un père, une mère et une fille unique.

— Tous uniques!

— Ma foi, oui!... et dont les portraits sont à faire. Ces bourgeois, fous des arts, n'ont jamais osé s'aventurer dans un atelier. La fille a une dot de cent mille francs. Vous pouvez bien peindre ces gens-là. Ce sera peut-être pour vous des portraits de famille.

Ce vieux bois d'Allemagne,[21] qui passe pour un homme et qui se nomme Élias Magus, s'interrompit pour rire d'un sourire sec dont les éclats épouvantèrent le peintre. Il crut entendre Méphistophélès parlant mariage.

— Les portraits sont payés cinq cents francs pièce, vous pouvez me faire trois tableaux.

— Mai-z-oui,[22] dit gaiement Fougères.

— Et si vous épousez la fille, vous ne m'oublierez pas.

— Me marier, moi? s'écria Pierre Grassou, moi qui ai l'habitude de me coucher tout seul, de me lever de bon matin, qui ai ma vie arrangée…

— Cent mille francs, dit Magus, et une fille douce, pleine de tons dorés comme un vrai Titien!

— Quelle est la position de ces gens-là?

— Anciens négociants; pour le moment, aimant les arts, ayant maison de campagne à Ville-d'Avray,[23] et dix ou douze mille livres de rente.

— Quel commerce ont-ils fait?

— Les bouteilles.

— Ne dites pas ce mot, il me semble entendre couper des bouchons, et mes dents s'agacent…

— Faut-il les amener?

— Trois portraits, je les mettrai au Salon, je pourrai me lancer dans le portrait, eh! bien, oui…

Le vieil Élias descendit pour aller chercher la famille Vervelle. Pour savoir à quel point la proposition allait agir sur le peintre, et quel effet devaient produire sur lui les sieur et dame Vervelle ornés de leur fille unique, il est nécessaire[24] de jeter un coup-d'œil sur la vie antérieure de Pierre Grassou de Fougères.

Élève, Fougères avait étudié le dessin chez Servin,[25] qui passait dans le monde académique pour un grand dessinateur. Après, il était allé chez Schinner[26] y surprendre les secrets de cette puissante et magnifique couleur qui distingue ce maître. Le maître, les élèves, tout y avait été discret. Pierre n'y avait rien surpris. De là, Fougères avait passé dans l'atelier de Sommervieux,[27] pour se familiariser avec cette partie de l'art nommée la Composition, mais la Composition fut sauvage et farouche pour lui. Puis il avait essayé d'arracher à Granet,[28] à Drolling[29] le mystère de

leurs effets d'Intérieurs. Ces deux maîtres ne s'étaient rien laissé
dérober. Enfin, Fougères avait terminé son éducation chez Duval-
Lecamus.[30] Durant ces études et ces différentes transformations,
Fougères eut des mœurs tranquilles et rangées qui fournissaient
matière aux railleries des différents ateliers où il séjournait, mais
partout il désarma ses camarades par sa modestie, par une patience
et une douceur d'agneau. Les Maîtres n'eurent aucune sympathie
pour ce brave garçon, les Maîtres aiment les sujets brillants, les
esprits excentriques, drolatiques, fougueux, ou sombres et profondément réfléchis qui dénotent un talent futur. Tout en
Fougères annonçait la médiocrité. Son surnom de Fougères, celui
du peintre dans la pièce de d'Églantine, fut la source de mille
avanies; mais, par la force des choses, il accepta le nom de la ville
où il avait vu le jour.

Grassou de Fougères ressemblait à son nom.[31] Grassouillet et
d'une taille médiocre, il avait le teint fade, les yeux bruns, les
cheveux noirs, le nez en trompette, une bouche assez large et les
oreilles longues. Son air doux, passif et résigné relevait peu ces
traits principaux de sa physionomie pleine de santé, mais sans
action. Il ne devait être tourmenté ni par cette abondance de sang,
ni par cette violence de pensée, ni par cette verve comique à
laquelle se reconnaissent les grands artistes. Ce jeune homme, né
pour être un vertueux bourgeois, venu de son pays pour être
commis chez un marchand de couleurs, originaire de Mayenne[32]
et parent éloigné des d'Orgemont,[33] s'institua peintre par le fait
de l'entêtement qui constitue le caractère breton. Ce qu'il souffrit,
la manière dont il vécut pendant le temps de ses études, Dieu seul
le sait. Il souffrit autant que souffrent les grands hommes quand
ils sont traqués par la misère et chassés comme des bêtes fauves
par la meute des gens médiocres et par la troupe des Vanités
altérées de vengeance. Dès qu'il se crut de force à voler de ses
propres ailes, Fougères prit un atelier en haut de la rue des
Martyrs, où il avait commencé à piocher. Il fit son début en 1819.
Le premier tableau qu'il présenta au Jury pour l'Exposition

du Louvre représentait une noce de village, assez péniblement copiée d'après le tableau de Greuze.³⁴ On refusa la toile. Quand Fougères apprit la fatale décision, il ne tomba point dans ces fureurs ou dans ces accès d'amour-propre épileptique auxquels s'adonnent les esprits superbes, et qui se terminent quelquefois par des cartels envoyés au directeur ou au secrétaire du Musée, par des menaces d'assassinat. Fougères reprit tranquillement sa toile, l'enveloppa de son mouchoir, la rapporta dans son atelier en se jurant à lui-même de devenir un grand peintre. Il plaça sa toile sur son chevalet, et alla chez son ancien Maître, un homme d'un immense talent, chez Schinner, artiste doux et patient, et dont le succès avait été complet au dernier Salon; il le pria de venir critiquer l'œuvre rejetée. Le grand peintre quitta tout et vint. Quand le pauvre Fougères l'eut mis face à face avec l'œuvre, Schinner, au premier coup-d'œil, serra la main de Fougères.

— Tu es un brave garçon, tu as un cœur d'or, il ne faut pas te tromper. Écoute, tu tiens toutes les promesses que tu faisais à l'atelier. Quand on trouve ces choses-là au bout de sa brosse, mon bon Fougères, il vaut mieux laisser ses couleurs chez Brullon,³⁵ et ne pas voler la toile aux autres. Rentre de bonne heure, mets un bonnet de coton, couche-toi sur les neuf heures; va le matin, à dix heures, à quelque bureau où tu demanderas une place, et quitte les Arts.

— Mon ami, dit Fougères, ma toile a déjà été condamnée, et ce n'est pas l'arrêt que je demande, mais les motifs.

— Eh! bien, tu fais gris et sombre, tu vois la Nature à travers un crêpe; ton dessin est lourd, empâté; ta composition est un pastiche de Greuze qui ne rachetait ses défauts que par les qualités qui te manquent.

En détaillant les fautes du tableau, Schinner vit sur la figure de Fougères une si profonde expression de tristesse qu'il l'emmena dîner et tâcha de le consoler. Le lendemain, dès sept heures, Fougères à son chevalet, retravaillait le tableau condamné; il en réchauffait la couleur, il y faisait les corrections indiquées par Schinner, il replâtrait ses figures. Puis, dégoûté de son rhabillage, il le porta chez Élias Magus. Élias Magus, espèce de Hollando-Belge-Flamand, avait trois raisons d'être ce qu'il devint: avare et riche. Venu de Bordeaux, il débutait alors à Paris, brocantait des tableaux et demeurait sur le boulevard Bonne-Nouvelle. Fougères, qui comptait sur sa palette pour aller chez le boulanger, mangea très-intrépidement du pain et des noix, ou du pain et du lait, ou du pain et des cerises, ou du pain et du fromage, selon les saisons. Élias Magus, à qui Pierre offrit sa première toile, la guigna longtemps, il en donna quinze francs.

— Avec quinze francs de recette par an et mille francs de dépense, dit Fougères en souriant, on va vite et loin.

Élias Magus fit un geste, il se mordit les pouces en pensant qu'il aurait pu avoir le tableau pour cent sous. Pendant quelques jours, tous les matins, Fougères descendit la rue des Martyrs, se cacha dans la foule sur le boulevard opposé à celui où était la boutique de Magus, et son œil plongeait sur son tableau qui n'attirait point les regards des passants. Vers la fin de la semaine, le tableau disparut. Fougères remonta le boulevard, se dirigea vers la boutique du brocanteur, il eut l'air de flâner. Le Juif était sur sa porte.

— Hé! bien, vous avez vendu mon tableau?

— Le voici, dit Magus, j'y mets une bordure pour pouvoir l'offrir à quelqu'un qui croira se connaître en peinture.

Fougères n'osa plus revenir sur le Boulevard, il entreprit un nouveau tableau; il resta deux mois à le faire en faisant des repas de souris, et se donnant un mal de galérien.

Un soir, il alla jusque sur le Boulevard, ses pieds le portèrent fatalement jusqu'à la boutique de Magus, il ne vit son tableau nulle part.

— J'ai vendu votre tableau, dit le marchand à l'artiste.

— Et combien?

— Je suis rentré dans mes fonds avec un petit intérêt. Faites-moi des intérieurs; une leçon d'anatomie, un paysage, je vous les paierai, dit Élias.

Fougères aurait serré Magus dans ses bras, il le regardait comme un père. Il revint, la joie au cœur: le grand peintre Schinner s'était donc trompé! Dans cette immense ville de Paris, il se trouvait des cœurs qui battaient à l'unisson de celui de Grassou, son talent était compris et apprécié. Le pauvre garçon, à vingt-sept ans, avait l'innocence d'un jeune homme de seize ans. Un autre, un de ces artistes défiants et farouches, aurait remarqué l'air diabolique d'Élias Magus, il eût observé le frétillement des poils de sa barbe, l'ironie de sa moustache, le mouvement de ses épaules qui annonçait le contentement du Juif de Walter Scott fourbant un chrétien.[36] Fougères se promena sur les Boulevards dans une joie qui donnait à sa figure une expression fière. Il ressemblait à un Lycéen qui protège une femme. Il rencontra Joseph Bridau,[37] l'un de ses camarades, un de ces talents excentriques destinés à la gloire et au malheur. Joseph Bridau, qui avait quelques sous dans sa poche, selon son expression, emmena Fougères à l'Opéra. Fougères ne vit pas le ballet, il n'entendit pas la musique, il concevait des tableaux, il peignait. Il quitta Joseph au milieu de la soirée, il courut chez lui faire des esquisses à la lampe, il inventa trente tableaux pleins de réminiscences, il se crut un homme de génie. Dès le lendemain, il acheta des couleurs, des toiles de plusieurs dimensions; il installa du pain, du fromage sur sa table, il mit de l'eau dans une cruche, il fit une provision de bois pour son poêle; puis, selon l'expression des ateliers, il piocha ses tableaux; il eut quelques modèles, et Magus lui prêta des étoffes. Après deux mois de réclusion, le Breton avait fini quatre tableaux. Il redemanda les conseils de Schinner, auquel il adjoignit Joseph Bridau. Les deux peintres virent dans ces toiles une servile imitation des paysages hollandais, des intérieurs de Metzu,[38] et dans la quatrième une copie de la Leçon d'anatomie[39] de Rembrandt.

— Toujours des pastiches, dit Schinner. Ah! Fougères aura de la peine à être original.

— Tu devrais faire autre chose que de la peinture, dit Bridau.

— Quoi ? dit Fougères.

— Jette-toi dans la littérature.

Fougères baissa la tête à la façon des brebis quand il pleut.[40] Puis il demanda, il obtint encore des conseils utiles, et retoucha ses tableaux avant de les porter à Élias. Élias paya chaque toile vingt-cinq francs. A ce prix, Fougères n'y gagnait rien, mais il ne perdait pas, eu égard à sa sobriété. Il fit quelques promenades, pour voir ce que devenaient ses tableaux, et eut une singulière hallucination. Ses toiles si peignées, si nettes, qui avaient la dureté de la tôle et le luisant des peintures sur porcelaine, étaient comme couvertes d'un brouillard, elles ressemblaient à de vieux tableaux. Élias venait de sortir, Fougères ne put obtenir aucun renseignement sur ce phénomène. Il crut avoir mal vu. Le peintre rentra dans son atelier y faire de nouvelles vieilles toiles. Après sept ans de travaux continus, Fougères parvint à composer, à exécuter des tableaux passables. Il faisait aussi bien que tous les artistes du second ordre, Élias achetait, vendait tous les tableaux du pauvre Breton qui gagnait péniblement une centaine de louis par an, et ne dépensait pas plus de douze cents francs.

A l'Exposition de 1829, Léon de Lora,[41] Schinner et Bridau, qui tous trois occupaient une grande place et se trouvaient à la tête du mouvement dans les Arts, furent pris de pitié pour la persistence, pour la pauvreté de leur vieux camarade; et ils firent admettre à l'Exposition, dans le grand Salon, un tableau de Fougères. Ce tableau, puissant d'intérêt, qui tenait de Vigneron[42] pour le sentiment et du premier faire de Dubufe[43] pour l'exécution, représentait un jeune homme à qui, dans l'intérieur d'une prison, l'on rasait les cheveux à la nuque. D'un côté un prêtre, de l'autre une vieille et une jeune femme en pleurs. Un greffier lisait un papier timbré. Sur une méchante table se voyait un repas auquel personne n'avait touché. Le jour venait à travers les barreaux d'une fenêtre élevée. Il y avait de quoi faire frémir les bourgeois, et les bourgeois frémissaient. Fougères s'était inspiré tout bonnement du chef-d'œuvre de Gérard Dow:[44] il avait retourné le groupe de la *Femme hydropique* vers la fenêtre, au lieu de le présenter de face. Il avait remplacé la mourante par le condamné: même pâleur, même regard, même appel à Dieu. Au lieu du médecin flamand, il avait peint la froide et officielle figure du greffier vêtu de noir; mais il avait ajouté une vieille femme auprès de la jeune fille de Gérard Dow. Enfin la figure cruellement bonasse du bourreau dominait ce groupe. Ce plagiat, très-habilement déguisé, ne fut point connu.

Le livret contenait ceci:

510. GRASSOU DE FOUGÈRES (Pierre), rue de Navarin, 2.
La toilette d'un chouan,[45] condamné à mort en 1809.

Quoique médiocre, le tableau eut un prodigieux succès, car il rappelait l'affaire des chauffeurs de Mortagne. La foule se forma tous les jours devant la toile à la mode, et Charles X s'y arrêta. MADAME,[46] instruite de la vie patiente de ce pauvre Breton, s'enthousiasma pour le Breton. Le duc d'Orléans marchanda la toile. Les ecclésiastiques dirent à madame la Dauphine que le sujet était plein de très-bonnes pensées: il y régnait en effet un air religieux satisfaisant. Monseigneur le Dauphin[47] admira la poussière des carreaux, une grosse lourde faute, car Fougères avait répandu des teintes verdâtres qui annonçaient de l'humidité au bas des murs. MADAME acheta le tableau mille francs, le Dauphin en commanda un autre. Charles X donna la croix au fils du paysan qui s'était jadis battu pour la cause royale en 1799. Joseph Bridau, le grand peintre, ne fut pas décoré. Le Ministre de l'Intérieur commanda deux tableaux d'église à Fougères. Ce salon fut pour Pierre Grassou toute sa fortune, sa gloire, son avenir, sa vie. Inventer en toute chose, c'est vouloir mourir à petit feu; copier, c'est vivre. Après avoir enfin découvert un filon plein d'or, Grassou de Fougères pratiqua la partie de cette cruelle maxime à laquelle la société doit ces infâmes médiocrités chargées d'élire aujourd'hui les supériorités dans toutes les classes sociales, mais qui naturellement s'élisent elles-mêmes, et font une guerre acharnée aux vrais talents. Le principe de l'Élection,[48] appliqué à tout, est faux, la France en reviendra. Néanmoins, la modestie, la simplicité, la surprise du bon et doux Fougères, firent taire les récriminations et l'envie. D'ailleurs il eut pour lui les Grassou parvenus, solidaires des Grassou à venir. Quelques gens, émus par l'énergie d'un homme que rien n'avait découragé, parlaient du Dominiquin,[49] et disaient: « Il faut récompenser la volonté dans les Arts! Grassou n'a pas volé son succès! voilà dix ans qu'il pioche, pauvre bonhomme! » Cette exclamation de *pauvre bonhomme!* était pour la moitié dans les adhésions et les félicitations que recevait le peintre. La pitié élève autant de médiocrités que l'envie rabaisse de grands artistes. Les journaux n'avaient pas épargné les critiques, mais le chevalier Fougères les digéra comme il digérait les conseils de ses amis, avec une patience angélique. Riche alors d'une quinzaine de mille francs bien péniblement gagnés, il meubla son appartement et son atelier rue de Navarin, il y fit le tableau demandé par monseigneur le Dauphin, et les deux tableaux d'église commandés par le Ministère, à jour fixe, avec une régularité désespérante pour la caisse du Ministère, habituée à d'autres façons. Mais admirez le bonheur des gens qui ont de l'ordre! S'il avait tardé, Grassou, surpris par la Révolution de Juillet,[50] n'eût pas été payé. A trente-sept ans, Fougères avait fabriqué pour Élias Magus environ deux cents tableaux complètement inconnus, mais à l'aide desquels il était parvenu à cette manière satisfaisante, à ce point d'exécution qui fait hausser les épaules à l'artiste, et que chérit la bourgeoisie. Fougères était cher à ses amis par une rectitude d'idées, par une sécurité de sentiments, une obligeance parfaite, une grande loyauté; s'ils n'avaient aucune estime pour la palette, ils aimaient l'homme qui la tenait. — Quel malheur que Fougères ait le vice de la peinture! se disaient ses camarades. Néanmoins Grassou donnait des conseils excellents, semblable à ces feuilletonistes incapables d'écrire un livre, et qui savent très-bien par où pèchent les livres; mais il y avait entre les critiques littéraires et Fougères une différence: il était éminemment sensible aux beautés, il les reconnaissait, et ses conseils étaient empreints d'un sentiment de justice qui faisait accepter la justesse de ses remarques. Depuis la Révolution de Juillet, Fougères présentait à chaque Exposition une dizaine de tableaux, parmi lesquels le Jury en admettait quatre ou cinq. Il vivait avec la plus rigide économie, et tout son domestique consistait dans une femme de ménage. Pour toute distraction, il visitait ses amis, il allait voir les objets d'art, il se permettait quelques petits voyages en France, il projetait d'aller chercher des inspirations en Suisse. Ce détestable artiste était un excellent citoyen: il montait sa garde,[51] allait aux revues, payait son loyer et ses consommations avec l'exactitude la plus bourgeoise. Ayant vécu dans le travail et dans la misère, il n'avait jamais eu le temps d'aimer. Jusqu'alors garçon et pauvre, il ne se souciait point de compliquer son existence si simple. Incapable d'inventer une manière d'augmenter sa fortune, il portait tous les trois mois chez son notaire, Cardot,[52] ses économies et ses gains du trimestre. Quand le notaire avait à Grassou mille écus, il les plaçait par première hypothèque,[53] avec subrogation dans les droits de la femme, si l'emprunteur était marié, ou subrogation dans les droits du vendeur, si l'emprunteur avait un prix à payer. Le notaire touchait lui-même les intérêts et les joignait aux remises partielles faites par Grassou de Fougères. Le peintre attendait le fortuné moment où ses contrats arriveraient au chiffre imposant de deux mille francs de rente, pour se donner l'*otium cum dignitate*[54] de l'artiste et faire des tableaux, oh! mais des tableaux! enfin de vrais tableaux! des tableaux finis, chouettes, kox-noffs et chocno-soffs.[55] Son avenir, ses rêves de bonheur, le superlatif de ses espérances, voulez-vous le savoir? c'était d'entrer à l'Institut[56] et d'avoir la rosette[57] des Officiers de la Légion d'Honneur! S'asseoir à côté de Schinner et de Léon de Lora, arriver à l'Académie avant Bridau! avoir une rosette à sa boutonnière! Quel rêve! Il n'y a que les gens médiocres pour penser à tout.

En entendant le bruit de plusieurs pas dans l'escalier, Fougères se rehaussa le toupet, boutonna sa veste de velours vert-bouteille, et ne fut pas médiocrement surpris de voir entrer une figure vulgairement appelée *un melon* dans les ateliers. Ce fruit surmontait[58] une citrouille, vêtue de drap bleu, ornée d'un paquet de breloques tintinnabulant. Le melon soufflait comme un marsouin, la citrouille marchait sur des navets, improprement appelés des jambes. Un vrai peintre aurait fait ainsi la charge du petit marchand de bouteilles, et l'eût mis immédiatement à la porte en lui disant qu'il ne peignait pas les légumes. Fougères regarda la pratique[59] sans rire, car monsieur Vervelle présentait un diamant de mille écus à sa chemise.

Fougères regarda Magus et dit: « Il y a gras! »[60] en employant un mot d'argot, alors à la mode dans les ateliers.

En entendant ce mot, monsieur Vervelle fronça les sourcils. Ce bourgeois attirait à lui une autre complication de légumes dans la personne de sa femme et de sa fille. La femme avait sur la figure un *acajou répandu*,[61] elle ressemblait à une noix de coco surmontée d'une tête et serrée par une ceinture. Elle pivotait sur ses pieds, sa robe était jaune, à raies noires. Elle produisait orgueilleusement des mitaines extravagantes sur des mains enflées comme les gants d'une enseigne. Les plumes du convoi de première classe[62] flottaient sur un chapeau extravasé. Des dentelles paraient des épaules aussi bombées par derrière que par devant: ainsi la forme sphérique du coco était parfaite. Les pieds, du genre de ceux que les peintres appellent des *abatis*,[63] étaient ornés d'un bourrelet de six lignes au-dessus du cuir verni des souliers. Comment les pieds y étaient-ils entrés? On ne sait.

Suivait une jeune asperge, verte et jaune par sa robe, et qui montrait une petite tête couronnée d'une chevelure en bandeau, d'un jaune-carotte qu'un Romain eût adoré, des bras filamenteux, des taches de rousseur sur un teint assez blanc, des grands yeux innocents, à cils blancs, peu de sourcils, un chapeau de paille d'Italie avec deux honnêtes coques de satin bordé d'un liséré de

satin blanc, les mains vertueusement rouges, et les pieds de sa
mère. Ces trois êtres avaient, en regardant l'atelier, un air de
bonheur qui annonçait en eux un respectable enthousiasme pour
les Arts.

— Et c'est vous, monsieur, qui allez faire nos ressemblances?
dit le père en prenant un petit air crâne.

— Oui, monsieur, répondit Grassou.

— Vervelle, *il* a la croix, dit tout bas la femme à son mari pendant que le peintre avait le dos tourné.

— Est-ce que j'aurais fait faire nos portraits par un artiste qui
ne serait pas décoré?... dit l'ancien marchand de bouchons.

Élias Magus salua la famille Vervelle et sortit, Grassou l'accompagna jusque sur le palier.

— Il n'y a que vous pour pêcher de pareilles boules.[64]

— Cent mille francs de dot!

— Oui; mais quelle famille!

— Trois cent mille francs d'espérances, maison rue Boucherat,
et maison de campagne à Ville-d'Avray.

— Boucherat, bouteilles, bouchons, bouchés, débouchés, dit
le peintre.

— Vous serez à l'abri du besoin pour le reste de vos jours, dit
Élias.

Cette idée entra dans la tête de Pierre Grassou, comme la
lumière du matin avait éclaté dans sa mansarde. En disposant le
père de la jeune personne, il lui trouva bonne mine et admira cette
face pleine de tons violents. La mère et la fille voltigèrent autour
du peintre, en s'émerveillant de tous ses apprêts, il leur parut
être un dieu. Cette visible adoration plut à Fougères. Le veau d'or
jeta sur cette famille son reflet fantastique.

— Vous devez gagner un argent fou? mais vous le dépensez
comme vous le gagnez, dit la mère.

— Non, madame, répondit le peintre, je ne le dépense pas, je
n'ai pas le moyen de m'amuser. Mon notaire place mon argent,
il sait mon compte, une fois l'argent chez lui, je n'y pense plus.

— On me disait, à moi, s'écria le père Vervelle, que les artistes étaient tous paniers percés.[65]

— Quel est votre notaire, s'il n'y a pas d'indiscrétion ? demanda madame Vervelle.

— Un brave garçon, tout rond, Cardot.

— Tiens! Tiens! est-ce farce! dit Vervelle, Cardot est le nôtre.

— Ne vous dérangez pas! dit le peintre.

— Mais tiens-toi donc tranquille, Anténor, dit la femme, tu ferais manquer monsieur, et si tu le voyais travailler tu comprendrais...

— Mon Dieu! pourquoi ne m'avez-vous pas appris les Arts? dit mademoiselle Vervelle à ses parents.

— Virginie, s'écria la mère, une jeune personne ne doit pas apprendre certaines choses. Quand tu seras mariée... bien! mais, jusque-là, tiens-toi tranquille.

Pendant cette première séance, la famille Vervelle se familiarisa presque avec l'honnête artiste. Elle dut revenir deux jours après. En sortant, le père et la mère dirent à Virginie d'aller devant eux, mais malgré la distance, elle entendit ces mots dont le sens devait éveiller sa curiosité.

— Un homme décoré... trente-sept ans... un artiste qui a des commandes, qui place son argent chez notre notaire. Consultons Cardot? Hein, s'appeler madame de Fougères!... ça n'a pas l'air d'être un méchant homme!... Tu me diras un commerçant?... mais un commerçant tant qu'il n'est pas retiré, vous ne savez pas ce que peut devenir votre fille! tandis qu'un artiste économe... puis nous aimons les Arts... Enfin!...

Pierre Grassou, pendant que la famille Vervelle le discutait, discutait la famille Vervelle. Il lui fut impossible de demeurer en paix dans son atelier, il se promena sur le Boulevard, il y regardait les femmes rousses qui passaient! Il se faisait les plus étranges raisonnements: l'or était le plus beau des métaux, la couleur jaune représentait l'or, les Romains aimaient les femmes rousses, et il devint Romain, etc. Après deux ans de mariage, quel homme s'occupe de la couleur de sa femme? La beauté passe... mais la laideur reste! L'argent est la moitié du bonheur. Le soir, en se couchant, le peintre trouvait déjà Virginie Vervelle charmante.

Quand les trois Vervelle entrèrent le jour de la seconde séance, l'artiste les accueillit avec un aimable sourire. Le scélérat avait fait sa barbe, il avait mis du linge blanc; il s'était agréablement disposé les cheveux, il avait choisi un pantalon fort avantageux et des pantoufles rouges à la poulaine.[66] La famille répondit par un sourire aussi flatteur que celui de l'artiste, Virginie devint de la couleur de ses cheveux, baissa les yeux et détourna la tête, en regardant les études. Pierre Grassou trouva ces petites minauderies ravissantes. Virginie avait de la grâce, elle ne tenait heureusement ni du père, ni de la mère; mais de qui tenait-elle?

— Ah! j'y suis, se dit-il toujours, la mère aura eu un regard de son commerce.[67]

Pendant la séance il y eut des escarmouches entre la famille et le peintre qui eut l'audace de trouver le père Vervelle spirituel. Cette flatterie fit entrer la famille au pas de charge dans le cœur de l'artiste, il donna l'un de ses croquis à Virginie, et une esquisse à la mère.

— Pour rien? dirent-elles.

Pierre Grassou ne put s'empêcher de sourire.

— Il ne faut pas donner ainsi vos tableaux, c'est de l'argent, lui dit Vervelle.

A la troisième séance, le père Vervelle parla d'une belle galerie de tableaux qu'il avait à sa campagne de Ville-d'Avray; des Rubens, des Gérard Dow, des Mieris, des Terburg, des Rembrandt, un Titien, des Paul Potter, etc.

— Monsieur Vervelle a fait des folies, dit fastueusement madame Vervelle, il a pour cent mille francs de tableaux.

— J'aime les Arts, reprit l'ancien marchand de bouteilles.

Quand le portrait de madame Vervelle fut commencé, celui du mari était presque achevé, l'enthousiasme de la famille ne connaissait alors plus de bornes. Le notaire avait fait le plus grand éloge du peintre: Pierre Grassou était à ses yeux le plus honnête garçon de la terre, un des artistes les plus rangés qui d'ailleurs avait amassé trente-six mille francs; ses jours de misère étaient passés, il allait par dix mille francs chaque année, il capitalisait les intérêts; enfin il était incapable de rendre une femme malheureuse. Cette dernière phrase fut d'un poids énorme dans la balance. Les amis des Vervelle n'entendaient plus parler que du célèbre Fougères. Le jour où Fougères entama le portrait de Virginie, il était *in petto* déjà le gendre de la famille Vervelle. Les trois Vervelle fleurissaient dans cet atelier qu'ils s'habituaient à considérer comme une de leurs résidences: il y avait pour eux un inexplicable attrait dans ce local propre, soigné, gentil, artiste. *Abyssus abyssum*,[68] le bourgeois attire le bourgeois. Vers la fin de la séance, l'escalier fut agité, la porte fut brutalement ouverte, et entra Joseph Bridau:[69] il était à la tempête, il avait les cheveux au vent; il montra sa grande figure ravagée, jeta partout les éclairs de son regard, tourna tout autour de l'atelier et revint à Grassou brusquement, en ramassant sa redingote sur la région gastrique, et tâchant, mais en vain, de la boutonner, le bouton s'étant évadé de sa capsule de drap.

— Le bois est cher, dit-il à Grassou.

— Ah!

— Les Anglais[70] sont après moi. Tiens, tu peins ces choses-là?

— Tais-toi donc!

— Ah! oui!

La famille Vervelle, superlativement choquée par cette étrange apparition, passa de son rouge ordinaire au rouge-cerise des feux violents.

— Ça rapporte! reprit Joseph. Y a-t-il *aubert en fouillouse*?[71]

— Te faut-il beaucoup?

— Un billet de cinq cents... J'ai après moi un de ces négociants de la nature des dogues, qui, une fois qu'ils ont mordu, ne lâchent plus qu'ils n'aient le morceau. Quelle race!

— Je vais t'écrire un mot pour mon notaire...

— Tu as donc un notaire?

— Oui.

— Ça m'explique alors pourquoi tu fais encore les joues avec des tons roses, excellents pour des enseignes de parfumeur!

Grassou ne put s'empêcher de rougir, Virginie posait.

— Aborde donc la Nature comme elle est? dit le grand peintre en continuant. Mademoiselle est rousse. Eh! bien, est-ce un péché mortel? Tout est magnifique en peinture. Mets-moi du cinabre sur ta palette, réchauffe-moi ces joues-là, piques-y leurs petites taches brunes, beurre-moi cela![72] Veux-tu avoir plus d'esprit que la Nature?

— Tiens, dit Fougères, prends ma place pendant que je vais écrire.

Vervelle roula jusqu'à la table et s'approcha de l'oreille de Grassou.

— Mais ce *pacant-là*[73] va tout gâter, dit le marchand.

— S'il voulait faire le portrait de votre Virginie, il vaudrait mille fois le mien, répondit Fougères indigné.

En entendant ce mot, le bourgeois opéra doucement sa retraite vers sa femme stupéfaite de l'invasion de la bête féroce, et assez peu rassurée de la voir coopérant au portrait de sa fille.

— Tiens, suis ces indications, dit Bridau en rendant la palette et prenant le billet. Je ne te remercie pas! je puis retourner au château de d'Arthez[74] à qui je peins une salle à manger et où Léon de Lora fait les dessus de porte, des chefs-d'œuvre. Viens nous voir?

Il s'en alla sans saluer, tant il en avait assez d'avoir regardé Virginie.

— Qui est cet homme? demanda madame Vervelle.

— Un grand artiste, répondit Grassou.

Un moment de silence.

— Êtes-vous bien sûr, dit Virginie, qu'il n'a pas porté malheur à mon portrait? il m'a effrayée.

— Il n'y a fait que du bien, répondit Grassou.

— Si c'est un grand artiste, j'aime mieux un grand artiste qui vous ressemble, dit madame Vervelle.

— Ah! maman, monsieur est un bien plus grand peintre, il me fera tout entière, fit observer Virginie.

Les allures du Génie avaient ébouriffé ces bourgeois, si rangés.

On entrait dans cette phase d'automne si agréablement nommée l'*Été de la Saint-Martin*. Ce fut avec la timidité du néophyte en présence d'un homme de génie que Vervelle risqua une invitation de venir à sa maison de campagne dimanche prochain: il savait combien peu d'attraits une famille bourgeoise offrait à un artiste.

— Vous autres! dit-il, il vous faut des émotions! des grands spectacles et des gens d'esprit; mais il y aura de bons vins, et je compte sur ma galerie pour vous compenser l'ennui qu'un artiste comme vous pourra éprouver parmi des négociants.

Cette idolâtrie qui caressait exclusivement son amour-propre charma le pauvre Pierre Grassou, si peu accoutumé à recevoir de tels compliments. L'honnête artiste, cette infâme médiocrité, ce cœur d'or, cette loyale vie, ce stupide dessinateur, ce brave garçon, décoré de l'Ordre royal de la Légion d'Honneur, se mit sous les armes pour aller jouir des derniers beaux jours de l'année, à Ville-d'Avray. Le peintre vint modestement par la voiture publique, et ne put s'empêcher d'admirer le beau pavillon du marchand de bouteilles, jeté au milieu d'un parc de cinq arpents, au sommet de Ville-d'Avray, au plus beau point de vue. Épouser Virginie, c'était avoir cette belle villa quelque jour! Il fut reçu par les Vervelle avec un enthousiasme, une joie, une bonhomie, une franche bêtise bourgeoise qui le confondirent. Ce fut un jour de triomphe. On promena le futur dans les allées couleur nankin qui avaient été ratissées comme elles devaient l'être pour un grand homme. Les arbres eux-mêmes avaient un air peigné, les gazons étaient fauchés. L'air pur de la campagne amenait des odeurs de cuisine infiniment réjouissantes. Tous, dans la maison, disaient: « Nous avons un grand artiste. » Le petit père Vervelle roulait comme une pomme dans son parc, la fille serpentait comme une anguille, et la mère suivait d'un pas noble et digne. Ces trois êtres ne lâchèrent pas Grassou pendant sept heures. Après le dîner, dont la durée égala la somptuosité, monsieur et madame Vervelle arrivèrent à leur grand coup de théâtre, à l'ouverture de la galerie illuminée par des lampes à effets calculés. Trois voisins, anciens commerçants, un oncle à succession,[75] mandés pour l'ovation du grand artiste, une vieille demoiselle Vervelle et les convives suivirent Grassou dans la galerie, assez curieux d'avoir son opinion sur la fameuse galerie du petit père Vervelle, qui les assommait de la valeur fabuleuse de ses tableaux. Le marchand de bouteilles semblait avoir voulu lutter avec le roi Louis-Philippe et les galeries de Versailles.[76] Les tableaux magnifiquement encadrés avaient des étiquettes où se lisaient en lettres noires sur fond d'or:

RUBENS.

Danse de faunes et de nymphes.

REMBRANDT.

Intérieur d'une salle de dissection. Le docteur Tromp faisant sa leçon à ses élèves.

Il y avait cent cinquante tableaux tous vernis, époussetés, quelques-uns étaient couverts de rideaux verts qui ne se tiraient pas en présence des jeunes personnes.

L'artiste resta les bras cassés, la bouche béante, sans parole sur les lèvres, en reconnaissant la moitié de ses tableaux dans cette galerie : il était Rubens, Paul Potter, Mieris, Metzu, Gérard Dow ! il était à lui seul vingt grands maîtres.

— Qu'avez-vous ? vous pâlissez !

— Ma fille, un verre d'eau, s'écria la mère Vervelle.

Le peintre prit le père Vervelle par le bouton de son habit, et l'emmena dans un coin, sous prétexte de voir un Murillo. Les tableaux espagnols étaient alors à la mode.

— Vous avez acheté vos tableaux chez Élias Magus ?

— Oui, tous originaux !

— Entre nous, combien vous a-t-il vendu ceux que je vais vous désigner ?

Tous deux, ils firent le tour de la galerie. Les convives furent émerveillés du sérieux avec lequel l'artiste procédait en compagnie de son hôte à l'examen des chefs-d'œuvre.

— Trois mille francs ! dit à voix basse Vervelle en arrivant au dernier ; mais je dis quarante mille francs !

— Quarante mille francs un Titien ? reprit à haute voix l'artiste, mais ce serait pour rien.

— Quand je vous le disais, j'ai pour cent mille écus de tableaux, s'écria Vervelle.

— J'ai fait tous ces tableaux-là, lui dit à l'oreille Pierre Grassou, je ne les ai pas vendus tous ensemble plus de dix mille francs...

— Prouvez-le-moi, dit le marchand de bouteilles, et je double la dot de ma fille, car alors vous êtes Rubens, Rembrandt, Terburg, Titien !

— Et Magus est un fameux marchand de tableaux ! dit le peintre qui s'expliqua l'air vieux de ses tableaux et l'utilité des sujets que lui demandait le brocanteur.

Loin de perdre dans l'estime de son admirateur, monsieur de Fougères, car la famille persistait à nommer ainsi Pierre Grassou, grandit si bien, qu'il fit gratis les portraits de la famille, et les offrit naturellement à son beau-père, à sa belle-mère et à sa femme.

Aujourd'hui, Pierre Grassou, qui ne manque pas une seule exposition, passe, dans le monde bourgeois, pour un bon peintre de portraits. Il gagne une douzaine de mille francs par an, et gâte pour cinq cents francs de toiles. Sa femme a eu six mille francs de rente en dot, il vit avec son beau-père et sa belle-mère. Les Vervelle et les Grassou, qui s'entendent à merveille, ont voiture[77] et sont les plus heureuses gens du monde. Pierre Grassou ne sort pas d'un cercle bourgeois où il est considéré comme un des plus grands artistes de l'époque ; et il ne se dessine pas un portrait de famille, entre la barrière du Trône[78] et la rue du Temple, qui ne se fasse chez ce grand peintre et qui ne se paie au moins cinq cents francs. La grande raison des Bourgeois pour employer cet artiste est celle-ci : « Dites-en ce que vous voudrez, il place vingt mille francs par an chez son notaire ! » Comme Grassou s'est très-bien montré dans les émeutes du 12 mai,[79] il a été nommé Officier de la Légion d'Honneur. Il est chef de bataillon dans la Garde nationale. Le Musée de Versailles n'a pas pu se dispenser de commander une bataille[80] à un si excellent citoyen qui s'est promené partout dans Paris, afin de rencontrer ses anciens camarades, et leur dire d'un air dégagé : « Le Roi m'a donné une bataille à faire ! »

Madame de Fougères adore son époux à qui elle a donné deux enfants. Ce peintre, bon père et bon époux, ne peut cependant pas ôter de son cœur une fatale pensée : les artistes se moquent de lui, son nom est un terme de mépris dans les ateliers, les feuilletons ne s'occupent pas de ses ouvrages. Mais il travaille toujours, et il se porte à l'Académie, où il entrera. Puis, vengeance qui lui dilate le cœur ! il achète des tableaux aux peintres célèbres quand ils sont gênés, et il remplace les croûtes de la galerie de Ville-d'Avray par de vrais chefs-d'œuvre, qui ne sont pas de lui.

On connaît[81] des médiocrités plus taquines et plus méchantes que celle de Pierre Grassou, qui, d'ailleurs, est d'une bienfaisance anonyme et d'une obligeance parfaite.

Paris, décembre 1839.

NOTES

UN ÉPISODE SOUS LA TERREUR

Un Épisode sous la Terreur was originally the introduction to the *Mémoires de Sanson sur la Révolution française*. Ostensibly by Sanson, the former public executioner, this work had in fact been composed by Balzac and an obscure collaborator named L'Héritier de l'Ain in 1830, and was designed at once to titillate the appetite of the public for macabre anecdotes, to cater for a vogue in reminiscences about the Revolution, and to protest against the death penalty. The introduction was meant to establish its supposed authenticity by recounting the tale (entirely fictitious) of Sanson's nocturnal visits to hear the Abbé de Marolles say Mass; these Masses, so it was said, went on until the persecution of the clergy ceased, after which the two nuns returned to their convent while Marolles became a parish priest in Paris. A year or two later, he was called out to administer the last rites to his still unidentified benefactor, who entrusted to him the manuscript of his memoirs. It was only then that Marolles discovered that the unknown man was Sanson; he dutifully kept the papers which, it was claimed, had come into the hands of the publishers after his death and formed the *Mémoires de Sanson*. Exactly how much of the *Mémoires* themselves is Balzac's work is uncertain, but all that he himself saw fit to preserve and republish under his own name is the introduction, fitted out with a new ending so as to make it complete in itself and entitled first of all *Une Messe en 1793* and then *Un Épisode sous la Terreur*. As such, it found its way into the *Scènes de la vie politique* in 1846.

Highly dramatic in its gradual unfolding of the grim mystery, it is a masterly exercise in the creation of suspense, despite a certain heavy-handedness in pretending ignorance of the identity of the nun at the beginning and an excessive abuse of unnecessary speculation about her—a method of presentation doubtless copied from Sir Walter Scott, who likewise delights in gratuitously hiding the identity of his characters. One might too criticize the style for its oratorical pomposity and the redundancy of some conventional epithets, but Balzac evidently felt that the subject merited especially solemn treatment. In his later works, these traces of clumsiness in technique disappear; here, his intention is not only to tell an exciting story, but also to exalt the 'deux Vérités éternelles: la Religion, la Monarchie' which, in the *Avant-propos* to the *Comédie humaine*, he proclaimed to be his guiding principles, and this helps to explain the portentousness of his manner. The tale is thus strongly angled politically and doctrinally: Balzac emphasizes the holiness of the priest and the nuns, the monstrosity of the persecution to which they are subjected, the horror of the execution of the king, the profound emotion of the religious ceremonies. Its imperfections do not prevent its being an effective piece of propaganda as well as a singularly gripping anecdote.

1. *Monsieur Guyonnet-Merville*. When Balzac first went to Paris, his parents expected him to study law, so that he became a part-time articled clerk to a lawyer with the nominal intention of pursuing his university studies simultaneously. In the event, it very soon became clear that he was more interested in literature than in law, but his experience in the lawyer's office stood him in good stead in many of his novels. Guyonnet-Merville (or rather Guillonnet-Merville—Balzac was never very good at spelling proper names) was the lawyer to whom he was articled and who suggested to him the name and some of the characteristics of Derville, one of the foremost lawyers of the *Comédie humaine*, who figures notably in *Le Colonel Chabert* and *Gobseck*.

2. *Scribe*. Eugène Scribe (1791–1861), the famous dramatist, had, like Balzac, been destined for a legal career until his theatrical instincts asserted themselves.

3. *Le 22 janvier 1793*. Louis XVI had been executed on 21 January 1793.

4. *l'église Saint-Laurent*. As always, Balzac is careful to locate very precisely the action of his story. All the streets and buildings mentioned here existed in reality, in the north-eastern part of Paris.

5. ... *toute la terreur qui faisait alors gémir la France*. The Terror, which lasted from 31 May 1793 until the fall of Robespierre on 27 July 1794, was directed against all the real or supposed enemies of the Revolution, especially former nobles, royalist agents, and refractory priests. The three inhabitants of the attic were thus trebly guilty in the eyes of the revolutionary authorities, and would certainly have been guillotined if they had been caught. Strictly speaking, Balzac ought perhaps not to call this tale an incident under the Terror, since it took place a few months before the reign of terror began. But denunciations and executions had already become commonplace.

6. *clair-semés.* The word is written without a hyphen in modern French.

7. *Non-seulement.* It is not usual to link these two words.

8. *vouée à des austérités secrètes.* It is at this point that Balzac, having begun by enveloping all his characters in mystery, gives the first clues to the identity of the old woman. The *austérités secrètes* are those of a convent, her hair is hidden because, as a nun, she had had it shorn, and the *sévérité religieuse* of her expression comes from her vocation.

9. *une* ci-devant. Titles were abolished in 1790; those who had formerly belonged to the nobility were referred to as 'les ci-devant nobles' or, by abbreviation, as 'les ci-devant'.

10. *Madame?* The pastry-cook's wife keeps to the old polite forms *madame* and *vous*; her husband, no doubt more heavily committed in politics, uses the egalitarian *citoyenne* and *tu*.

11. *un bonnet rouge.* The *bonnet rouge* was one of the badges of revolutionary ardour; hence the old woman's alarm.

12. *Il y a une indigence...* Throughout his work, Balzac is prone to sonorous expressions of his own opinions, but the *sententiae* are particularly frequent in this tale.

13. *madame aura peut-être été saisie en marchant.* That is to say, by the severe cold: 'shocked'.

14. *une marchandise de médiocre valeur.* This realistic and ironic observation, contrasting with the conventional adjective *charitables* used a few lines earlier, shows Balzac in his usual role as an acute analyst of the facts of commercial life.

15. *son uniforme de garde national.* The *garde nationale* was a part-time militia, raised for the first time just before 14 July 1789.

16. *passa son briquet.* The *briquet* was a short sabre which formed part of the equipment of a *garde national*.

17. *si les sentiments sont infinis, nos organes sont bornés.* This very Balzacian reflection, which contains the key to much of the psychology of the *Comédie humaine* (that of Raphaël de Valentin in *La Peau de chagrin*, for instance, or César Birotteau), was not in the original text of the *Mémoires de Sanson*, but was added later.

18. *Cette chancelante bicoque.* This brief sketch of a ramshackle house foreshadows to the numerous and exact descriptions of sordid localities which are such a prominent feature of Balzac's later style.

19. *au couvent des Carmes.* When the counter-revolutionary armies of Prussia were advancing on Paris in September 1792, it was rumoured that imprisoned aristocrats and priests were likely to break out in order to help them. The result was a wave of massacres of prisoners, one of the most ferocious of which took place on 2 September at the Carmelite monastery

which had been turned into a prison. Some 200 priests were held there, most of whom were brutally murdered after a mock trial by the mob.

20. *l'abbaye de Chelles.* The Abbey of Chelles, near Meaux, was one of the oldest Benedictine convents in France, founded in 660 by St. Bathilde, wife of Clovis II. It was closed in 1790 when the National Assembly, in one of its first anti-clerical measures, declared monastic vows illegal.

21. *au duc de Langeais et au marquis de Beauséant.* Once he had conceived the idea of linking his novels into the *Comédie humaine,* Balzac was very anxious that even those written before he had thought of his grand design should be integrated into the same structure. Consequently, he revised his early works wherever possible to include references to characters and events in the later novels. In the *Mémoires de Sanson,* he had written here 'au duc de Lorge et au marquis de Béthune', but as these people were not mentioned elsewhere in his works, he substituted for them the Duc de Langeais, an elderly *émigré* who plays a part in *La Duchesse de Langeais,* and the Marquis de Beauséant, who figures in *Le Père Goriot* and *La Femme abandonnée.*

22. *l'espèce d'imbécillité factice.* This passage curiously illustrates the paradoxical contrast between Balzac's Christianity and his view of society. As a Christian, his sympathies are wholly with the nuns—*sainte* is an adjective he uses about them more than once. But as a social analyst who believes that in the modern world only strength and cunning can save one from disaster, he cannot hide a certain involuntary contempt for their total inefficiency in practical matters. He clearly regards *la résignation chrétienne* as a respectable but inadequate reaction to the dangers in which they find themselves.

23. *une couche de peinture très-ancienne.* The use of a hyphen after *très* was already becoming less common in Balzac's time, and has now disappeared altogether.

24. *un vénérable prêtre non assermenté.* By a law passed in November 1791, priests were required, on pain of imprisonment, to take an oath of fidelity to the 1791 Constitution. The Pope forbade them to do so, and many of them went into hiding or were executed.

25. *ces trois âmes généreuses.* Balzac makes no attempt to disguise the moral praise or blame which he bestows on his characters. Whereas later writers, particularly since Flaubert, have on the whole preferred simply to present the evidence and allow their readers to make up their own minds, Balzac has no scruples about telling us what we ought to be thinking.

26. *mademoiselle de Beauséant.* This is another alteration intended to tie *Un Épisode sous la Terreur* more closely to the rest of the *Comédie humaine.*

The old nun was originally called Mademoiselle de Charost, and though she appears in no other novel, Balzac prefers to give her a name well known in the *Comédie humaine*.

27. *Tout était immense* ... These violent antitheses, typical of Balzacian rhetoric, represent another direct intervention of the author between the reader and the events related.

28. *un crêpe*. A black mourning band.

29. *un obit*. A mass for the soul of someone dead. But the details Balzac gives are very unorthodox.

30. *Introibo ad altare Dei*. The first words of Mass spoken by the priest: 'Then will I go unto the altar of God' (Psalm xliii. 4).

31. *comme une musique céleste*. Once Balzac waxes sentimental, his style is liable to lyrical exaggeration; there is a lack of proportion between the simile and that which it is describing.

32. *Domine salvum fac regem*. 'God save the king'; it was part of one of the Collects said at Mass in pre-Revolutionary times.

33. *l'enfant-roi*. In the eyes of the royalists, Louis XVI had been succeeded by his son, Louis XVII; the boy died of tuberculosis in 1795, after three years of imprisonment in the Temple, but after the Restoration there were innumerable legends of his escape.

34. *un de ces poureux conventionnels*. Louis XVI had been tried before the Convention, the name given to the National Assembly elected in 1792, which, urged on by Robespierre and the extremists, condemned him to death on 20 January 1793, by 387 votes to 334.

35. *le vénérable janséniste*. Since the seventeenth century the theological connotation of the term *janséniste*, never very easy to define anyway, had largely faded away, and Balzac uses it simply to describe someone with severe moral principles.

36. *Mucius Scævola*. It had become the habit, in Revolutionary times, for ardent republicans to take the names of the heroes of Roman antiquity. Mucius Scaevola, after an unsuccessful attempt to assassinate Lars Porsena who was besieging Rome, was captured and thrust his hand into the fire as proof of the determination of himself and his friends to kill the king. Lars Porsena was so impressed that he called off the siege.

37. *Monseigneur le prince de Conti*. Louis-François-Joseph, prince de Conti (1734–1814), the last representative of this illustrious family, emigrated but returned in 1790, having refused to share in plans for the invasion of France. He was arrested by the Convention in 1793 but acquitted and eventually died in exile.

38. *Mademoiselle de Langeais*. The second nun was not named in the *Mémoires de Sanson*.

39. ... *la petite collation préparée*. Up to this point the text of *Un Épisode sous la Terreur* is substantially the same as that of the introduction to the *Mémoires de Sanson*. From here onwards they deviate, the final page of the *Épisode* serving to give it a more concise and telling conclusion.

40. *le 9 thermidor*. It was on 27 July 1794 (le 9 thermidor in the Revolutionary calendar) that Robespierre and his associates on the Comité du Salut public, who had been largely responsible for the Terror, were finally ousted and arrested by the more moderate elements in the Convention.

41. *la Reine des fleurs*. This perfumery is the centre of the action of *César Birotteau*, César having taken it over after marrying the daughter of the Ragons.

42. *à la place Louis XV*. Where the guillotine stood.

43. *quatre jours après l'anniversaire du 21 janvier*. Balzac is distorting historical fact for the sake of symmetry. Robespierre himself was guillotined on 28 July, and his accomplices on 29 and 30 July.

44. *janvier 1831*. The first edition of the *Mémoires de Sanson* appeared at the beginning of 1830, so Balzac's indication of the date of composition of the story is misleading; perhaps he wanted to give the impression that he wrote it as an act of anniversary piety to the memory of Louis XVI.

LE RÉQUISITIONNAIRE

This story was first published in February 1831 and was lodged among the *Études philosophiques* in the final classification of the *Comédie humaine*. Its position there is justified by the fact that it offers an illustration of 'la puissance destructrice de la pensée' which Félix Davin, in the introduction which Balzac inspired him to write, claims to be the main theme of the *Études philosophiques*, expounded in its general terms in the two novels *La Peau de chagrin* and *Louis Lambert* and given detailed applications in the short stories. According to Davin, in *Le Réquisitionnaire* 'c'est une mère tuée par la violence du sentiment maternel',[1] and one might take it as one of the cases of strange psychic phenomena collected by Louis Lambert, Balzac's philosophical *alter ego*, to illustrate his theories on the nature of thought and its physical consequences. The connexion with *Louis Lambert* is made explicit by Balzac's choice of epigraph—but the quotation, in the truncated form in which he gives it, is not very clear. The full text of the sentence is as follows (Balzac is talking about the extraordinary feats possible to

[1] Vicomte Spoelberch de Lovenjoul, *Histoire des œuvres de H. de Balzac*, p. 203.

thought): 'A qui, si ce n'est à Dieu même, les savants pouvaient-ils demander raison d'une invisible créature si activement, si réactivement sensible, et douée de facultés si étendues, si perfectibles par l'usage, ou si puissantes sous l'empire de certaines conditions occultes, que tantôt ils lui voyaient, par un phénomène de vision ou de locomotion, abolir l'espace dans ses modes de temps et de distance, dont l'un est l'espace intellectuel, et l'autre est l'espace physique ?'[1]

But while Balzac is undoubtedly interested in the metaphysical implications of incidents like the one he relates here, he is just as much concerned with its dramatic possibilities, which is what makes it such a gripping story. The early 1830's saw a great vogue for tales of the fantastic, and Nodier several times treated the theme of the transmission of thought over great distances, notably in *Jean-François les bas-bleus*. For Balzac, the philosophical consequences of the tale and its inherent tension are of equal importance. But the introductory section is so full and so lovingly etched in that one has the impression that Balzac has above all been carried away with the pleasure of minute description of the habits and mentality of the population of a provincial town. The ironic but accurate picture of Carentan foreshadows the more extensive depiction of such scenes in novels like *Eugénie Grandet* or *La Vieille Fille*. The incredible nature of the anecdote is thus redeemed by the scrupulous realism of the setting—as often happens in Balzac's work.

1. *Histoire intellectuelle de Louis Lambert*. This quotation was not in the original 1831 edition of *Le Réquisitionnaire*. The first version of *Louis Lambert* was published in 1832 under the title of *Notice biographique sur Louis Lambert*, but Balzac had become so immersed in this apology for his own philosophy that he added to it considerably and reissued it in 1833 as the *Histoire intellectuelle de Louis Lambert*. The epigraph is taken from this second version. It was not until 1835 that Balzac gave the work its final form and title.

2. *un soir du mois de novembre 1793*. Le Réquisitionnaire takes place a few months after *Un Épisode sous la Terreur* and has the same background of fear, suspicion, and sudden death.

3. *Carentan* is a small Norman country town on the eastern side of the Cotentin peninsula.

[1] *Louis Lambert*, édition critique par M. Bouteron et J. Pommier (Paris, Corti, 1954), vol. i, pp. 92–93.

4. *Pour bien comprendre*... It is one of Balzac's habits to take the reader into his confidence about the reasons for what might seem to be digressions.

5. *chevalier des ordres.* Knight of the Ordre de Saint Michel and of the Ordre du Saint-Esprit—both royal decorations.

6. *leur expression calme et religieuse* . . . Balzac was deeply interested in concordances between personal appearance and character, and it is typical of him to introduce the outstanding trait of Madame de Dey's personality —her love for her son—by means of a physical detail.

7. *la Faculté.* That is to say, the 'Faculté de Médecine'.

8. *par un bonheur* ... The relationship between parents and children is one of those which most obsesses Balzac in the *Comédie humaine,* where cases of filial ingratitude provide some of the most moving and dramatic plots. In particular, *La Rabouilleuse* deals with a case where maternal affection has evoked only selfishness and contempt from an errant son.

9. *les princes.* After the fall of the Bastille in 1789, an ever-increasing number of nobles and adversaries of the Revolution emigrated, many of them taking arms against the new régime under the leadership of the 'princes', Louis XVI's two brothers.

10. *le procureur de la commune.* A *procureur-syndic,* between 1791 and 1793, was an official elected to represent the central government on local courts and administration. They were often extremely powerful figures.

11. *le président du district.* The elected head of the local district council.

12. *l'accusateur public.* The public prosecutor in Revolutionary tribunals.

13. *ancien procureur à Caen.* This position is unconnected with that of *procureur-syndic*; a *procureur* (the post still exists) is a permanent legal official whose duty it is to demand the application of the law in French courts; he is thus a kind of state prosecuting attorney.

14. *le danger qu'il y avait à lutter d'adresse avec des Normands.* The Normans have the reputation of being particularly cunning and cautious in their dealings with others—Maupassant makes great play with this trait in his short stories.

15. *un prêtre insermenté.* Cf. note 24 on p. 206.

16. *venu de la Vendée.* In the early stages of the Revolution, anti-republican forces waged war in the west of France, often with the help of the clergy. A priest from the Vendée who had refused to take the oath would thus be accounted a dangerous subversive agent.

17. *un chef de Chouans ou de Vendéens.* The *chouannerie* was the name given to anti-revolutionary risings in Brittany before and during the wars of Vendée. Jean Chouan was the assumed name of Jean Cottereau, one of their leaders, and by extension all the militant royalists of the west,

especially Brittany, were known as *chouans*. The first novel Balzac published under his own name was *Les Chouans*.

18. *l'expédition de Granville*. Granville is a small port on the other side of the Cotentin peninsula, south-west of Carentan. In 1793 the Vendéen chief La Rochejacquelein led an unsuccessful attempt to capture it for the royalists.

19. *le fameux Tronchin*. Théodore Tronchin (1709–85), born at Geneva, came to Paris in 1766 and was immensely successful in court circles.

20. *in petto*—Italian: 'in the breast', literally; the phrase is in common use in French meaning 'in secret'.

21. *brûlait de la chandelle*. The wax candle (*la bougie*) was more expensive than tallow (*la chandelle*). Burning tallow candles consequently gave an impression of parsimony.

22. *la meilleure mauvaise compagnie*. This humorous oxymoron betrays a certain snobbishness to which Balzac was prone; of middle-class origins himself, he was always inclined to look up naïvely to the aristocracy and to denigrate the bourgeoisie.

23. *la qualité des cidres*. Normandy is the richest apple-producing region of France, and a great deal of cider is manufactured there.

24. *des tables de boston, de reversis ou de wisth*. Le *boston* is a card-game for four players; *le reversis* is another card-game in which the object is to take the smallest possible number of tricks; *le wisth* is Balzac's idiosyncratic way of spelling 'whist'.

25. *où se respiraient…* A sentimental phrase tinged with that affectation which Balzac does not always avoid when he is trying to render feminine emotions.

26. *dont les yeux semblaient hébétés*. An example of the type of negligence which stylistic purists have often reproved in Balzac: although one sees what is meant, it is not very logical to imply that it was with his eyes that the servant 'prêtait attention aux murmures de la place'.

27. *une carmagnole brune*. The *carmagnole* was a jacket with short tails and a broad collar.

28. *les réquisitions*. In face of the threat from the armies of Austria and Prussia, the National Convention passed a decree in August 1793 calling up for an unlimited period of military service all men between the ages of 18 and 25. The levies were known as *réquisitionnaires*.

29. *les héritages*. Balzac uses the word to designate the estates of the landed families in Normandy.

30. *Son pas réveilla…* An author more minutely concerned with the academic purity of his style would have avoided this near-repetition of

a phrase used on the previous page —'... si quelque bruit ne réveillait pas les silencieux échos de la ville'.

31. *les fallots*. The hand-lanterns which the servants used to light the way home for their masters as they left Madame de Dey's house. But the word is normally spelt *falots*.

32. *Ah! madame...* It will be noticed that the attorney, like the pastry-cook in *Un Épisode sous la Terreur*, says *tu* and *citoyenne* when he wishes to appear stern and official, but reverts to the old politeness of *madame* and *vous* when he wants to reassure Madame de Dey.

33. *son visage était en feu...* The brutal contrast between *en feu* and *glacée* is one of those daring strokes which give so much life and movement to Balzac's style.

34. *la nuit fut horriblement silencieuse*. *Horriblement* is one of Balzac's favourite adverbs. Its effect in this tense paragraph is heightened by the presence of two other highly emotive words, *affreux* and *effrayant*. Balzac never shies away from full-blooded effects in his writing, and that is one of the secrets of his power.

35. *leur damnée* Marseillaise. The *Marseillaise* was composed by Rouget de l'Isle in 1792 as a marching song for the French army which was opposing the invading powers on the Rhine. But as it was the troops from Marseilles who first introduced it to Paris, it became known as the *Marseillaise* and was adopted as the national anthem of the Republic.

36. *le Morbihan*. Le Morbihan is the south-east corner of Brittany, some 150 miles from Carentan.

37. *un homme de génie*. This paragraph reveals the philosophic significance which Balzac attaches to the story. But in the 1831 edition Balzac had written, not 'un homme de génie', but 'un docteur Gall'. Franz Joseph Gall, who had died in 1828, was the founder of the science of phrenology, and Balzac had a profound admiration for the way in which he had sought to establish connexions between the human personality and its physical features—it is of course one of Balzac's own favourite ways of depicting character. The later omission of his name was perhaps prompted by the fact that his ideas had ceased to be as much in fashion as they had been three years after his death, when the tale first appeared.

LE CHEF-D'ŒUVRE INCONNU

Le Chef-d'œuvre inconnu, Balzac's most subtle and complex short story, is also the one which has the most complicated history. The first version, which appeared in *L'Artiste* in July and August 1831, was considerably shorter than the present text, and although Frenhofer naturally played an important part in it, the main theme was the conflict in Poussin's mind between his love for Gillette and his desire to acquire the secrets of painting which the old man possessed. At the end, Frenhofer was still under the illusion that his picture was a success. The tale was somewhat expanded for its publication in the collective edition of the *Romans et contes philosophiques* later in the same year, Balzac having decided that it was necessary to give more substance to Frenhofer's views on art; the ending was modified so that Poussin tells Frenhofer that his canvas is empty, but once the old man recovers from his first access of despair, his hallucination seizes him again and he chases his visitors away indignantly. The story appeared twice more, in 1833 and 1834, without significant alterations, and it was only in 1837 that the centre of gravity changed completely when Balzac not only added a good deal more on the theory and technique of painting but also changed the ending to show Frenhofer dying after the revelation of his madness.

As a result of this gradual evolution, one can trace a number of separate but related themes in it, all connected with problems of artistic creation. Firstly, there is the opposition between art and love: Frenhofer is in love with his own creation, and Poussin, after much tormented hesitation, sacrifices the simple and generous Gillette to his passion for artistic knowledge. Life and art impose conflicting demands on artists, and the greater an artist is, the more likely he is to be ruthless in giving his art precedence over his private life. Secondly, there is the obsession with what Balzac elsewhere calls 'la recherche de l'absolu'—Frenhofer's impossible desire to put nature itself, and not just a reproduction of it, on the canvas. A brilliant painter so long as he works without reflecting (as he does when he transforms Porbus's picture), he has thought so deeply about the aims of his art that his mechanical skill deserts him when he tries to realize his most carefully planned picture, *La Belle Noiseuse*. The idea has killed the work, and though Frenhofer's obsession blinds him for years to the truth about the daubs on his canvas, when a remark from someone else makes him see it as it is in reality, he is driven to suicide. In this sense, his tragic end is another demonstration of 'la puissance destructrice de la pensée', the dominating idea of *Louis Lambert* and the *Études philosophiques*.

Thirdly, there is the development of an aesthetic which reveals itself as Balzac's own: Frenhofer's desire literally to re-create life with his painting is unrealizable, but by implication, Balzac suggests that the true aim of art is to communicate the ideal through the forms of reality. The application in this instance may be to painting, but the ideas have a far wider relevance—to literature, too, and to any representational art.

The plot was in all probability inspired by various stories of E. T. A. Hoffmann, whose works were at the height of their fame in France at the time when *Le Chef-d'œuvre inconnu* was being written. Hoffmann several times treats of the problems of the artist whose imagination surpasses his ability to exteriorize his creation: *Der Baron von B.* deals with a brilliant music teacher who can only draw the most miserable caterwaulings from his violin; *Signor Formica* is a comic composer who is unable to compose; in *Der Artushof*, Berklinger, who has at one time been a great painter, describes as his masterpiece a canvas which is in fact empty. With Balzac's enthusiasm for Hoffman, it would not be surprising if these tales had helped to show him how his theories on the consuming effect of thought might be applied to the realm of art. Possibly too it was the example of Hoffmann, whose tales usually have a fantastic setting, which led him to place his story, not in the Paris of his own day, but in the early seventeenth century.

Once Balzac had decided to delve back into the past, he had to vary his habitual technique of combining personal observation with pure imagination, and this he did by placing numerous facts culled from manuals and histories of painting around a core of fiction which is entirely his own invention. None of the events of the story has any basis in historical reality, nor has Frenhofer; but the figures of Porbus and Poussin, with some of the details about them, are authentic. The effect is to solicit credence for the invented parts by those which the reader knows to be factual; the procedure is thus essentially the same as that used in the works depicting his own time. Similarly Balzac has taken great pains to document himself adequately about the technique of painting and the aesthetic questions which it raises. Perhaps his friend Théophile Gautier, himself once a painter and an art-critic of some eminence, helped him with this part; perhaps he profited from his acquaintanceship with the great Delacroix. He certainly read a number of handbooks to painting and borrowed heavily from their advice to students. Again the result is to lend an air of authority to his disquisitions, while at the same time leaving him free to develop ideas dear to his heart.

Le Chef-d'œuvre inconnu is one of Balzac's greatest achievements in a short space, and it is possible to learn a great deal about the *Comédie humaine* (and its author) from a close study of it. One might reproach it with a slight wavering in the narrative line—the swing in Balzac's own interest from Poussin to Frenhofer as he worked over the tale has left its trace on the presentation of events. Otherwise it is of a quite remarkable density and richness, as powerful in its emotional impact as it is fascinating in the ideas it raises.

1. *maître François Porbus.* Franz Porbus (1570–1622) was a Flemish painter who worked in Paris. The little that Balzac says about him is taken from Gault de Saint-Germain's *Guide des amateurs de tableaux pour les écoles allemande, flamande et hollandaise* (1818).

2. *la vis.* 'l'escalier à vis', 'the spiral staircase'.

3. *Marie de Médicis* (1573–1642), the queen-mother, was the widow of Henry IV, who had been assassinated in 1610.

4. *Il existe…* Balzac has a fondness for general observations of this sort. Sometimes they interrupt the narrative flow, but they also help to communicate the essence of his personality. Both things happen in the present instance; one feels that Balzac is in danger of forgetting Poussin waiting on Porbus's doorstep, but we learn something about his attitude to art and artists.

5. *l'admirable portrait de Henri IV.* The picture for which Porbus is chiefly remembered is indeed a portrait of Henri IV.

6. *quelque chose de diabolique…* The vivid portrait of Frenhofer is visibly inspired by the numerous descriptions of grotesques and eccentrics in Hoffmann's stories; the use of the word *fantastique* a few lines further on is, in 1831, a sure sign of Hoffmann's influence.

7. *des regards magnétiques.* Balzac was much intrigued by Messmer's theories of animal magnetism, of which he makes use in works like *Ursule Mirouet*, and in particular he was a great believer in the power of the eye—'l'œil de cet homme est brûlant et me fascine', exclaims an unfortunate young man who is about to be shot in a duel by Raphaël de Valentin in *La Peau de chagrin*.

8. *ces pensées qui creusent…* A clear reminder of the general theme of the *Études philosophiques*.

9. *le pourpoint noir*. Although Balzac situates his story in the seventeenth century, he is extremely discreet in the use of local colour; a few details of costume, such as the doublet, an occasional archaism in the dialogue (such as *tudieu* or *maheustre*), and the barest hint of a historical background in the allusions to the civil strife which followed on the assassination of Henri IV in 1610 suffice to create a distinctive atmosphere without obscuring the real interest of the story, which is philosophical.

10. *Un vitrage ouvert...* The influence of Balzac's friend Gautier can be felt in this carefully painted word-picture; Gautier, who had been an artist himself, specialized in the transposition of imaginary paintings into literary terms.

11. *des études aux trois crayons*. Drawings on tinted paper in red, white, and black pencil.

12. *une Marie égyptienne*. Porbus does not appear ever to have painted a picture of St. Mary of Egypt.

13. *aux jours de sa misère*. Marie de Médicis spent the last years of her life in great poverty; she is said to have died in a hay-loft in Cologne.

14. *Regarde ta sainte, Porbus?* A number of the counsels which Frenhofer gives to Porbus were borrowed by Balzac for the 1837 edition of his story from Diderot's *Salons* and essays on painting, as well as from the *Manuel Roret*, the standard handbook to painting in the 1830's.

15. *la dégradation aérienne* —'the gradation of light and shade'.

16. *La mission de l'art...* Here Frenhofer is expressing the opinions of Balzac himself, who likewise considered the flat reproduction of reality in art meaningless; the function of art, according to Balzac, was to interpret, and the *Comédie humaine* is much more an interpretation of the society of his time than it is a mere picture of it.

17. *La Forme est un Protée...* Proteus was a sea-god with the gift of prophecy who escaped by changing his form when he was harried with unwelcome questions.

18. currus venustus *ou* pulcher homo —'a beautiful chariot' and 'a handsome man'.

19. *Mabuse*. Jan Mabuse (1470–1532) was another Flemish painter. One of the sources of Balzac's information about him was J.-B. Descamps's *Vie des peintres flamands, allemands et hollandais* (1753–63), which gives the date of his death as 1562; this is why Balzac thought of making him Frenhofer's master. Otherwise one would have to suppose that Frenhofer was nearly 100 years old!

20. *Nicolas Poussin*. Poussin (1594–1665) is one of the most famous of seventeenth-century French painters. For information about him, Balzac appears to have turned to Félibien's *Entretiens sur les vies et les*

ouvrages des plus excellents peintres anciens et modernes (1666–88, but frequently republished in the eighteenth century).

21. *l'O Filii de Pâques. O Filii* are the first words of one of the most popular Easter hymns in France.

22. *comment cela se beurre* —'how one lays it on'.

23. *l'Adam que fit Mabuse.* Mabuse painted several pictures of Adam and Eve, one of which hangs in Hampton Court.

24. *Quel beau Giorgion!* Giorgione (1478–1511) was one of the great Venetian painters.

25. *Montrer mon œuvre…* It is extraordinary that, in this speech, Balzac seems to anticipate the practice of the Impressionists, just as the *Belle Noiseuse* eventually proves to have analogies with a Surrealist painting.

26. *le seigneur Pygmalion.* The Greek sculptor Pygmalion is said to have fallen in love with his own statue of Galatea and to have persuaded Venus to bring her to life.

27. *Comme Orphée.* Orpheus descended to Hades to bring back his dead wife Eurydice, but lost her again by disobeying the order not to look back as he brought her up to earth.

28. *ayant vendu et bu…* Balzac found this anecdote in Descamps's book.

29. *Gillette* is Balzac's invention.

30. *les mathématiciens de la médecine….* Balzac was always extremely curious about the interaction of physical and spiritual elements in the human constitution, and hesitates in the diagnosis of illnesses in the *Comédie humaine* between purely mechanistic explanations and interpretations involving a mental origin for bodily disorders.

31. *l'Angélique de l'Arioste.* Angelica is one of the heroines of Ariosto's epic poem *Orlando furioso*.

32. *maheustre.* 'Heretic': it is what the sixteenth-century Catholic Leaguers called the Huguenot soldiers.

33. *bardache.* Another sixteenth-century insult: it casts doubts on the orthodoxy of the victim's morals.

LE MESSAGE

Le Message formed part of the second series of the *Scènes de la vie privée*, in which one of Balzac's main preoccupations was to demonstrate how adultery could lead to calamity and unhappiness. It was first published in the *Revue des Deux-Mondes* in February 1832, but soon afterwards was incorporated into a work entitled *Le Conseil*. In this composite tale, M. de Vilaines tries tø dissuade Madame d'Esther from succumbing to the attentions of her admirer M. de Plaine and relates *Le Message* as a warning of the possible consequences of weakness. But as the story produces little effect, he goes on to tell what is now *La Grande Bretèche*. On its subsequent publications, *Le Message* was again detached from these concomitants, being placed in the *Scènes de la vie de province* before finally returning to the *Scènes de la vie privée*.

Although there is no record of any incident like the one he recounts here ever having befallen Balzac, he has used various personal elements in building up his story. Between 1822 and 1836 he was involved in a liaison with a married woman, Madame de Berny, who was already 45 when he got to know her, and the situation on which *Le Message* depends is an obvious reflection of this. One may suppose that Balzac had been struck by the thought of the sufferings which Madame de Berny would undergo if anything should happen to him and made his story simply by placing this hypothetical possibility in a fictitious setting. Madame de Berny herself certainly saw the story as an allusion to her own possible future, and on reading it wrote to Balzac: 'Oh! ami, je viens encore de pleurer avec ta Juliette, le morceau surtout où elle reçoit les cheveux m'a fait une bien douloureuse impression. Je me demandais quelle douleur devait être la plus vive, entre celle de perdre son amant, mort ou vivant, et je n'ose me répondre.'[1] There are various hints that Juliette is at least to some extent Madame de Berny: the latter had a house at Nemours at which Balzac had stayed in 1831, not far from both Moulins and Montargis, mentioned in the story as places through which the coach passed; in June 1832 she was to go to Bazarnes, near Pouilly and La Charité-sur-Loire, two other places mentioned in *Le Message*, and Balzac may have known of her intention to go there. Moreover, on the manuscript, Balzac had given the date of the incident as 1822, the year of the beginning of his relationship with Madame de Berny; the substitution of 1819 in the printed text was perhaps motivated by a desire to avoid a reference so open as to appear indelicate.

At all events, Balzac, with Madame de Berny in mind, refrains from making *Le Message* a moralizing comment on the dangers of adultery; what interests him most is, as he says in the opening paragraph, the

[1] Balzac, *Correspondance*, ed. Roger Pierrot, vol. ii, p. 24.

emotional effect of the story, and it is difficult to feel anything but pity for the unfortunate Juliette. This compassionate indulgence is heightened by Balzac's treatment of the husband, who is made into a comic glutton. The incongruous contrast is indeed the story's most original feature, together with its admirably economical narration.

1. *Le Message*. On the manuscript Balzac had hesitated between *La Nouvelle* and *La Douleur* as titles, before finally settling on *Le Message*.

2. *Moulins* is a town of 25,000 inhabitants, about 200 miles south-east of Paris.

3. *la femme d'un certain âge*. At an early stage in his career Balzac had acquired the reputation of being something of a specialist in the character of the *femme de trente ans* — no doubt because of his association with Madame de Berny. Apart from *Le Message*, the type occurs—with variations—in *La Femme de trente ans*, *La Femme abandonnée*, *Madame Firmiani* and *La Grenadière*.

4. *Montargis* is about 70 miles south-east of Paris, on the way to Moulins.

5. *Pouilly*, famous for its white wines, is a village on the Loire 40 miles south of Montargis.

6. *La Charité-sur-Loire* is a few miles beyond Pouilly.

7. *Encore y eut-il...* Balzac is adept at lending verisimilitude to his stories by seemingly irrelevant details like this (the last sentence of *Un Épisode sous la Terreur* is another example).

8. *poursuivant le cours de ses prosopopées*. The polysyllabic humour of this phrase helps to preserve the slightly ironic detachment which Balzac has shown in the first part of the story and which is only abandoned when he comes face to face with the despair of the countess. Even there, the count's gluttony is used to modify the tragic effect.

9. *les sentiers du Bourbonnais*. Le Bourbonnais is the name of the old province of which Moulins had been the capital.

10. *la scène de Sosie et de sa lanterne*. Sosie is the stupid servant in Molière's *Amphitryon*. In the first scene, he arrives home in pitch darkness to tell Alcmène of her husband Amphitryon's victory but nervously decides to rehearse his conversation beforehand, with his lantern figuring Alcmène.

11. *comme un coup de foudre*. A Romantic simile which tends to prepare us for the violent emotions which Balzac is about to inflict on us.

12. *cette toilette de Gascon*. The Gascons are said to be mean as well as boastful. *Faire la lessive du Gascon* is to turn a dirty tablecloth instead of

laying a clean one. *Une toilette de Gascon* is consequently a very rudimentary one.

13. *l'ambulant de la sous-préfecture.* The local itinerant tax-collector.

14. *un candidat éligible.* Under the Restoration, there was a financial qualification for being either a voter or a candidate in parliamentary elections.

15. *la comtesse de Lignolles et la marquise de B...* are characters in Louvet's novel *Les Aventures de Faublas* (1787–90); one is lively and child-like, the other maternal and affectionate.

16. *son jeune collaborateur.* An ironic description which rather cruelly brings out the ridicule of the count's position.

17. *les grâces dites.* Strictly speaking, *les grâces* are thanksgiving after a meal; the correct term here would be *le bénédicité*.

18. *En un moment... la plus horrible douleur.* This remarkable reflection anticipates one of the characteristics of Flaubert's conception of the tragic in a trivial world.

19. *vous eussiez dit d'un nuage gris.* In phrases of this kind, Balzac habitually inserts a *de* which has no grammatical justification.

20. *Ses yeux se séchèrent...* A strange example of the kind of confused metaphor induced by Balzac's view of the unity of the spiritual and the physical. The *feu sombre*, which one would think to be merely an image, has the physical property of drying the countess's tears.

21. *Et moi qui brûlais les siennes!* As Madame de Berny did to Balzac's.

LA GRANDE BRETÈCHE

La Grande Bretèche first appeared as part of *Le Conseil* in 1832, along with *Le Message*. It was next combined with two other short stories under the title of *La Grande Bretèche ou Les Trois Vengeances* in 1837; the narrator, originally M. de Vilaines, had by now become Bianchon, and it was classified as a *Scène de la vie de province*. Then in 1845 it returned, on its own for the first time, to the *Scènes de la vie privée*, and it now forms the concluding episode of *Autre Étude de femme*, a composite work in which Balzac uses the excuse of a conversation in a *salon* to group together two short stories and a disquisition on the *femme comme il faut*.

Like so many of Balzac's works, it is a cunningly interwoven mixture of fact and fantasy. The setting in Vendôme, the town where Balzac went to school, is observed with careful exactness; a house closely resembling the one described by Balzac still stands in the Rue Guesnault, with one window blocked up and painted over; some of the minor characters really existed. But the tale of the grim fate of the Comtesse de Merret's lover is Balzac's invention, possibly suggested to him by one of the stories in Marguerite de Navarre's *Heptaméron*.[1] The combination of the two elements has the double effect of making us feel that life, even in a humdrum provincial town, is full of drama beneath the surface, and of persuading us of the plausibility of an anecdote almost incredible in its ferocity.

It is in addition one of Balzac's most carefully and skilfully constructed stories. The emphasis on the sinister, brooding presence of the house in the opening pages poses a problem and creates suspense which is gradually increased as the narrator comes nearer and nearer to the truth through his successive interrogation of Maître Regnault, Madame Lepas, and Rosalie. Three brilliant character sketches are thus superimposed on a narration of great urgency and power.

1. *Vendôme* is a small town on the banks of the Loir, about 110 miles south-west of Paris. From 1807 to 1813 Balzac was a pupil at the Collège de Vendôme, which he has described fully in *Louis Lambert*.

2. *une vieille maison brune.* The description seems to fit a house in the Rue Guesnault (cf. Charles Portel, 'Un Décor balzacien inconnu: La Grande Bretèche', *Au Jardin de la France*, numéro spécial consacré à Balzac, mai 1949).

3. *Du haut de la montagne.* The hill on which the ruins of the castle stand is not really very high, but it is locally known as *la montagne*.

4. *Ultimam cogita!* 'Think of the last hour!', an inscription often to be found on sundials.

5. *La Grande Bretèche.* There is a place called La Grande Bretèche only a few hundred yards away from La Grenadière, the country house near Tours where Balzac stayed with Madame de Berny in 1830. A *bretèche* is part of a fortification.

6. *Desplein.* Cf. *La Messe de l'Athée.*

7. *celle des Atrides.* The Atrides were the descendants of Atreus, notably Agamemnon and his family, among whom murder and other crimes were rife.

8. *comme la main du Commandeur sur le cou de Don Juan.* In Molière's

[1] Cf. Raymond Lebègue, 'De Marguerite de Navarre à Honoré de Balzac', *Comptes rendus des séances de l'Académie des Inscriptions et Belles-lettres*, juillet-octobre 1957.

Dom Juan, the statue of the Commander whom Don Juan had killed comes to life and seizes the miscreant to carry him off to his eternal punishment.

9. *monsieur Regnault*. The portrait of the lawyer is in fact that of a Maître Renou, who practised at Vendôme and who was father-in-law of both the masters of the Collège which Balzac attended. It is said that his descendants were so indignant at the unflattering terms in which Balzac describes him that they cut out the passage from all the copies of *La Grande Bretèche* which they could find (cf. Jean Martin-Demézil, 'Balzac à Vendôme', in *Balzac et la Touraine*, Tours, 1949). The name Regnault was that of a doctor friend of Balzac, one of the possible models for Bianchon (p. 229).

10. *Vous eussiez dit...* Cf. note 19 on p. 220.

11. *Il bondo cani! Il Bondocani* is the name taken by the Caliph Isauun in Boïeldieu's comic opera *Le Calife de Bagdad* when he goes out on nocturnal expeditions in the streets of his city. It comes to have a mysterious power like a password, and Bianchon is amused that the obscure lawyer should be so conceited as to suppose that the mere mention of his name will produce a similar effect on him.

12. *Petit moment!* The caricatural description of the scruffy, pedantic and self-important lawyer is completed by his habit of repeating *Petit moment!* or *monsieur* and his lapses into inappropriate legalistic jargon.

13. *constaté les portes et fenêtres*. Rates and taxes on properties in France were at one time determined by the number of doors and windows, which had therefore to be checked at regular intervals.

14. *sa Restauration*. That is to say that the event was as important to him as the Restoration of 1814 was to the Bourbons.

15. *cette jolie expression de Sterne*. In Sterne's *Tristram Shandy*, Uncle Toby has a hobbyhorse which his servant Corporal Trim helps him to mount.

16. *maître Roguin*. This is another case where Balzac has seized an opportunity to connect a work with the rest of the *Comédie humaine*. The reference was originally to maître Chodron, but Balzac changed it to Roguin because the latter had in the meantime become a prominent character in other novels. The 'malheureuse faillite' which made him famous also ruined César Birotteau in the novel which bears his name, Guillaume Grandet in *Eugénie Grandet*, and Mesdames Bridau and Desroches in *La Rabouilleuse*.

17. *en son château de Merret*. The house in the rue Guesnault which perhaps served as the model for La Grande Bretèche belonged to one Auguste Josse Beauvoir de Bercy, who came from Meslay, near Vendôme. It is possible that this suggested the name Merret to Balzac. But it may also be that he had in mind the Château de Méré, likewise in Touraine, which

he frequently visited in 1832 to see Madame Deurbroucq, a rich young widow on whom he had matrimonial designs.

18. *une de ces anciennes lampes d'Argant*. Argand was a Swiss physicist who in the eighteenth century invented a new type of oil lamp to which his name was given.

19. *le don d'un diamant*. In the 1832 edition, Balzac here included a remark which he subsequently omitted because it added little to the story but which gives a clue to another possible source for the idea of the inexplicably abandoned house. The narrator interrupts Regnault to protest that Madame de Merret's resolution is nothing very extraordinary: 'Sur le chemin de Versailles à Paris, entre Auteuil et le Point-du-Jour, repris-je, il existe une maison soumise au même régime. Je ne sais si c'est en vertu du testament d'un mort ou du caprice d'un homme vivant; mais j'ai rarement fait un voyage de Versailles à Paris, sans entendre mes voisins entasser, sur la maison déserte, des réflexions aussi bizarres que peut l'être le fait en lui-même...' If this house really existed (and there would seem to be no reason for Balzac to mention it unless it did), it may well have caused him to speculate on the cause for its condition and to transpose one possible answer to a different setting. The hypothesis is the more likely as, Balzac's parents having moved to Versailles in 1827, he must often have travelled along the road in the way he describes.

20. *un roman à la Radcliffe*. Anne Radcliffe was the author of numerous terror novels, notably *The Mysteries of Udolpho*, which had an enormous vogue at the beginning of the nineteenth century.

21. *un tableau de Téniers*. The Flemish artist David Teniers (1582–1649) is particularly noted for his inn scenes.

22. *mère Lepas*. At the time when Balzac was living at Vendôme, there was an inn-keeper there called Michel Lebas. That Balzac had him in mind in using the name Lepas is proved by the fact that, on the manuscript, he had first written Lebas and only later changed it to Lepas.

23. *Ah! foi d'honnête femme...* Balzac is extremely faithful in noting the variations in spoken style between different types and occupations, and Madame Lepas's familiar and wordy discourse is carefully differentiated from Regnault's dry, heavy way of expressing himself. Her speech is enlivened by frequent exclamations, minor incorrections (*ah! fallait voir*), earthy images (*nous ne vivions pas à pot et à rôt avec eux*), and naïvely exaggerated opinions (*on dit que c'est tout montagnes en Espagne!*).

24. *qui avait... la tête près du bonnet*. 'Avoir la tête près du bonnet' means 'to be hot-tempered'.

25. *nous ne vivions pas à pot et à rôt avec eux*. A picturesque way of saying 'we were not on terms of great familiarity with them'.

26. *un jeune Espagnol*. It is no accident that Balzac chooses a Spanish noble as the victim of the adventure. Only the Spanish sense of honour renders plausible the fact that the lover makes no attempt to escape from the cupboard once the countess has sworn that there is no one there.

27. *le général Bertrand...* General Bertrand was one of Napoleon's generals. Monsieur Decazes was for a time prime minister under Louis XVIII. But for Balzac, there is a private joke in mentioning the Duc and Duchesse d'Abrantès—Laure d'Abrantès had become his mistress a year or two earlier.

28. *la maison que nous avons dans la rue des Casernes*. Balzac doubtless has in mind what is now the Hôtel du Lion d'or, which is indeed in the rue des Casernes.

29. *comme nous sommes là, tous à table*. Bianchon is telling his story very late at night to a few select guests after a dinner party given by Félicité des Touches (one of the heroines of *Béatrix*).

30. *Gorenflot*. Balzac loved collecting odd names, and this one must have stuck in his mind since the time in 1818 when as a lawyer's clerk he had had to copy out legal documents concerning one Augustin Gorenflot.

UN DRAME AU BORD DE LA MER

Un Drame au bord de la mer was composed when Balzac was busy revising *Louis Lambert* for its third appearance in 1835, and its full meaning becomes clear only when one reads it in conjunction with the longer work, whose hero is here the narrator. Louis Lambert is driven mad by the excess of his philosophical genius, is nursed with the utmost devotion by his fiancée Pauline Salomon de Villenoix, and dies a few years later. In the 1835 version of the novel, Balzac inserts a sentence spoken by Pauline which helps to explain *Un Drame au bord de la mer*. Talking of his last illness, she says: 'Depuis trois ans, à deux reprises, je l'ai possédé pendant quelques jours: en Suisse, où je l'ai conduit, et au fond de la Bretagne dans une île où je l'ai mené prendre des bains de mer. J'ai été deux fois bien heureuse!' Nowhere are we told anything about the visit to the Lake of Bienne in Switzerland, but *Un drame au bord de la mer* is Lambert's own account, in a letter to his uncle, of his stay in Brittany and of the event there which brought on the return of his madness. The story thus has a double purpose: to relate the dramatic tale of Cambremer's murder of his son and subsequent penitence, and to fill out the portrait of Louis Lambert. This latter intention accounts for the prominence of what may at first sight seem an overweighted framework; like so many of Balzac's novels, its form can only be appreciated within the context of the whole *Comédie humaine*.

The theme of the story, like that of the other *Études philosophiques* grouped around *Louis Lambert*, is the destructive force of thought; as Davin puts it, 'là aussi l'idée a porté ses ravages, la paternité, à son tour, est devenue tueuse'.[1] But here the theme acquires fresh resonance by being heard in counterpoint to that of Lambert's own madness. A temporary recovery from the disaster caused by his excesses of thought is thwarted by the sight of another human being suffering because he has carried devotion to an idea to near-suicidal lengths. It may even be that Balzac had originally intended this to be a chapter of *Louis Lambert* but decided to publish it separately when he realized that it would unbalance the novel.

The story of Cambremer has probably a literary origin. Mérimée's *Mateo Falcone*, first published in 1829, tells of a Corsican farmer who shoots his son in cold blood because the boy, by betraying the hiding-place of a bandit, has besmirched the family honour. Balzac knew Mérimée and cannot have failed to be struck by this gripping account of a crime which must have seemed to him all the more abominable since it offends against that idea of paternity which looms so large in his universe. The basic outline of Cambremer's vengeance is little more than a transposition to a Breton setting of the subject of Mérimée's tale—although, characteristically, by emphasizing the penance which Cambremer lays upon himself, Balzac adds the moral comment which Mérimée carefully avoids.

Though the anecdote is purely fictitious, the setting is depicted with Balzac's usual attention to exact detail. In 1830 he had gone with Madame de Berny to St-Nazaire, from where they paid visits to Guérande and Le Croisic. The picture of Louis Lambert and Pauline on the cliffs there clearly recalls himself and Madame de Berny, the more so as Madame de Berny had helped to inspire *Louis Lambert*, and the route of their walk can easily be traced on a map of the region.

[1] Vicomte Spoelberch de Lovenjoul, *Histoire des œuvres de H. de Balzac*, p. 203.

Once more, this scrupulous realism lends conviction to a plot which might otherwise strain credulity.

Balzac later used Guérande as the setting for the first two parts of his novel *Béatrix*. Remembering *Un Drame au bord de la mer*, he took the opportunity of linking it yet again with the rest of the *Comédie humaine* by having one of his characters say to another, as they are about to set out on a trip to Le Croisic: 'Vous verrez Cambremer, un homme qui fait pénitence sur un roc pour avoir tué volontairement son fils. Oh! vous êtes dans un pays primitif où les hommes n'éprouvent pas des sentiments ordinaires.'

1. *Je mesurais...* The excitable grandiloquence of these introductory pages is intended to convey something of the violent emotionalism to which Lambert is subject.

2. *Pauline, mon ange gardien.* Balzac does not make things easy for his readers. It is only gradually that one discovers that the writer is Louis Lambert and that the Pauline in question is his fiancée.

3. *à l'extrémité du Croisic.* Le Croisic is a small fishing town in the north-west of the mouth of the Loire, a few miles from the resort La Baule.

4. *comme Astolphe sur son hippogriffe.* The reference is to Ariosto's *Orlando furioso*—but it was Ruggiero rather than Astolfo who rode the hippogriff.

5. *Aboul-Casem* is a character in the *Arabian Nights*.

6. *ses cheveux de Vénus* are maidenhair fern.

7. *le lac de Bienne*, in Switzerland, is the place where Louis had had his first interval of lucidity. Balzac chooses it because it is, like Le Croisic, linked to one of his dearest sentimental memories: it was there, in 1833, that he had first kissed Madame Hanska.

8. *des lubines.* In *Béatrix*, Balzac explains that this is the local name for *le bar*, the sea-dace or sea-wolf.

9. *les marais salants.* In the gulf of which Le Croisic forms one side, there are vast salt-marshes in which salt is made by the evaporation of the sea water at low tide. Until recent times, it was an important and prosperous industry.

10. *des bernicles.* Another dialect term: 'barnacles'.

11. *Guérande* is a medieval walled town which stands on a plateau about 7 miles from Le Croisic.

12. *pour tirer à la milice.* Conscription in Napoleonic times was only partial; the unlucky ones were designated by drawing lots.

13. *Savenay* is a small town 20 miles inland from Le Croisic.

14. *la force de cette faiblesse.* Another of the violent antitheses which are a feature of Balzac's style (although a less prominent one than with some of his Romantic contemporaries such as Hugo).

15. *si vous voulez nous conduire.* The reader may well wonder why Louis and Pauline need a guide to take them to see a tower which is visible from where they are. In *Béatrix*, Balzac tells us that there are quicksands between Le Croisic and Guérande, on which it is very difficult to find one's way.

16. *Batz.* In Balzac's day only a fishing-village, Bourg-de-Batz (or Batz-sur-mer, as it is also called) is nowadays a popular resort.

17. *mon cher oncle.* It is only at this point that we discover that we are reading a letter sent by Louis to his uncle, the Abbé Lefèvre, parish priest at Mer, near Blois, who acted as his tutor before he went to the Collège de Vendôme (like Balzac). Another letter to the Abbé forms an important section of *Louis Lambert.*

18. *quelques rochers.* The strangely shaped rocks near Le Croisic are still one of the attractions of that part of the coast. Jacques Borel (in *Personnages et destins balzaciens*, Paris, Corti, 1959) has suggested that the idea of Cambremer's solitary, motionless figure may have come to Balzac from some rock resembling a man.

19. *En voyant cette savane...* This same landscape is described at length in the opening pages of *Béatrix*.

20. *la tour de Batz.* The Église Saint-Guénolé at Batz has an enormous tower almost 200 feet high, which is visible for miles around.

21. *l'*andiamo mio ben *de Mozart.* This is Balzac's inaccurate recollection of the line *Andiam' mio bene* from the duet *La ci darem' la mano* in Act I of *Don Giovanni.*

22. *un frémissement électrique.* Cf. note 16, p. 238.

23. *une de ces vieilles truisses de chêne.* A *truisse* is a tree which is kept lopped.

24. *Pourquoi cet homme dans le granit?* Anthropomorphic imagery of this kind strongly recalls Victor Hugo's style.

25. *quérir.* Balzac uses a good deal of popular language in the fisherman's narration, just as Mérimée was to do later with Don Pedro's story in *Carmen*, the effect being to heighten the horror of the events by the brutal directness of the style. *Quérir* is an archaic word meaning 'to seek'.

26. *une petite tronquette*—'a slip of a girl'.

27. *qu'est.* In popular speech, the *i* of *qui* is often elided.

28. *elle vous a des yeux bleus.* It is a characteristic of familiar French to put in second person pronouns in this way so as to bring the listener more directly into the story.

29. *qué qui te dit ton oncle?* Slack pronunciation of 'qu'est-ce qu'il te dit, ton oncle?'

30. *rin*—'rien'.

31. *qu'elle répond.* The insertion of a pleonastic *que* with a phrase like 'il dit' is very common in loose colloquial usage.

32. *ben*—'bien'.

33. *qu'a dit.* Balzac's phonetic notation of the dialect pronunciation of 'qu'elle dit'.

34. *la brouine*—or *la bruine*, 'fine drizzle'.

35. *afférer*—'to tell'.

36. *plus du temps.* Correctly, 'plus que le temps'.

37. *la petite méditerranée.* The gulf where the salt-marshes are situated has two arms, Le Petit Trait to the north and Le Grand Trait to the south. Cambremer's island is presumably in Le Grand Trait.

38. *les plus belles berloques.* Dialect for 'breloques'.

39. *la mette.* This is a word from Touraine rather than from Brittany— a chest for keeping bread and other food. Balzac uses it also in *Eugénie Grandet*.

40. *faire ses frigousses*—'to go out on the loose'.

41. *en riolle*—'out drinking'.

42. *une mornifle*—'a blow in the face with the back of the hand'.

43. *les mois de nourrice.* Her mother being dead, Pérotte had been boarded out with a wet nurse, who had to be paid.

44. *riboter*—'to go out drinking'.

45. *pour lors.* A common popular interjection: 'so', 'then'.

46. *de l'argent blanc pour.* The use of a preposition at the end of a sentence is common in familiar conversation: 'in its place'.

47. *approprier*—'to tidy up'.

48. *qu'est par bas*—'which is on the ground floor'.

49. *pouiller*—'to clean'.

50. *il s'était fait passer*—'he had got someone to ferry him across'.

51. *le recteur de Piriac.* Piriac is a fishing-village 5 miles up the coast.

52. *fringalait*—'staggered'.

53. *en mulons.* After the salt has dried out on the platforms, it is heaped up in larger piles called *mulons* ready to be taken away.

54. *le calme que je devais à mes bains.* Balzac was a great believer in the curative value of sea bathing, and in *Béatrix* he refers in particular to bathes at Le Croisic, 'lesquels dans les roches de cette presqu'île ont des vertus supérieures à ceux de Boulogne, de Dieppe et des Sables'.

LA MESSE DE L'ATHÉE

La Messe de l'athée was first published in the *Chronique de Paris* on 3 January 1836, and Balzac later boasted to Madame Hanska: 'J'ai commencé l'année par *la Messe de l'athée*, œuvre conçue, écrite et imprimée en une nuit.'[1] In 1837 it was included in Volume XII of the *Études philosophiques*, was moved to the *Scènes de la vie parisienne* in 1844, and was eventually assigned to the *Scènes de la vie privée*.

It is one of the stories in which Balzac keeps most closely to real people and events, scarcely even taking the trouble to disguise his references. Desplein, who is later given many celebrated patients in the *Comédie humaine*, including Philippe Bridau's wife in *La Rabouilleuse*, Nucingen in *Splendeurs et misères des courtisanes*, and Pierrette Lorrain in *Pierrette*, is an obvious portrait of Guillaume Dupuytren, the foremost French surgeon of his time, who had died only a few months earlier, on 8 February 1835, at the age of 57. In the manuscript, Balzac had even been so indiscreet as to call him Dupuy,[2] but, prompted no doubt by feelings of tact, substituted the name Desplein in the printed text (not that Desplein is much further from Dupuytren). With the exception of the central incident of the friendship with the water-carrier, almost all the details which Balzac gives of Desplein's life and personality are modelled on Dupuytren. Bianchon too, the character who reappears most frequently in the *Comédie humaine*, despite all that he owes both to Balzac's own temperament and to his imagination, has his origins in fact: Dupuytren had indeed a favourite disciple towards the end of his life, Dr. Adolphe-Mardochée Marx, whose career shows remarkable similarities to that which Bianchon follows in the numerous novels in which he figures—although Balzac's friend Dr. Regnault also contributes something to the picture of Bianchon. It was this strong documentary element which led Balzac to follow the 1836 text of the story with this warning note: 'Quoique les circonstances de ce récit soient toutes vraies, ce serait un tort grave d'en faire l'application à un seul homme de cette époque, l'auteur ayant rassemblé sur une même figure des documents relatifs à plusieurs

[1] Letter written on 18 January 1836 in *Lettres à l'Étrangère* (Paris, Calmann-Lévy, 1899), vol. i, p. 292.
[2] Cf. note in the *Revue d'histoire littéraire de la France*, octobre–décembre 1909, p. 857.

personnes.' It is indeed true that a complete identification of Desplein with Dupuytren is impossible and that it was Balzac's practice to compose his characters of features culled from a diversity of real persons. Even so, as we shall see, Desplein's position in the world of the *Comédie humaine* corresponds with surprising exactness to that of Dupuytren in the France of the 1820's and 1830's.

As for the anecdote itself, though it has no basis in Dupuytren's life, Antoine-François de Fourcroy (1755–1809), a doctor and chemist who was a friend of Dupuytren's teacher Boyer, had had a similar experience which Balzac had perhaps heard about and used as the starting-point of his story. Fourcroy, as a poor student, had lived in an attic with a water-carrier as his neighbour and had given free medical care to the carrier's twelve children, in gratitude for which the father had brought him water for nothing. But Balzac was in any case fascinated with what one might call the phenomenon of elective paternity: the process whereby an older man befriends a younger one and guides him in life so that he may himself live again by proxy. The most striking example is, of course, the bond between Vautrin and Lucien de Rubempré in *Illusions perdues* and *Splendeurs et misères des courtisanes*, but there are other cases too, such as Vautrin and Rastignac in *Le Père Goriot* and Rastignac and Raphaël de Valentin in *La Peau de chagrin*. The affection of Bourgeat for Desplein is a more touching and more selfless case of this type of semi-paternal relationship, and it has for Balzac the further advantages of implying a Catholic moral, which was important to him at a time when he was trying to convince Madame Hanska of his orthodoxy, and of offering the opportunity (rarely taken in the *Comédie humaine*) for the sympathetic depiction of a member of the urban working class.

1. *une méthode intransmissible*. It was for his skill in operating that Dupuytren's reputation stood highest. He published relatively little and had no acknowledged successor, so that it might well be said that his secret had died with him.

2. *sans en franchir les bornes*. Dupuytren was an extremely ambitious man, and his determination to be the greatest surgeon of his time was such that he devoted all his time and ability to that one end. His general contributions to scientific knowledge were consequently less than they might have been.

3. *une intuition acquise ou naturelle.* Dupuytren was on occasion capable of a diagnosis so rapid that it appeared to be the result of intuition, although he himself said that it was simply the result of experience.

4. *Cuvier.* Georges Cuvier (1769–1832) was the greatest naturalist of his age.

5. *Mais a-t-il résumé...* Balzac's reservations about Desplein's greatness are mostly afterthoughts. The passages 'Mais a-t-il résumé... Non' and 'malheureusement tout en lui... conséquemment mortel' were not in the first edition of the story. In 1836 the shock of Dupuytren's death was still recent, and the sense of loss suffered by science was uppermost in Balzac's mind; a clearer perspective was established with the passage of time.

6. *Hippocrate, Galien, Aristote.* Hippocrates (c. 460?–377 or 359 B.C.) is, of course, known as the father of medicine; Galen (c. A.D. 130–201) wrote numerous treatises on medical and philosophical subjects; Aristotle (384–322 B.C.) summed up the science of antiquity in his philosophy.

7. *isolé dans sa vie par l'égoïsme.* Dupuytren was a man of arrogant, susceptible, and solitary temperament, whose career was punctuated by a series of violent public quarrels with his colleagues. He was reputed by his enemies to be so jealous of his position that he always tried to prevent his younger rivals from demonstrating their brilliance.

8. *son athéisme pur et franc.* This is one point on which Balzac, for the needs of his plot, deviates from the model offered him in the person of Dupuytren. Although he had not always been a practising Christian, the great surgeon was not particularly notorious for atheistic views.

9. *En y reconnaissant...* These eccentric theories owe more to Balzac's own highly imaginative physiology than to any of Dupuytren's views.

10. *dans l'impénitence finale.* Again Balzac diverges from the reality of Dupuytren's life; during his last illness, Dupuytren seems to have become wholly reconciled with Christianity.

11. *à qui Dieu puisse pardonner.* Balzac's sententiousness comes close to sanctimoniousness here. But one must remember that he was trying hard to impress Madame Hanska with his attachment to religion.

12. *il fallut 1822...* In 1804 Napoleon had encamped his army at Boulogne in preparation for an invasion of England in flat-bottomed boats. But his inability to win command of the sea caused him to abandon the plan and turn to the conquest of the Continent. In 1822 the French government was anxious to intervene in the civil conflict in Spain, and almost found itself isolated against England in the process. In the first edition, Balzac had illustrated his point more clearly by writing '1814' instead of 1822, thinking of Napoleon's abdication and exile to Elba.

13. *Crébillon le tragique.* Prosper Crébillon (1674–1762), the author of

numerous tragedies, is known as Crébillon le tragique to distinguish him from his son Claude, the novelist.

14. *une singulière indifférence*... This latter state was in fact more typical of Dupuytren, who affected an unchanging and old-fashioned costume, which he wore until it was threadbare.

15. *brusque et bon*. Dupuytren was often rude and fierce in his dealings with others, but he always showed great kindness and generosity towards his patients.

16. *en apparence âpre et avare*. Dupuytren always ate extremely simply and never bothered to change his menu when he had distinguished guests. When asked why, he would reply: 'Je ne suis pas un restaurateur; s'ils veulent venir chez moi, ils n'ont qu'à manger mon pot-au-feu' (quoted by Henri Mondor, *Dupuytren* (Paris, Gallimard, 1945), p. 105).

17. *offrir sa fortune à ses maîtres exilés*. When Charles X was deposed and exiled by the Revolution of 1830, Dupuytren wrote to him: 'Sire, grâce en partie à vos bienfaits, je possède trois millions; je vous en offre un; je destine le second à ma fille et je réserve le troisième pour mes vieux jours' (quoted by Mondor, p. 250).

18. *un cordon noir*. This was the badge of the Ordre de Saint-Michel, originally founded by Louis XI in 1469 and revived by Louis XVIII in 1816, largely for men of learning.

19. *un livre d'heures de sa poche*. It was often said, much to Dupuytren's annoyance, that he had done precisely this to curry favour at the very Catholic court of Charles X. One version of the story runs: 'Au cours d'une messe célébrée au Château de Saint-Cloud, Dupuytren laissa tomber avec fracas, pendant l'élévation, un volumineux livre d'heures. — Voici M. Dupuytren qui perd ses heures, aurait dit la duchesse d'Angoulême. — Mais qui ne perd pas son temps, aurait répliqué le duc de Maillé' (quoted by Mondor, p. 257, n. 1).

20. *Tout génie suppose une vue morale*. This aphorism certainly is borne out in Balzac's own case.

21. *propre à faire un ministre*. In 1831 Dupuytren, who had not hitherto shown much interest in politics, suddenly decided to put his name forward as a candidate in an election. But he was decisively beaten and took no further part in political life.

22. *l'Hôtel-Dieu*. L'Hôtel-Dieu, where Dupuytren was chief surgeon, with Marx as his assistant, was one of the oldest and most important of Paris hospitals. In his time it stood in front of Notre-Dame; between 1868 and 1878 it was rebuilt slightly farther to the north.

23. *la Maison Vauquer*. Life in this most famous of literary boarding-houses forms the subject of *Le Père Goriot*.

24. *un tronçon de chière lie*. This Rabelaisian phrase means 'to enjoy a good meal in gay company'.

25. *le Pylade de plus d'un Oreste*. In classical legend, Pylades was the faithful companion of Orestes when the Furies were pursuing him for having killed his mother.

26. *Quand un chef de clinique...* Balzac's imagery is more exuberant than carefully planned, and he occasionally produces involuntarily comic effects by mixed metaphors of this sort. The incongruity here stems from his incorrigible habit of gilding the lily in each successive version of his works. In the 1836 edition, the last part of the sentence read simply 'ce jeune homme a sa fortune faite'. The addition of a metaphor must have seemed an improvement later only because Balzac had not re-read the whole phrase.

27. *un Séide*. In Voltaire's tragedy *Mahomet*, Séide is the fanatically devoted slave of Mahomet.

28. *si telle femme...* Dupuytren was separated from his wife, and at least one of his female patients, a Madame Émilie de Lavalette, threw herself into his arms; Balzac appears to be alluding to other affairs of the same kind.

29. *par le développement du cœur*. A post-mortem examination revealed that Dupuytren's heart was 'vigoureux, sensiblement hypertrophié' (Vidal de Cassis, *Essai historique sur Dupuytren*, 1835, quoted by Moïse Le Yaouanc, *Nosographie de l'humanité balzacienne* (Paris, Librairie Maloine, 1959), p. 230).

30. *le célèbre Dubois*. Antoine Dubois (1756–1837), after serving with Napoleon in Egypt as a military doctor, returned to France and specialized in obstetrics.

31. « *Amène-les-moi tous.* » Jacques Borel (in *Personnages et destins balzaciens*) has ingeniously suggested that Dupuytren may in fact have had special reasons for wanting Auvergnat water-carriers as patients. One of the diseases in which he was particularly interested and which is now known as *la maladie de Dupuytren* was permanent retraction of the fingers, and in his time this condition was thought to be due to the continual crooking of the fingers to carry heavy burdens. As water-carriers had to do just this, it may be that Dupuytren wished to examine as many of them as possible for clinical purposes. Possibly the coincidence between this and the story of Fourcroy's benefactor led Balzac to make Desplein-Dupuytren the central figure of his tale.

32. *l'enfant du Cantal*. Cantal is a mountain group in Auvergne, a department, and also a well-known variety of cheese.

33. *l'église*. The church of Saint-Sulpice, completed in 1745, is one of the largest on the Left Bank.

34. *la rue du Petit-Lion*. As ever, Balzac is exact about his Parisian topography. All the streets named in the story either still exist or did so in his time. The Rue du Petit-Lion was the old name for part of the Rue Saint-Sulpice.

35. *Cabaniste*. Georges Cabanis (1757–1808), a doctor who was closely associated with French thinkers in the post-Encyclopaedist tradition, was the author of the *Traité du physique et du moral de l'homme*, an atheistic and materialistic work which had a vast influence at the turn of the century.

36. *toutes les sangsues de Broussais*. François-Joseph-Victor Broussais (1772–1838), another of the medical celebrities of the age, was a great advocate of weakening patients by bleeding and leeches.

37. *Hoc est corpus*. The Latin words of the Gospel account of the Last Supper—'Take, eat; this is my body'—were at the centre of the Eucharistic controversies which raged in the ninth, tenth, and eleventh centuries. Eventually, the doctrine that the blood and body of Christ are really present in the sacraments prevailed, and in 1264 Pope Urban IV instituted the Feast of Corpus Christi (*la Fête-Dieu*) in honour of the Real Presence.

38. *les guerres du comte de Toulouse et les Albigeois*. The Albigensian heresy (a form of dualism) had become so powerful in the south of France that the Pope ordered a crusade against it in 1209. Simon de Montfort (father of the Simon de Montfort famous in English history) led it until he was killed at the famous siege of Toulouse in 1218. Raymond VI, comte de Toulouse, was one of the Albigensian leaders, as was his successor, Raymond VII. The wars went on for some twenty years until the massacre of many of the Albigensians put an end to the heresy.

39. *les Vaudois*. Like the Albigensians, the Vaudois were a heretical religious sect which sprang up in the south of France in the twelfth century.

40. *une détestable contrefaçon du Citateur*. *Le Citateur* (1803) was an obscene anti-clerical pamphlet by Pigault-Lebrun.

41. *de natura rerum*—'of the nature of things'—the title of the didactic poem in which Lucretius expounded his materialistic view of the universe is in fact *De rerum natura*.

42. *Madame la duchesse d'Angoulême* was the daughter of Louis XVI. Given Dupuytren's snobbery and the fact that he did know her, the mention of her name is entirely in character.

43. *le mystère de l'Immaculée Conception*. Balzac is evidently confusing the Immaculate Conception (the freedom of the Virgin Mary from original sin) with the doctrine of the Virgin Birth.

44. *quand le peuple se ruait sur l'Archevêché*. In February 1831 there were

riots when republicans and liberals clashed with legitimists. The church of Saint-Germain l'Auxerrois was sacked, as was the Archevêché the following day.

45. *poindaient*. *Poindre* should be conjugated like *joindre*.

46. *l'Incrédulité… l'Émeute*. Balzac is sometimes tempted by pompous personifications of this kind, which are too rhetorical to sort well with the direct style he employs elsewhere in the story. But one of the joys of Balzac's way of writing is the total unexpectedness of his effects.

47. *une nouvelle édition du Tartufe de Molière*. It is not clear at which of the right-wing politicians of the day this shaft is aimed.

48. *d'Arthez*. Daniel d'Arthez was the leader of the group of young writers and thinkers who formed the 'Cénacle de la rue des Quatre-Vents' which is described in *Illusions perdues*. Other members included Bianchon, Louis Lambert, and, for a time, Lucien de Rubempré. Once again, the whole sentence is a late interpolation designed to link *La Messe de l'athée* with a novel written several years later.

49. *de si rudes commencements*. This corresponds to the truth about Dupuytren, who had hardly any money to live on as a medical student.

50. *neuf sous par jour*. It seems odd that Balzac, who so revelled in financial complications, should have got this simple sum wrong. If Desplein spent two sous a day on his breakfast and sixteen sous every other day for his dinner, that makes ten sous a day and not nine. But the mistake arose from a change in later editions. In 1836 Balzac had said that Desplein spent eighteen sous every other day on dinner, and that his daily expenditure was eleven sous. When he later reduced the cost of the dinners by two sous, he presumably forgot that this only happened on alternate days and inadvertently deducted that amount from Desplein's daily outgoings.

51. *Zoppi*. This was presumably a café in the Latin Quarter. But it must have been a very insignificant one, as it is not mentioned in any of the lists of cafés and restaurants of the time. The smaller it was, the more incongruous would be Desplein's admiration for it.

52. *Lucullus* was a Roman general famous for his lavish banquets.

53. *gobeloter*. A slang term: 'to have a drink'.

54. *de la brioche*. It was Marie-Antoinette who was reputed to have made this remark in pre-Revolutionary times.

55. *Je m'engagerai!* That is to say, in the army.

56. *un porteur d'eau nommé Bourgeat*. The name which Balzac gives to his Auvergnat is in itself an indication that the character is purely his own invention. A *bougnat* is an Auvergnat coal and wine merchant in Paris (the two businesses are often combined in tiny cafés); it seems obvious that Bourgeat is merely a variant of this standard epithet.

57. *un homme de Saint-Flour*. Saint-Flour is one of the chief towns of the department of Cantal.

58. *sur le même carré*—'on the same landing'.

59. *'Monchieur l'étudiant…'* Balzac delights in giving approximate phonetic equivalents of the different accents and dialects of his characters—Nucingen is the outstanding example. One of the features of the Auvergne dialect is the replacement of *s* by *sh*.

60. *quelques monnerons*—slang for *quelques sous*. *Monnerons* was originally the name given to coins of low value minted by the Monneron brothers in 1791 and 1792.

61. *pour un Lycurgue*. Lycurgus is said to have lived in the ninth century B.C. and to have been Sparta's law-giver.

62. *comme Philopémen*. Philopoemen was commander-in-chief of the Achaean League which defeated the Spartans at Mantinea in 208 B.C. He was a man of such simple appearance that when he turned up early at a house where he was due to stay, his hostess mistook him for a soldier sent in advance to prepare his arrival and put him to work chopping wood—which he did with a will. Balzac probably found the story in Plutarch's *Lives*.

63. *chez un écrivain public*. In the days when illiteracy was common, there were public scriveners who made a living by writing letters for those unable to do it themselves.

64. *la porte du temple terrestre*. The inscription quoted by Balzac is that which runs over the doorway of the Panthéon, where eminent Frenchmen are buried.

FACINO CANE

Facino Cane was first published in 1836, and according to Balzac himself, it was written in a single night.[1] He originally classified it as an *Étude philosophique*, but after he had reissued it under the title *Le Père Canet* in 1843, he put it among the *Scènes de la vie parisienne*.

It has a twofold interest: the study of Facino Cane's obsession is the most concise and one of the most telling of the numerous evocations of the lust for gold in the *Comédie humaine*, and the confessions which Balzac makes about his own personality are perhaps the most revealing to be found anywhere in his work. One sees how the details

---

[1] So he tells Madame Hanska on 30 September 1836; cf. *Lettres à l'Étrangère*, vol. i, p. 349.

of people's appearance are merely a means for him to penetrate to their inmost souls; one sees how he lives their lives until an almost complete identification takes place; one sees how his instinct for sympathetic observation provides him with a vast store of knowledge of the fauna of the Parisian jungle upon which he can draw for his own creations when the time comes; one sees too that he is half afraid of the facility with which he can abandon his own self in order to assume the mantle of someone else's being. It is also noteworthy that Balzac, for all his snobbishness and reactionary political views, chooses in the first instance to identify himself with the poor working classes—just as Baudelaire was later to do in *Les Sept Vieillards* and *Les Petites Vieilles*. Indeed, several of the stories in the present collection illustrate Balzac's compassionate understanding of ordinary everyday poverty, a facet of his character which is less in evidence in the novels because he seems to think that the lower classes are not a fertile source of the high drama and vital interests which fascinate him—the ailing fisherman in *Un Drame au bord de la mer* and Bourgeat the water-carrier in *La Messe de l'athée* are other examples. The opening pages of *Facino Cane* constitute one of the best introductions to Balzac's technique as an artist and a psychologist. As for the tale of Facino Cane itself, it is told as a dramatically foreshortened diptych, starkly contrasting the sordid realities of his decadence with his brilliant and exotic past.

1. *la rue de Lesdiguières*. The narrator here is Balzac, without any attempt at disguise. He lived in a garret in the Rue Lesdiguières in 1819 and 1820 on very little money while he was attempting to start his career as an author.

2. *une bibliothèque voisine, celle de* MONSIEUR. This library, now the Bibliothèque de l'Arsenal, had been founded in the eighteenth century by the Marquis d'Argenson. Before 1789 it had belonged to the Comte d'Artois, later Charles X, who was known as Monsieur while his brother Louis XVIII was king.

3. *l'Ambigu-Comique* was a theatre which in those times specialized in vaudeville and light comedy: it later became famous for its melodramas.

4. *les mottes*. The lumps of peat used for domestic heating.

5. *une de ces qualités dont l'abus mènerait à la folie*. Louis Lambert's madness was something which Balzac often feared for himself; he was on occasion terrified by something demonic which he felt in the exercise of his intellectual and creative faculties.

6. *chefs-d'œuvre enfantés par le hasard.* This tirade comes close to being a programme for the *Comédie humaine.*

7. *la mère Vaillant.* Even the charwomen reappear in Balzac's novels: la mère Vaillant also looks after Pillerault in *César Birotteau.* She is probably based on Madame Cumin, an old family servant of the Balzacs, whom his parents from time to time dispatched to Paris to attend to his needs, but one also finds a Madame Vaillant mentioned in his correspondence in 1822; she seems to have been an obliging neighbour.

8. *l'esprit de la Courtille.* La Courtille was part of Belleville, a suburb of Paris, and its cafés were particularly popular in carnival time. The hectic return of the drunken revellers to Paris on Ash Wednesday morning was known as *la descente de la Courtille.*

9. *trois aveugles des Quinze-Vingts.* The Hospice des Quinze-Vingts was an institution for the blind, founded by St. Louis about 1254 for 300 knights blinded by the Saracens.

10. *ni du Beethoven.* Although Beethoven was one of Balzac's favourite composers (the Fifth Symphony is highly praised in *César Birotteau*), his name was only added as an afterthought, Balzac having originally preferred to mention Méhul.

11. *une maudite goutte sereine.* The *goutte sereine* is another name for amaurosis, blindness caused by atrophy of the optic nerve.

12. *le bocal*—slang for *le ventre.*

13. *le fameux condottiere Facino Cane.* Bonifacio Facino Cane really existed. Born about 1360, he was a Piedmontese *condottiere* (leader of mercenary troops) who died in 1412 just after wresting Genoa from the French.

14. *le Livre d'or.* The Golden Book was the register in which were inscribed in golden letters names of noble families of Italy. It was destroyed in 1797.

15. *la Casa Doro*, or Ca' d'Oro, is a fifteenth-century palace, so called because it is largely faced with gold.

16. *une douche électrique.* Balzac often compares the effect of strong emotion to electricity, but it is more than just a simile. For him, violent feelings are accompanied by a discharge of will-power, which he regards as akin to electricity.

17. *les Rotschild.* By Balzac's time, the Rothschilds had become one of the wealthiest banking families in Europe.

18. *le sposo.* This minor touch of local colour (*sposo* means 'husband' in Italian) was only added after Balzac had been to Italy in 1836 and 1837; the first edition had simply *il.*

19. *le Provéditeur.* The *provveditore* was an official of the Venetian Republic, a kind of inspector-general.

20. *l'un des Dix*. When Venice was an independent republic, its governing body was the Council of Ten.

21. *Madame du Barry* (1743–93) was the favourite of Louis XV.

22. *des aventures dignes de Gil Blas*. Gil Blas was the hero of the early eighteenth-century picaresque novel by Lesage which bears his name.

23. *Bicêtre*. There is a famous lunatic asylum at Bicêtre on the outskirts of Paris.

24. *au Premier Consul*. Napoleon held the title of *Premier Consul* from 1799 until he was proclaimed Emperor in 1804.

25. *comme le* Super flumina Babylonis. The first words of Psalm cxxxvii, which is the lament of the Jews in exile: 'By the rivers of Babylon, there we sat down, yea we wept, when we remembered Zion.'

26. *car mon titre passe aux Memmi*. This phrase enables Balzac to connect *Facino Cane* with *Massimilla Doni*, another of his novels which takes place in Italy. At the beginning of the novel the fate of Facino is briefly evoked: 'le dernier des Cane de la branche aînée disparut de Venise trente ans avant la chute de la république, condamné pour des crimes plus ou moins criminels.' The only descendant of the younger branch is Emilio Memmi, the hero of the story, who inherits the title of Prince de Varèse. But the mention was only added after the publication of *Massimilla Doni* in 1839.

27. *Facino Cane*... The succinctness and sobriety of the last paragraph stand in deliberate contrast to the extravagance of Cane's projects. Originally, the story had ended in an even more abrupt and non-committal fashion, since the first edition in 1836 contained neither of the two pieces of dialogue: '*Ave Maria*... le visage en feu' and 'Partirons-nous... devant soi'. Balzac may have decided that some expansion was necessary if he were not to appear simply to be dismissing the old man as insane.

28. *un catarrhe*. Moïse Le Yaouanc (op cit., p. 183) observes that Balzac uses the term *catarrhe* to designate any illness involving a lot of coughing.

PIERRE GRASSOU

Pierre Grassou, which was first published in 1840 and eventually placed among the *Scènes de la vie parisienne*, has very much the same subject as an unfinished story by Stendhal entitled *Feder ou le mari d'argent*, the manuscript of which dates from 1839. As Balzac and Stendhal were seeing much of each other at the time when the two tales were being written, it is not unreasonable to suppose that the idea of taking a mediocre painter as the subject for a tale grew out of conversations between them (cf. Pierre Martino, 'Une Rencontre', *Le Divan*, avril– juin 1950). It is that rarity among Balzac's works, a completely humorous narration, devoid of either bitterness or tragedy, and it has the additional charm of being rather more complex psychologically than many of Balzac's portraits. Grassou may be only a superficial dauber, but he has a heart of gold, counts the most eminent artists of his time among his friends, and respects true art when he sees it, even if he is incapable of producing it himself. Balzac himself reveals the train of thought which leads him to take an interest in such a character —he visits the annual *Salon*, deplores the poor quality of the majority of the pictures exhibited there, wonders what sort of person paints them, then imagines the answer: men like Pierre Grassou, worthy, sincere, bourgeois, and without a spark of genius. But since this sort of artist is financially by far the most successful, he has his place in the commercial realities of the *Comédie humaine*, just as much as his more inspired colleagues like Bridau, of whom we catch a brief but electrifying glimpse, working over Grassou's picture just as Frenhofer does with Porbus's. For an understanding of the nature of art and its place in the world, *Pierre Grassou* is an indispensable counterpart to *Le Chefd'œuvre inconnu*. It is also a pleasantly relaxed tale, which amuses by some boisterous caricature as well as by the ingenious trickery which forms its plot.

1. *Toutes les fois...* One may question the wisdom of including in the *Comédie humaine* what is in effect a page of polemical journalism, the interest of which has long since faded.

2. *Le Louvre a été pris d'assaut...* Before the Revolution of 1789 the Louvre was one of the royal palaces. It was the Convention which first made it into a national picture gallery.

3. *Delacroix.* Eugène Delacroix (1799–1863) was the greatest French painter of his age.

4. *Ingres.* Dominique Ingres (1781–1867) was another of the most celebrated painters of the early nineteenth century.

5. *le Genre proprement dit. La peinture de genre* is painting which is neither portrait, landscape, seascape, nor historical: it deals mainly with scenes of everyday life.

6. *Decamps.* Alexandre-Gabriel Decamps (1803–60) was chiefly famous for his oriental scenes.

7. *Sigalon*. Xavier Sigalon (1788–1837) was a painter of historical subjects.

8. *Géricault. Le Radeau de la Méduse*, which still hangs in the Louvre, is the best-known picture of Théodore Géricault (1791–1824), who, together with Delacroix, was the creator of the Romantic school in French painting.

9. *Eugène Deveria* (1805–65) was another painter of historical subjects. His brother Achille, also an artist, was a friend of Balzac's.

10. *sans le choix de l'Académie*. The academy in question is the Académie des Beaux-Arts.

11. *Pierre Grassou*. Grassou is mentioned in various other Balzac novels, generally as the supplier of portraits to wealthy and unartistic members of the bourgeoisie. Balzac does not appear to have based his character on any particular artist of his own time.

12. *Fougères* is a town in the north-east of Brittany. Grassou is given the nickname of his birthplace because the painter in Fabre d'Églantine's play *L'Intrigue épistolaire* (1791) is called Fougères.

13. *la Tribu des Artistes*. A formula which recalls the importance which Balzac attached to the classification of society by professions.

14. *l'obélisque de Luxor*. The obelisk of Luxor (usually spelt Louqsor) has stood in the Place de la Concorde since 1836.

15. *Montmartre* is still one of the favourite artist quarters of Paris.

16. *la vie méticuleuse des petits esprits*. Balzac, whose own way of life was extraordinarily hectic and extravagant, was rarely able to suppress a note of disdain for those people, mostly bourgeois and provincial (like Grassou), who could find happiness in a dull, economical, and minutely regulated existence.

17. *Élias Magus*. This avaricious and cunning old art dealer plays a major part in despoiling Pons of his collection of *objets d'art* in *Le Cousin Pons*.

18. *Fougères avait eu la croix*. That is to say, the cross of a Chevalier of the Legion of Honour.

19. *Timeo Danaos et dona ferentes*.—'I fear the Greeks, even when they bring gifts.' According to Virgil in the *Aeneid*, this is what the high priest Laocoon said to the Trojans to dissuade them from bringing the wooden horse into the walls of the city.

20 *Prenez mon ours!* In *L'Ours et le pacha* (1820), by Scribe and Xavier, Marécot is trying to replace the pasha's white bear, which he has lost; Laringeole immediately offers him a black one, saying: 'Parbleu! j'ai votre affaire! Prenez mon ours!' Langeingeole is presumably as near as Balzac can get to remembering the name Laringeole.

21. *ce vieux bois d'Allemagne*. A German wood-carving.

22. *Mai-z-oui*. The liaison is not made in *mais oui*: Grassou is being facetious.

23. *Ville-d'Avray* is a village near Versailles, still notable for its elegant country houses.

24. *il est nécessaire...* As usual, Balzac takes his readers into his confidence when he thinks it necessary to plunge into past history and warns them that his story will be incomprehensible unless they follow him.

25. *Servin*. The list of the painters with whom Grassou has studied shows the extent to which for Balzac the world of reality and the world of the *Comédie humaine* have become one: half of them really lived and the other half occur in various of his novels. But it was only belatedly that this ingenious device occurred to him. Instead of Servin, Schinner, and Sommervieux, the first edition in 1840 mentioned three real painters: J.-P. Granger (1779–1840), Antoine-Jean Gros (1771–1835), and Lethière (whose real name was Guillaume Guillon; 1760–1832). Servin is the painter and art-teacher in whose studio much of the action of *La Vendetta* takes place.

26. *Schinner*. Hippolyte Schinner, later made a baron, is the painter-hero of *La Bourse*.

27. *Sommervieux*. In *La Maison du Chat-qui-pelote*, Auguste de Sommervieux, a brilliant painter but a stormy personality, contracts a disastrous marriage with a draper's daughter.

28. *Granet*. After the fictitious artists, the real ones. François-Marius Granet (1775–1849) was a pupil of David and is noted for his rendering of light.

29. *Drolling*. Martin Drolling was a painter who lived from 1752 to 1817.

30. *Duval-Lecamus*. Pierre Duval-Lecamus (1790–1854) was another of David's pupils.

31. *Grassou de Fougères ressemblait à son nom*. Balzac liked to give his characters names the sound of which struck him as appropriate to their characters. The name Grassou was obviously suggested to him by the word *grassouillet*, as he practically admits here.

32. *Mayenne* is a department on the borders of Normandy and Brittany.

33. *parent éloigné des d'Orgemont*. In *Les Chouans*, Balzac mentions two brothers d'Orgemont from Fougères, one a banker and the other a priest. Once again this link with another novel is an afterthought. In 1840 Balzac had written—but possibly only by a slip of the pen—'parent éloigné des Grassou'.

34. *Greuze*. The French painter Jean-Baptiste Greuze (1725–1805) specialized in scenes of family life.

35. *chez Brullon*. Brullon was one of the main suppliers of artists' materials, *A la palette d'or*, in the Rue de l'Arbre-sec.

36. *du Juif de Walter Scott fourbant un chrétien*. The wily money-lender Isaac of York in *Ivanhoe*. Scott was one of Balzac's favourite authors.

37. *Joseph Bridau* is the outstanding painter of the *Comédie humaine*. His early life and struggles with his rascally brother Philippe are related in *La Rabouilleuse*.

38. *Metzu*. Gabriel Metsu (or Metzu) was a seventeenth-century Dutch painter.

39. *La Leçon d'anatomie*. This famous picture hangs in the Mauritshuis at The Hague.

40. *à la façon des brebis quand il pleut*. The oddity of Balzac's similes, which can be disconcerting in a serious work, is very effective in a comic one.

41. *Léon de Lora* is another of Balzac's painters, who figures notably in *Les Comédiens sans le savoir*.

42. *Vigneron*. Pierre-Roche Vigneron (1789–1872) was a painter and lithographer.

43. *Dubufe*. Claude Marie Dubufe (1789–1864) specialized in historical subjects.

44. *Gérard Dow* (or Dou; 1613–75) was one of Rembrandt's pupils, *The Dropsical Woman*, to which Balzac refers, hangs in the Louvre.

45. *La toilette d'un chouan...* Here is yet another illustration of the meticulous care which Balzac has taken to link his novels. In the 1840 text, Grassou's picture was called simply 'LA TOILETTE D'UN CONDAMNÉ À MORT' and there was no mention of 'l'affaire des chauffeurs de Mortagne'. It was only after the publication in 1845 of *L'Envers de l'histoire contemporaine*, in which he tells the story of the 'chauffeurs de Mortagne', that he had the idea of this alteration. *Chauffeurs* was the name given to bands of royalist rebels in the west of France whose habit it was to burn the soles of their victims' feet in order to make them reveal the whereabouts of their money. The particular fictitious case which Balzac relates is that of a group of bandits who in 1809 seized a large sum of government money at Mortagne, near Alençon in Normandy, and were then betrayed to the police by one of their number, as a result of which twenty-three rebels were executed. Among them was the only daughter of Madame de La Chanterie, the principal character of *L'Envers de l'histoire contemporaine*.

46. MADAME was the title given to the Duchesse de Berry, Charles X's daughter-in-law.

47. *Monseigneur le Dauphin* was the Duc d'Angoulême, Charles X's eldest son.

48. *Le principe de l'Élection...* In politics Balzac was very anti-democratic, and cannot resist a sideswipe at one of his favourite bugbears. The 1840 text was even more dogmatic, since it did not include the qualification 'appliqué à tout'.

49. *du Dominiquin.* The Italian painter Domenico Zampieri (1581–1641) is usually known as Domenichino.

50. *la Révolution de Juillet.* It was the July Revolution of 1830 that deposed Charles X and brought Louis-Philippe to the throne.

51. *il montait sa garde.* It was compulsory for the middle-class citizens of Paris under Louis-Philippe to do duty with the Garde Nationale. Balzac regarded it as a great bore and was frequently in trouble for refusing to turn up.

52. *son notaire, Cardot.* The lawyer Cardot appears in various novels including *César Birotteau* and *Un Début dans la vie.* Balzac had originally chosen Alexandre Crottat, another familiar legal figure in the *Comédie humaine,* but eventually replaced him by Cardot, no doubt because the latter's greater reputation for honesty lent more respectability to Grassou.

53. *par première hypothèque...* Cardot lent out Grassou's money on the security of a house which was not already mortgaged. If the borrower were to die before repayment had been completed, Grassou would be entitled to be reimbursed from his estate before the borrower's wife (if he had one) had any claim on it, as she normally would have under French law, or before other creditors, if the borrower were using the money to complete a purchase, for instance, of the house itself. It was thus an extremely prudent investment.

54. otium cum dignitate—'leisure with dignity': Cicero's description of the well-earned rest of a retired Roman public man.

55. *chouettes, kox-noffs et chocnosoffs.* All slang terms of admiration. *Chouettes* is still used, but *kox-noffs* and *chocnosoffs* were transient nonsense words used by artists—it may have been Théophile Gautier who invented them (cf. R. Dagneaud, *Les Éléments populaires dans le lexique de la 'Comédie humaine'* (Paris, 1954), p. 160).

56. *l'Institut.* The Institute comprises the five Academies (Française, des Inscriptions et Belles-Lettres, des Sciences morales et politiques, des Sciences, des Beaux-Arts).

57. *la rosette.* The rosette forms the insignia of an Officier of the Legion of Honour, the next grade above that of Chevalier.

58. *Ce fruit surmontait...* The description of the Vervelles is pure caricature, with much more exaggeration than Balzac normally uses in his portraits. But it is highly successful comedy.

59. *la pratique*—'the customer'. Balzac deliberately uses the most trivial

and commercial word, to emphasize the absence of any artistic feeling in the whole transaction.

60. *Il y a gras!* 'There's a lot of money in it!'

61. *un* acajou répandu. Her complexion looked like walnut stain.

62. *Les plumes du convoi de première classe.* The class in this instance is that of the type of funeral one can afford, and the plumes are those of the horses which draw the hearse.

63. *des* abatis. This is an old spelling of *abattis*.

64. *de pareilles boules. Boule* is slang for *tête*.

65. *paniers percés*—'spendthrifts'.

66. *des pantoufles... à la poulaine.* Slippers with turned-up ends.

67. *un regard de son commerce.* Grassou supposes that the constant sight of gold during pregnancy may have affected the physique of Madame Vervelle's unborn daughter. Facino Cane makes a similar supposition about his mother (cf. p. 173).

68. *Abyssus abyssum.* 'Deep calleth unto deep' (Psalm xli. 8).

69. *et entra Joseph Bridau.* Bridau's appearance in the story is not essential to the plot, but Balzac wants to show how, in his opinion, a real artist looks and behaves. Grassou's meekness and tidiness are thus thrown into comic relief.

70. *les Anglais.* Slang for 'creditors' or 'the bailiff's men'.

71. *Y a-t-il* aubert en fouillouse? 'Have you any money in your pocket?' The expression is slang, but archaic. Balzac probably remembered it from Rabelais (*Pantagruel*, book iii, ch. 41). Cf. Dagneaud, op. cit., p. 158.

72. *beurre-moi cela*—'lay it on!' Bridau adopts not only the same attitude as Frenhofer, but also his vocabulary (cf. note 22 on p. 217).

73. *ce* pacant-là—'that yokel'.

74. *d'Arthez.* Cf. note 48 on p. 235.

75. *un oncle à succession*—'an uncle whose money they hoped to inherit'.

76. *Louis-Philippe et les galeries de Versailles.* In 1837 Louis-Philippe ordered a large-scale redecoration of the Palace of Versailles, with dozens of new paintings by different artists.

77. *ont voiture.* To maintain a private carriage was a sign of considerable wealth.

78. *entre la barrière du Trône...* This quarter of the east of Paris is one of its commercial centres.

79. *les émeutes du 12 mai.* During a cabinet crisis in May 1839, the left-wing leaders Barbès and Blanqui organized an unsuccessful insurrection against Louis-Philippe.

80. *commander une bataille.* Part of Louis-Philippe's redecoration of

Versailles consisted in ordering a series of pictures to commemorate French victories for the Galerie des Batailles.

81. *On connaît* ... This last sentence was not in the 1840 edition. Balzac must have realized on re-reading the story that he had been harder on Grassou than he had intended, and added this qualification to attenuate the harshness of his criticisms. Similarly the phrase 'ce brave garçon' on p. 199 is a late addition.